£2.50

Sharif
Gemie

INTRODUCTION
À LA FRANCE MODERNE

« L'Évolution de l'Humanité »

La collection « L'Évolution de l'Humanité »
a été fondée par Henri Berr

ROBERT MANDROU
Professeur à l'Université de Paris X
Directeur d'études
à l'École pratique des Hautes Études

Introduction à la France moderne

(1500-1640)

Essai de Psychologie historique

ÉDITIONS ALBIN MICHEL

A Lucien FEBVRE,
en totale fidélité.

Et la psychologie, est-ce un rêve de malade, si je pense, si je dis ici qu'elle est à la base même de tout travail d'historien valable ?

Lucien FEBVRE.

Voici publié dans notre série de grande diffusion cet ouvrage de Robert Mandrou, *dont il faut dire, ici, qu'il illustre excellemment l'un des buts de « L'Évolution de l'Humanité », précisé par* Henri Berr *dès les débuts de la Collection : développer et approfondir la psychologie historique, seule base à partir de laquelle on puisse comprendre l'histoire, et, la comprenant, l'expliquer.*

Il est hors de doute que vouloir ressusciter, sous cet angle, le Français du XVIe siècle, celui qui a vécu entre la découverte du Génois Colomb et celle du Pisan Galilée — selon la belle formule de Michelet que rappelle R. Mandrou au début de son livre — est un sujet extrêmement intéressant, mais fort difficile. C'est en effet le secteur qui a été, longtemps, le plus négligé de l'histoire, et il a fallu l'impulsion puissante de Lucien Febvre pour que l'étude des mentalités soit enfin abordée d'une manière vraiment scientifique. A la suite de son maître, l'auteur donne, dans cet ouvrage, un premier résultat de ses recherches : la lecture en est attachante, comme celle d'un roman.

Que l'on prenne la peine de feuilleter la Table des Matières : on verra la soigneuse analyse qui est faite de l'homme de cette époque, si différent de nous — et si proche à la fois : l'homme physique, l'homme psychique, les types d'activité les plus variés, les dépassements, les évasions... — et tout cela au sein de toutes les classes de la société. Mais R. Mandrou considère un tel ensemble plus comme un programme de travail que comme un aboutissement. En effet, la documentation, importante en certains domaines, est cependant inégale et comporte encore bien des lacunes que la recherche comblera, espérons-le, dans les années à venir.

Mais laissons l'auteur lui-même, dans son Avertissement, présenter ses objectifs et ses positions de départ, en le remerciant très simplement de nous avoir donné cet ouvrage si vivant et qui montre de l'histoire un visage auquel on n'est pas encore habitué.

Paul Chalus,
Secrétaire général
du Centre International de Synthèse.

Note. - Cet ouvrage est le tome LII de la Bibliothèque de Synthèse historique « L'Évolution de l'Humanité », fondée par Henri Berr et dirigée, depuis sa mort, par le Centre International de Synthèse dont il fut également le créateur.

Préface à la première édition

Écrire un livre d'histoire n'est jamais un jeu de l'esprit, comme d'aucuns aiment parfois le laisser entendre de l'œuvre littéraire, roman, nouvelle ou conte. L'historien qui travaille à une reconstitution toujours perfectible du passé, entend démontrer, prouver, — à tout le moins apporter une pierre à l'œuvre collective. Et il situe lui-même son travail et sa contribution dans ce long enchaînement d'approximations, de mises au point qui constitue la science historique.

La présente préface ne saurait donc échapper à la règle : allons-nous exposer comment nous avons depuis une dizaine d'années consacré tout notre travail de recherche historique à répondre aux appels lancés naguère par Lucien Febvre en faveur de l'histoire des mentalités collectives ? A vrai dire l'ouvrage tout entier est comme une présentation de cette tentative, ses coordonnées, ses méthodes comme ses ambitions. Dans ce domaine qui est pratiqué d'instinct par tous les historiens, et demeure en même temps un terrain encore mal reconnu, nous nous sommes avancé peut-être avec témérité. Aussi chaque page de ce livre est-elle une manière de justification.

C'est ce qui nous autorise sans doute à nous contenter d'indiquer ici en quelques mots comment et pourquoi le nom de Lucien Febvre reviendra si souvent dans ces pages : nous situerons ainsi notre dette, et notre gratitude.

*

Tous les historiens connaissent le combat mené pendant un demi-siècle par Lucien Febvre pour engager ses collègues, ses disciples, ses amis, à orienter leurs efforts vers une histoire ouverte aux sciences humaines nouvelles : économie, sociologie, psychologie... C'est dans cette dernière direction qu'il a plaidé auprès de nous avec le plus de chaleur à la fin de sa vie : passionné par les réalisations des Henri Wallon, Piaget, et quelques autres, il a réellement fondé la psychologie historique (*), *grâce à quelques-uns de ces articles-programmes, véritables appels au travail, dont il avait le secret, et dont le meilleur exemple est bien son grand texte* : Comment reconstituer la vie affective d'autrefois ? La sensibilité et l'histoire (**). *Lucien Febvre, dès 1938, avait tracé le plan d'une main ferme : « inventorier d'abord dans son détail, puis recomposer pour l'époque étudiée, le matériel mental dont disposaient les hommes de cette époque ; par un puissant effort d'érudition mais aussi d'imagination, reconstituer l'univers, tout l'univers physique, intellectuel, moral, au milieu duquel chacune des générations qui l'ont précédé se sont mues...* (***) ». *Disons, d'un mot, que ce livre est notre première réponse à l'appel de Lucien Febvre : mais une réponse à laquelle il a beaucoup fourni.*

Voici comment : chercheur infatigable, Lucien Febvre n'a cessé d'élaborer jusqu'à son dernier jour projets de travail et plans de livres ; cette collection ne devait-elle pas accueillir toute une série d'ouvrages, préparés par ce Maître en collaboration avec un plus jeune historien ? en 1958, elle a publié L'apparition du livre, *que Lucien Febvre avait élaboré avec*

(*) *Cette* psychologie historique *à laquelle Henri Berr avait fait aussi sa place dans la* Synthèse historique : *cf. H. Berr,* Du scepticisme de Gassendi, *introduction p.* 19.

(**) Annales d'Histoire sociale, 1941, *article repris dans* Combats pour l'histoire, *dans la rubrique, qui est tout entière un programme :* Alliances et appuis. *Un autre volume de Mélanges, qui doit paraître prochainement, reproduit les principaux articles consacrés par L. Febvre à la psychologie historique* (*IVe partie*).

(***) Combats pour l'histoire, *p.* 218.

un jeune spécialiste des problèmes de l'édition : H. J. Martin. Le « Febvre et Martin », comme nous disons déjà, n'était pas achevé, que, dans le même moment, un autre ouvrage était déjà en cours.

C'est pourquoi nous avons trouvé, en 1957, en classant les dossiers laissés par Lucien Febvre, des liasses de fiches, dûment mises en ordre pour une Introduction à l'intelligence de l'homme français moderne : quelques esquisses placées en tête des grandes divisions constituaient des sortes de coordonnées de la recherche, tracées à grands traits.

Nous avons pu alors recouper notre documentation avec celle qu'avait mise en place Lucien Febvre : découvrant la même problématique appliquée à la même recherche, nous y avons puisé l'audace de poursuivre ce dessein, et de le mener à son terme. Sa pensée et ses conseils avaient animé nos premiers travaux : retrouvant dans ces dossiers une nouvelle preuve que notre effort coïncidait étroitement avec le sien, nous avons pensé ne pouvoir mieux faire que d'achever cette première tentative de mise au point.

Il va de soi que Lucien Febvre ne saurait être tenu en quoi que ce soit pour responsable de cet ouvrage ; ni ses imperfections, ni les difficultés d'une telle tâche (*) ne nous ont échappé. Mais ce qui est ici en question justifie l'entreprise : il y va d'une recherche dans le secteur aujourd'hui le plus négligé de l'histoire. « L'historien n'a pas le droit de déserter » (**).

*

Je tiens enfin à remercier chaleureusement mon ami Georges Duby, professeur à la Faculté des Lettres d'Aix-en-Provence, qui est également passionné par les recherches sur l'histoire des mentalités et qui a bien voulu lire ce livre en épreuves.

Paris, 1961.
ROBERT MANDROU.

(*) « A la fois extrêmement séduisante et affreusement difficile », disait L. Febvre dans l'article cité ci-dessus. Cf. Combats pour l'histoire, p. 229.
(**) L. FEBVRE, ibidem.

Préface à la seconde édition

Depuis plus de dix ans que cet ouvrage est paru, les historiens ont beaucoup travaillé dans des directions convergentes : sur des périodes souvent plus récentes, parfois plus anciennes, qui néanmoins éclairent notre compréhension des Français du XVIe siècle. Ici des enquêtes collectives ont été entreprises sur l'alimentation et les comportements biologiques, dont un premier bilan cumulatif vient d'être publié sous la signature de M. J. J. Hemardinquer. Là, un chercheur solitaire a travaillé de longues années à rassembler et interpréter les séries documentaires qui concernent le ravitaillement des Provençaux à la fin du Moyen Age : c'est le beau livre de M. L. Stouff récemment paru. Ailleurs des chercheurs se sont appliqués à reconstituer la délinquance et la criminalité dans une province, ou dans Paris, à une époque plus récente ; ou encore à restituer l'ensemble des coordonnées qui permettent de saisir la vie sociale d'une communauté rurale, et c'est le Village immobile *de Gérard Bouchard ; etc.*

Mais cette introduction à la France moderne *a été présentée en 1961 comme un programme personnel de travail, dans le cadre d'un séminaire à l'École pratique des Hautes Études. Pendant cette dizaine d'années, un certain nombre de publications, d'inégale importance, sont venues s'inscrire dans les perspectives tracées par ce livre : quelques articles consacrés à l'alimentation parisienne aux XVIIIe et XIXe siècles ; plusieurs études concernant la culture et les révoltes populaires aux XVIIe et XVIIIe siècles, notamment la bibliothèque bleue* *de Troyes qui a pris forme pendant les premières décennies du XVII*e *siècle, et les soulèvements populaires à la veille de la Fronde ; une recherche (conduite à la fois dans le cadre des Hautes Études et de l'Université de Paris X) portant sur la vie intellectuelle aux XVI*e *et XVII*e *siècles vient d'aboutir à une publication très récente ; et se trouve poursuivie encore, sur un plan comparatif, par une étude inachevée portant sur l'Allemagne septentrionale au milieu du XVII*e *siècle. Enfin, nous avons publié, il y a quatre ans, un gros livre qui s'efforce d'éclairer la régression des procès de sorcellerie en France au XVII*e *siècle et les prises de conscience qui l'ont marquée ; ce travail qui couvre l'ensemble du XVII*e *siècle prend appui largement sur la seconde moitié du siècle précédent.*

*D'autres chantiers sont ouverts, qui trouvent leurs prolongements avec des travaux menés dans le séminaire des Hautes Études, voire à Paris X : sur les jeux, les fêtes et les divertissements ; sur les milieux qui ont favorisé l'expression du sentiment national pendant la période 1560-1660 ; sur la pratique et la vie religieuse, aux XVI*e *et XVII*e *siècles. Les premiers résultats en sont incorporés aussi à cet ouvrage rénové.*

Telle est la moisson qui nous a obligé à revoir ce texte, à l'amender et compléter à maintes reprises pour le mettre à jour : notes et compléments bibliographiques fournissant à mesure les justifications. Telle est, dans la continuité du programme mis en œuvre, notre fidélité à Lucien Febvre.

Paris, 31 décembre 1972.

R. M.

Préliminaires

Quelques définitions

S'il est relativement utile de définir en quelques lignes l'objet de cet ouvrage, il est bien plus nécessaire de fournir au lecteur curieux de précision quelques éclaircissements sur certaines notions dont nous aurons à user tout au long de ce livre, sur certains choix qui se sont imposés à nous dès le début de notre travail.

Notre prise, c'est l'homme — les hommes bien sûr, qui ont vécu en France, « de Colomb à Galilée, de la découverte de la Terre à celle du Ciel », selon la belle formule de Michelet, c'est-à-dire en ce moment particulièrement important du développement des peuples d'Occident, qui s'étend de 1490 à 1650, dates larges ; notre méthode — qu'il n'est pas question d'exposer dogmatiquement, puisque tout le livre l'illustre — consiste à décomposer en ses éléments divers cette civilisation moderne, pour la recomposer ensuite, en regardant vivre les hommes qui la portent et qui la font. Cette double démarche n'indique pas un plan à suivre, mais le mouvement même de la recherche : grâce à quoi, nous pouvons faire les regroupements, offrir les explications qui vont suivre, résultats provisoires d'une exploration qu'il serait vain de prétendre achevée... D'autant plus vain que cette présentation du Français moderne a été délibérément conçue comme une recherche de psychologie historique, demeure si peu fréquentée dans la grande maison de l'Histoire, que méthodes et modèles y sont encore à créer...

*

Première définition : L'homme français moderne. Faut-il préciser quel homme ? Cette époque — comme toutes les autres — a porté des hommes sentant et des hommes pensant ; des hommes agissant sur la terre, et d'autres qui s'évadaient vers un au-delà; des hommes créant de la Beauté, de la Science, et des trafiquants et des politiques ; des inventeurs de machines et des fabricants de systèmes, qui, à partir de quelques réflexions personnelles, reconstruisaient la courbe des destinées humaines. Il est assez facile à l'historien qui cultive la biographie, d'appréhender, dans la société dont il fait partie et qui le marque de son empreinte, tel ou tel type humain, et de l'étudier à loisir. Mais il court le risque d'oublier qu'aucun de ces hommes ne se suffit à lui-même ; chacun d'eux apparaît isolé, non comme un individu, mais comme un personnage jouant un rôle : *persona*, au sens scénique du mot ; il est un aspect personnifié d'une même réalité vivante, l'homme...

Présentons en des termes différents cette synthèse : voici la cohorte des mystiques, depuis l'*Ejercitatorio de la Vida espiritual* de Garcia Ximenez de Cisneros (qui par hasard parut en 1500), jusqu'au *Traité de l'Amour de Dieu* de saint François de Sales, et jusqu'à l'*Augustinus*. A côté d'eux, — et dans des limites chronologiques différentes — voici les astronomes modernes : du Copernic du *De Revolutionibus*, par-delà Tycho Brahé et Kepler, jusqu'à Galilée... Nous dirons encore que tel grand fait — la découverte de terres nouvelles à l'Ouest par le Génois Colomb en 1492 — n'intéresse pas au même titre le peintre, le maître de chapelle qui compose un motet, et le marchand, l'officier de la couronne et le philosophe. Et pourtant tous ces êtres ne sont pas étrangers les uns aux autres : il y a de tout dans tous et dans chacun ; chaque homme est à sa façon une synthèse, un carrefour tout au moins, où toutes ces influences se sont exercées.

Énumérons simplement : les progrès conquérants de l'imprimerie nouvellement inventée qui couvre rapidement toute la chrétienté ; l'élargissement du monde connu par les grandes découvertes, et des mondes inconnaissables par de grandes hypothèses ; la formation d'un esprit et d'une méthode humanistes aux tendances critiques et positives ; l'invention par les artistes d'une façon neuve d'interpréter et de représenter la nature ; l'élaboration de formes originales du sentiment religieux ; la constitution de grandes monarchies préludant à la réalisation de l'État moderne ; les manifestations caractéristiques d'un état d'esprit et de procédés que, à la lumière de transformations plus récentes, nous nommons volontiers « capitalistes » ; tous ces ensembles de faits différents, en gros concomitants, agissent simultanément sur les hommes d'un certain nombre de pays. Ils ont fait naître en eux une manière de sentir, des dispositions et des aptitudes contrastant nettement avec celles de leurs prédécesseurs — et de leurs successeurs immédiats. Voilà le premier épanouissement moderne (1) *.

De la fin du XVe siècle au milieu du XVIIe siècle, nous sommes en présence d'une période où les manifestations intellectuelles, religieuses, artistiques, politiques, économiques de l'activité humaine semblent unies les unes aux autres par un lien d'interdépendance particulièrement serré. C'est un moment où l'on saisit avec netteté dans les consciences humaines, les effets concordants d'un long travail simultané ; où, dans un cadre nouveau, « l'homme s'est retrouvé lui-même », grâce à Vésale et Servet, Martin Luther et Jean Calvin, Rabelais et Montaigne..., incarnations diverses de son inquiétude et de sa mobilité.

Explorant ces consciences collectives sur un si long laps de temps, nous aurons à utiliser une autre notion mal définie, celle de génération. Elle est utile, à condition de la dépouiller de tout automatisme arithmétique : par exemple celui de Cournot, qui divisait allégrement chaque siècle en trois tranches de trente ans : 1501-1530 ; 1531-1560 ; 1561-1590 ; plus dix ans de battement : grands-pères, fils, petits-fils... (2). En fait, nous utilisons quotidiennement, parlant en historiens ou en sociologues, le mot « génération » de la façon

(*) Les notes sont reportées en fin de volume.

la plus riche de sens, et qu'il est permis de conserver ici. C'est à juste titre que nous disons les générations de la guerre et de l'après-guerre, dès que nous pouvons constater le contact entre deux réalités : un groupe d'hommes suffisamment étendu et cohérent, et une série d'événements assez considérables, polyvalents, et de répercussion nationale ou mondiale ; ces événements provoquent chez ces hommes des séries de réactions s'enchaînant, s'entrecroisant, s'enchevêtrant, qui peuvent bien ne pas être uniformes, mais procèdent toutes, dans leur diversité, du même travail intérieur, conscient et inconscient : ils marquent le cerveau et le cœur, les actions des hommes d'une même génération, compte tenu également du fait, bien connu, que les générations se survivent à travers les suivantes, de mille façons.

*

Autre précision : cet homme français, que nous voulons reconstituer, n'est évidemment pas l'homme de nulle part : il vit dans un cadre, dans des paysages, qu'il a façonnés à sa manière, — et qui ne sont pas ceux de l'Europe centrale, ou des plaines et montagnes méditerranéennes. Dans le mouvement où s'affirment les originalités nationales, le rôle du décor quotidien de la vie est assurément important, pour les Français comme pour les Italiens, les Allemands.

Malheureusement, il ne nous est guère possible d'évoquer longuement, et même de décrire, à la façon des géographes aujourd'hui, le cadre français des XVIe et XVIIe siècles : si la topographie n'a guère changé, — et encore faut-il le dire vite pour les montagnes encore boisées, les rivages des mers et le cours des fleuves, — le reste nous échappe : habitat, activités économiques, villes et circulation, ne peuvent être qu'esquissés d'après les rares témoignages des contemporains ([3]).

Ne nous attardons pas plus qu'il est nécessaire sur les images trop floues, voire contradictoires, que nous offrent ces témoins peu prolixes : plantons le décor, sans le moindre espoir qu'il nous fournisse sur les mentalités des Français de 1600 tout ce qu'un observateur social diligent peut aujourd'hui en reconstituer, en comparant le citadin de Limoges et celui de Chicago, le paysan de Beauce et celui du Vaucluse... En suivant *La Guide des Chemins de France* (de 1552), nous passons sans cesse d'une France riante, bonnes villes riches en monuments, aux hostelleries « recommandées », aux « bons vins », aux « dangereux passages périlleux de larrons », comme à Luzarches, aux « rues du diable », entre Guérigny et Nevers. Ce contraste se retrouve dans les rares descriptions du royaume : ici, c'est l'image idyllique, paradisiaque d'un pays plus riche que tout autre au monde — mythe appelé à une belle carrière jusqu'à nos jours — ainsi G. du Vair, à la veille des guerres de religion : « Il y avait un grand, voyre infiny nombre de belles villes, de gros bourgs et villages, et surtout une innumérable quantité de chasteaux et belles maisons qui riaient au milieu d'une campagne tant bien cultivée que rien plus ([4]). » Là, ce sont les immenses forêts, sombres, toujours redoutées, qui enserrent les terroirs en culture, s'avancent jusqu'aux portes des villes, envahissent les confins des villages ; non plus le jardin de France, mais un pays âpre, que l'homme domine mal : voyageurs, pèlerins redoutent routes et chemins qui traversent les bois, et paient fort cher les guides pour les conduire et les protéger contre brigands et bêtes sauvages ; partout d'ailleurs, une faune redoutable ne cesse d'inquiéter. Le père de Bayard, mourant, ne confie-t-il pas à son fils aîné la protection de la maison familiale contre les ours ?

Si nous voulons pousser au delà de ce contraste, nous reconstituons une géographie régionale, qui n'est pas sans présenter maintes « anomalies » ([5]). Ne nous étonnons pas à voir célébrer les plaines fertiles qui entourent Paris : Valois et Beauce, Goële et Hurepoix, les grands crus de Bourgogne, de Gaillac, et même de Saint-Pourçain ; « normale » aussi l'évocation de la Crau stérile, des landes bretonnes de Nantes à Vannes et d'Angers à Rennes. Par contre, la Beauce chartraine passe à cette époque pour région de riches pâturages, les vins du Dauphiné, de Voiron à Chalemont, pour de grands crus, et le Perche est un plantureux pays qui possède en abondance bétail et volailles, fruits et grains et même une riche sauvagine. Par contre le vignoble bordelais n'est pas cité !

Autant dire que ces paysages de la France du XVIe siècle reflètent un double mouvement, une double préoccupation de leurs habitants : d'une part le souci, très durable, de produire, dans le cadre étroit de la petite « région » — politiquement, ou topographiquement délimitée — tout ce dont ils ont besoin : alimentation, vêtement, outillage. D'autre part, l'essor des échanges et des villes a fait depuis longtemps la réputation, largement répandue au-delà de ce cadre traditionnel, des produits les plus favorisés par le sol et le climat locaux, l'ingéniosité des hommes et les facilités de transport : l'histoire des vignobles de cru illustre assez ce second fait ([6]) ; mais c'est également le sort des spécialités artisanales, toiles bretonnes, draps berrichons, forges savoyardes et lorraines.

Quelque différence qui oppose encore, à la fin du XVIe siècle, Nord et Midi ([7]), la texture humaine de la France, de la Somme aux Pyrénées et de la Saône à l'Atlantique reste la même : petits « pays » bien individualisés, inégalement doués par la nature et par les hommes, diversement ouverts sur les régions voisines. Toujours à même de se fournir de l'essentiel — d'où l'admiration des voyageurs — mais en même temps, enfermés dans leur lutte âpre avec une nature moins bienveillante qu'il ne paraît au visiteur qui arrive de Hongrie ou d'Afrique. Au cœur de ces « pays », une ville, fière de ses monuments, de ses artisans (dont les produits font le renom dans les foires : gants de chevrotin d'Issoudun, futaines et rubans de Saint-Maixent) ; fière de ses remparts aussi, qui la protègent des dangers dont le plat pays est accablé ([8]) ; fière enfin de ses foires et marchés qui attirent les marchands lointains et la population des alentours. Charles Estienne compte ainsi quelque deux cent trente villes, modestes capitales locales comme « Yssoire » ou Sézanne, — plus rarement cités de grand renom, telles Lyon et sa banque, Bordeaux et ses vins.

*

Tels que nous les entrevoyons donc, ces paysages humains français, — réussites urbaines plus ou moins affirmées, campagnes fertiles, montagnes souvent désertes, — sont assurément fort différents de leurs homologues de la Méditerranée, de l'Europe centrale. Raison de plus pour penser qu'il ne serait pas judicieux de tenter de reconstituer en bloc la psychologie du Français, de l'Italien, de l'Espagnol, de l'Irlandais, du Rhénan... sans parler de peuples plus lointains, Polonais, Magyars grignotés par les Turcs, etc. Chaque nation a, dès cette époque, sa propre civilisation qui s'affirme.

Mais l'avantage que présente ce choix est évident : la France est à la croisée des routes et des cultures ; ouverte à la fois aux influences de la culture nordique, pour ne pas dire germanique, qui irradie vers elle à partir des Pays-Bas et de la vallée rhénane, — et au rayonnement de la culture italienne, qui représente elle-même l'avant-garde des pays méditerranéens. La démonstration n'en est plus à faire dans le domaine artistique contre ceux qui plaidaient naguère l'excellence d'un art autochtone en France, avant l'arrivée des Italiens...

La France est comme partagée, coupée en deux entre Flandre et Italie ; il y a une France du Nord et une France du Midi. Longtemps l'impulsion a paru venir d'abord du Sud-Est grâce à la précocité économique, artistique des villes italiennes dès le XIIe siècle. Mais le monde nordique a fait école à son tour : les ateliers de peintres et sculpteurs flamands, allemands même, sont depuis longtemps installés au nord de la Loire, lorsque se construisent les premiers châteaux de la Renaissance... Enfin dans la seconde moitié du XVIe siècle et jusqu'au cœur du siècle suivant, voici la France toute pénétrée d'hispanisme, par le Sud et par le Nord à la fois : soldats, marchands, bateleurs, moines prêchant et combattant, livres et tableaux castillans et flamingants, que de produits d'Espagne sur le sol français : heures espagnoles de 1589 ou de 1636...

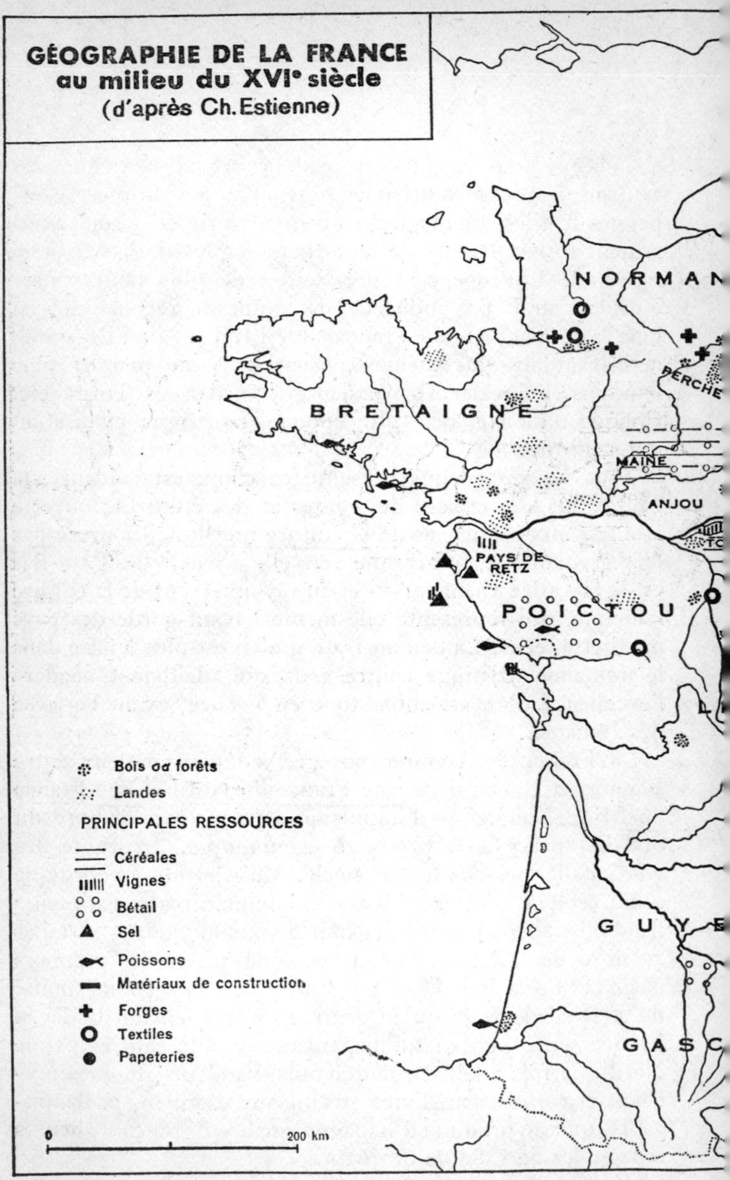

GÉOGRAPHIE DE LA FRANCE
au milieu du XVIe siècle
(d'après Ch. Estienne)

NORMAN

PERCHE

BRETAIGNE

MAINE

ANJOU

PAYS DE RETZ

POICTOU

GUYE

GASC

Bois ou forêts

Landes

PRINCIPALES RESSOURCES

Céréales

Vignes

Bétail

Sel

Poissons

Matériaux de construction

Forges

Textiles

Papeteries

0 200 km

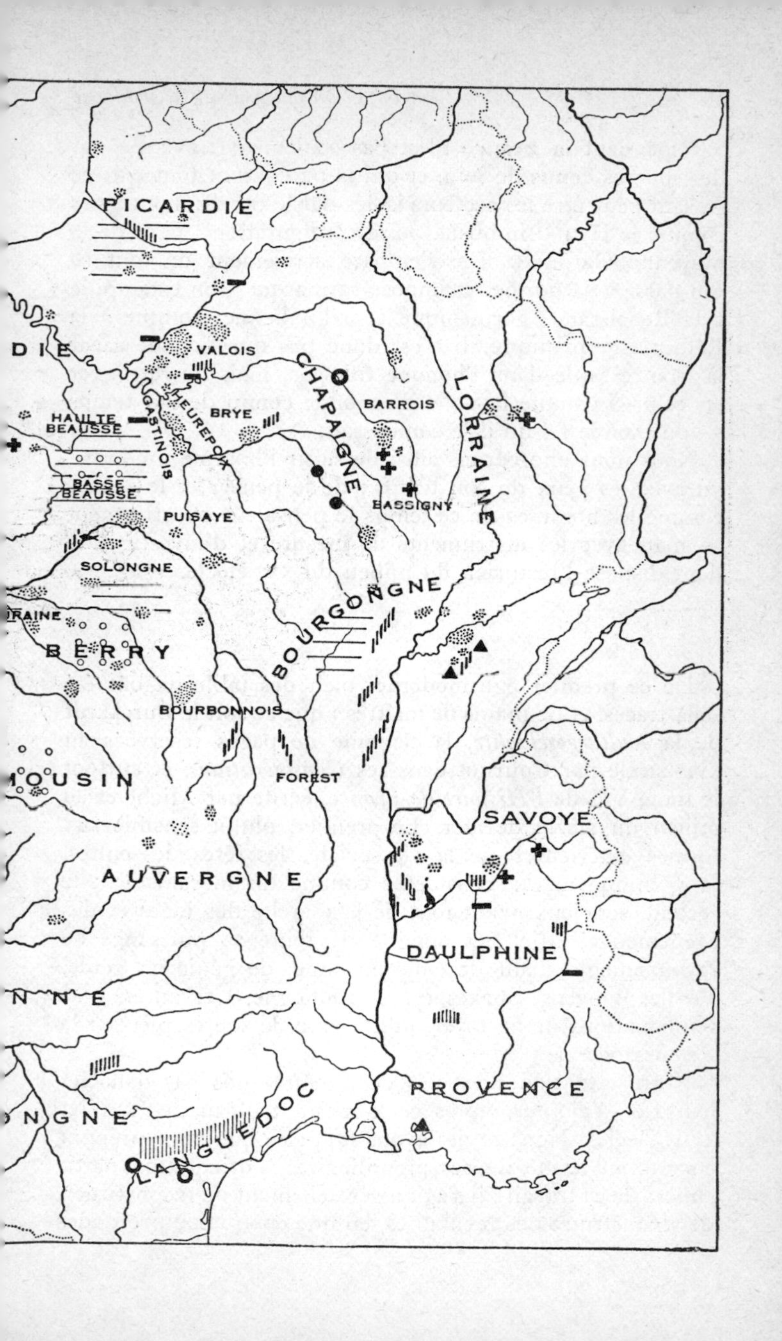

PICARDIE
DIE
VALOIS
CHAPAIGNE
LORRAINE
BARROIS
GASTINOIS
HEUREPOIX
BRYE
HAULTE BEAUSSE
BASSE BEAUSSE
BASSIGNY
PUISAYE
SOLONGNE
BOURGONGNE
RAINE
BERRY
BOURBONNOIS
FOREST
MOUSIN
SAVOYE
AUVERGNE
DAULPHINE
NNE
PROVENCE
ONGNE
LANGUEDOC

Cependant la France n'est pas seulement traversée par des souffles venus de loin, et qui la parcourent tout entière — sauf peut-être les secteurs isolés par le relief : montagnes comme le Haut-Limousin, ou la configuration : pays de la moyenne Garonne. Elle s'empare activement de tout ce qui passe à sa portée, et impose sa marque, son estampille à la Renaissance germanique et à l'italienne, comme à la Réforme germanique. Il n'est donc pas question de saisir la France seule dans l'homme français, mais de retrouver en celui-ci comme le reflet du monde connu de son temps — du monde tel qu'il le connaissait.

Nous nous efforcerons ainsi de saisir l'homme moderne, vu avec les yeux de son temps ; de le penser et le sentir, comme les hommes de ce temps le pensaient effectivement — mais avec les instruments de mesure et d'investigation dont dispose l'historien du milieu du XXe siècle.

*

De ce premier âge moderne, bien des tableaux ont été déjà tracés, et de mains de maîtres : que ce soit le Burckardt de la *Kulturgeschichte*, la centaine de pages réservées au XVIe siècle par Cournot dans ses *Considérations*, et surtout le tome VII de *l'Histoire de France*, écrite par Michelet au milieu du siècle dernier. Le premier, plutôt sensible aux formes extérieures de la vie sociale, les fêtes, les cultes, la politique même considérée comme un mécanisme ; le second, soucieux avant tout de la marche des idées et des événements ; Michelet domine de toute sa puissance de rayonnement, allant de cime en cime, de génie en génie, Vésale, Rabelais, Shakespeare, Montaigne, Cervantès, tous réunis autour de ce foyer qu'il a créé de toutes pièces : la Renaissance.

Notre intention n'est pas de remettre nos pas dans les leurs, et d'ajouter, après ceux-là, un tableau des XVIe et XVIIe siècles. Nous ne les avons rappelés que pour préciser encore, au terme de ces prémilinaires, l'orientation particulière de ce travail : il s'agit essentiellement de reconstituer, de reconstruire des mentalités, en une époque de profondes mutations, où la psychologie collective a été renouvelée de bien des façons ; de suivre les hommes dans leurs occupations comme dans leur civilisation matérielle, non point pour accumuler les éléments d'une vue encyclopédique, mais pour retrouver les explications valables de ces attitudes mentales, neuves ou persistantes et héritées du haut moyen âge.

Le dossier référentiel d'une telle recherche est immense. Son orientation générale — qui ne laisse pas d'impliquer maints problèmes de méthode — doit être indiquée ici : c'est en fait une longue familiarité avec ces attitudes mentales, qui permet la prudence nécessaire à l'utilisation de notations discordantes ou disparates. Cependant, s'il faut indiquer quelques règles générales, nous dirons volontiers, tout d'abord que le témoin littéraire — ou artistique — est à utiliser avec précaution : d'Aubigné, comme Montaigne ou Corneille, à plus forte raison. L'artiste — quel que soit son mode d'expression — a un don de voyance, une sensibilité plus affinée que le commun ; il est à la fois très bon et trop bon témoin : Ronsard, obsédé par la mort ou par les malheurs de sa patrie, quelle présence est la sienne ! Il n'est pas question de le négliger, mais de le replacer dans ses vraies dimensions de poète... Les énormes dossiers de la justice criminelle représentent aussi une forme de sensibilité exaspérée, poussée aux extrêmes : ici, ce sont les archives des séries départementales B, G, E qui fournissent une autre moisson à décanter, pour retrouver, en deçà des impressions courantes, les traits valables. Les Archives municipales, qui reflètent les soucis quotidiens des citadins, sont aussi une précieuse ressource. Plus importants encore, les mémoires et livres de raison , inestimable fonds, que Lucien Febvre avait déjà mis à contribution dans son Rabelais : journal de Gouberville, de Cl. Haton, Thomas Platter... Puis Ph. de Vigneulles et plus tard, Jean Burel, Pierre de Bessot, et combien d'autres qui commentent leur vie quotidienne, sont de précieux informateurs... Les notes de voyage des amateurs d'exotisme, les échos des premières gazettes et libelles, les correspondances, toutes ces occasions utilisées par les hommes modernes pour s'exprimer directement, autant de ressources sans prix : telle description de la Nouvelle France nous renseigne autant sur l'ancienne que sur le Canada, car les étonnements, les observations critiques signifient largement pour la métropole... Comme un tel effort de documentation ne s'apparente guère aux recherches traditionnelles, il sera trop facile de trouver des lacunes, que nous ne songeons pas à nier ; il serait vain d'espérer épuiser les ressources des procès criminels, par exemple : plus tard peut-être, au prix d'une recherche systématisée dans un grand effort collectif... Reconnaissons, pour le moment, qu'il fallait aller de l'avant et risquer cet essai pour rendre possible une plus vaste recherche : puisse ce livre être un point de départ.

PREMIÈRE PARTIE

Mesures des hommes

Que l'homme — physique et psychologique — change à travers temps et espaces, nous le savons bien aujourd'hui : dans l'espace, comme une évidence depuis longtemps reconnue, depuis les outrances de Taine ou de Ratzel ; dans le temps, par une expérience plus fine, mais aussi claire : revoir un film vieux de quarante ans, comme la *Grande Illusion*, permet de sentir immédiatement combien — au delà des modes vestimentaires qui tirent l'œil — les gestes, les tons évoluent rapidement (9). En face de la conception, trop répandue par les philosophes et les littérateurs, d'un homme éternel, perpétuellement identique à lui-même en ses besoins, matériels et spirituels, en ses passions et son bon sens si également partagé, l'historien affirme — et démontre — les variations, les évolutions humaines, en tous domaines : de l'équilibre nerveux à l'outillage mental, chaque civilisation, mieux chaque moment d'une civilisation présente un être humain passablement différent de ses prédécesseurs et successeurs. Appréhender de telles différences, retrouver les habitudes de raisonnement certes, mais aussi les techniques corporelles, ces « façons de se servir de son corps », saisir les mesures de l'homme moderne, telles qu'il nous les offre, telles que la comparaison avec des périodes plus proches, mieux connues nous permet de le faire, cela doit être notre première démarche : vie physique, affective, intellectuelle...

Reconstituer l'histoire de ce devenir n'est certes point

aisé : les documents font souvent défaut, parce que les hommes n'ont pas prêté une particulière attention à leur gestuel quotidien, à leur manière de marcher, de manger ou de dormir. Plus sensibles aux distinctions sociales qui s'expriment dans leur *habitus*, ils nous renseignent indirectement, comme à la dérobée, sur ces éléments essentiels de leur existence. Dans ce domaine, l'historien ne dispose que d'un avantage : la lenteur des mutations qui peuvent s'opérer dans ces domaines.

Après cette première approximation, nous pourrons considérer l'homme aux prises avec ses semblables, saisir les hommes dans leurs contextes sociaux, puis essayer de peser la part des activités dans leur vie mentale. Triple mouvement pour appréhender une réalité fort complexe et très riche...

Chapitre premier

L'homme physique : l'alimentation et l'environnement

Pour qui entreprend d'éclairer les mentalités modernes, la question de l'alimentation mérite assurément la première place : en vertu du *primum vivere*, sans nul doute, puisque les hommes des XVIe et XVIIe siècles ont connu, comme leurs aïeux de temps plus anciens, la hantise de leur subsistance quotidienne. Chacun connaît l'image de Taine, si vraie pour tout l'Ancien Régime : « Le peuple ressemble à un homme qui marcherait dans un étang, ayant de l'eau jusqu'à la bouche : à la moindre dépression du sol, au moindre flot, il perd pied, enfonce et suffoque. » Une année pluvieuse, un gel tardif, un orage de juillet, et c'est toute une province dans l'angoisse, et la disette.

Mais cette vérité dûment reconnue a engendré une conception trop étroite de l'histoire de l'alimentation : en mettant l'accent sur la question des céréales, elle a persuadé les historiens soucieux de ces réalités matérielles de camper un homme sac à tous grains, mais sac à seuls grains. Il est bien sûr que la plus grande préoccupation de ces hommes a été tournée vers les céréales, l'expérience leur ayant montré combien celles-ci étaient supérieures à tous autres aliments par leur rendement en calories, empiriquement pressenti. D'où l'importance accordée à ces problèmes de tous les âges : la production, la conservation, l'utilisation de ces précieux grains. De là encore, une psychose d'inquiétude qui n'a plus son équivalent dans la psychologie paysanne d'aujourd'hui : bonne ou mauvaise récolte, cela compte encore, c'est plaie d'argent ; mais « écoute s'il pleut », jadis en Franche-Comté comme en Beauce, c'est un appel lancé dans l'anxiété, la crainte de la famine... Réserver la terre au grain, le grain aux hommes ; bien conserver ce grain, à l'abri des intempéries, des mulots, des voleurs, problèmes économiques, techniques, mais sociaux surtout : qui conserve le blé, spécule sur le blé, c'est clair pour tous. Chauverey l'écrit à Granvelle en 1574, le cardinal, de Naples, lui ayant envoyé une recette pour garder le froment au grenier cinq ou six ans « autant beau et frais comme quant l'on l'y mect » ; et d'ajouter : « si la récepte a lieu, chacun gardera son bled, et ne vendront que les nécessiteux, de manière qu'il fauldra que les povres achètent pour vivre à la voulenté des riches ». A quoi nous pouvons joindre — au moins pour les villes — une quatrième préoccupation : faire circuler ces grains, ce dont il sera encore question au XVIIIe siècle, avec Turgot, et même dans la première moitié du XIXe.

Cependant, quelle que soit l'importance d'une histoire des prix et des marchés des céréales, d'une évaluation de la production et de la consommation des grains, il faut bien reconnaître, à la lumière des recherches de la diététique actuelle, que la question à élucider est aussi celle d'un régime alimentaire : monotonie d'un régime trop céréalier certes, mais aussi faiblesse de l'alimentation carnée, insuffisance en calories, en protéines, en vitamines, toutes ces données qui évoquent les carences alimentaires des pays sous-développés, sont à examiner ici également — dans la mesure du possible documentaire : et avec toutes les répercussions qui peuvent en découler sur la force musculaire, la capacité de travail, la vitalité des êtres soumis à pareil régime. Les hommes de l'époque moderne ont cherché à réaliser un équilibre alimentaire, avec plus ou moins de bonheur : cet équilibre, comportant ses insuffisances chroniques ou momentanées, est lui-même fait d'un régime à composants variables, se suppléant les uns aux autres selon les nécessités des saisons et surtout des intempéries. Il a assuré le maintien du groupe social, sa survie dans des conditions physiologiques que nous connaissons mal assurément, mais qu'il importe de délimiter, de préciser au mieux ([10]).

I. LES ÉLÉMENTS DE L'ALIMENTATION

Décrivant le régime d'Indiens canadiens dans toute son étrangeté, un chroniqueur écrit en 1612 « sans sel, sans pain et sans vin » ([11]). Et nous voici ramenés, d'entrée de jeu, aux céréales : elles sont présentes sur toutes les tables, sous forme de pain ([12]), de bouillies, de galettes ; elles constituent la base de l'alimentation dans toutes les classes de la société. Le bourgeois a des réserves : dans son grenier, sacs de grains, de farine, comme toujours dans sa huche un morceau de pain ; nul ne s'aviserait de fermer sa maison à la nuit tombante sans s'être assuré que cette réserve est bien en place. Le commun peuple — des campagnes ou des villes — ne conçoit pas son existence de chaque jour sans quelque farine : c'est fréquemment un pain d'orge et d'avoine mêlés, et souvent de froment et de seigle; mais que vienne la disette, il est commun de faire des bouillies avec des châtaignes et des glands pilés ; pain noir ou pain blanc, c'est l'aliment essentiel, celui-là même qui est considéré par l'Église et les hommes comme un objet sacré, selon une tradition de très longue durée, qui ne s'est pas encore démentie à l'époque moderne. Faire une croix sur le pain avec la pointe du couteau avant de l'entamer, ou bien inculquer aux enfants un respect religieux du moindre croûton, c'est tout un : « Quand j'étais jeune enfant, écrit P. Viret, et j'oyais sonner la cloche pour aller à l'école, il me semble qu'elle disait ce qu'on m'avait mis en tête : « pain perdu, tu seras battu », et étais tout ébahi qu'elle avait dit vrai ([13]). »

Principale occupation du paysan, puisque toute l'agriculture est organisée pour produire le maximum de céréales, — dans l'assolement triennal, comme dans le biennal — et que longtemps l'agronomie aura pour seul but d'accroître les surfaces cultivées, les grains sont aussi la grande préoccupation des habitants des villes ; leur marché n'est jamais éloigné de l'hôtel de ville, sa surveillance est de tous les jours, comme celle de tous les métiers qui s'y rattachent : blattiers, qui achètent dans les campagnes et transportent en ville, meuniers souvent détestés, regrattiers qui achètent et revendent et surtout boulangers, toujours tentés de rogner une poignée de pâte, fréquemment menacés de pillage et mal protégés contre les fureurs populaires. Assurer le ravitaillement en grains des grandes villes de l'époque, Lyon, Paris, Rouen, est affaire du Roi, qui achète du blé à l'étranger s'il est nécessaire, et qui fixe les prix avec minutie pour chaque qualité de pain. Sollicitude jamais démentie pendant toute cette époque, et même bien au delà ([14]).

Les céréales sont, d'une part, le produit de la terre que l'empirisme paysan a réussi à faire venir de la meilleure façon — même si les rendements de 5 ou 6 pour un nous paraissent aujourd'hui fort médiocres ; ainsi les régions aux sols pauvres, aux climats trop humides, comme la Bretagne, produisent froment, seigle, orge, millet. Mais, d'autre part, les récoltes suffisent à peine à nourrir toute la population : tout y concourt, la faiblesse des rendements — c'est-à-dire l'état des techniques —, les inégalités de la répartition surtout, puisque les rentiers du sol — propriétaires fonciers, nobles ou bourgeois, et l'Église — prélèvent leur part en nature dès la moisson. Ainsi se ferme le cercle : la production et la consommation de céréales s'équilibrant en années moyennes, la demande pressante ne peut qu'inciter le paysan à maintenir, sinon développer, sa production ; elle le détourne donc des cultures qui fourniraient les éléments d'un autre équilibre alimentaire. Et la consommation est d'autant plus forte qu'il y a peu de produits de complément d'un rendement important en calories ; point d'autres céréales largement répandues à notre époque : le maïs s'introduit lentement, semble-t-il, dans le Sud-Ouest au XVIIe siècle ; le riz, qui est mentionné dans quelques textes, n'est pas encore un produit de grande consommation ([15]). Gros mangeur de pain et de farines, le Français l'est resté... jusqu'à la révolution agricole des XVIIIe et XIXe siècles ([16]).

Ce pain, les petites gens l'accompagnent à l'ordinaire de légumes : les « herbes potagères de leur jardin », navets, fèves, lentilles, pois, choux, poireaux, oignons, oseille, cuits à l'eau, ou apprêtés de façon plus compliquée à l'aide de graisse ou d'huile, de noix ou de navette ; ce qui n'offre pas une grande variété au total. Les plantes découvertes en Amérique manquent évidemment : tomates, haricots, aubergines, pommes de terre ; mais aussi beaucoup de légumes, moins répandus que les premiers cités, cultivés par des moines dans leurs potagers, ou par des botanistes, amateurs de produits rares ; certains importés parfois d'Orient au cours du moyen âge, ainsi le melon, l'artichaut, le chou-fleur, la rhubarbe, l'endive... Pain trempé et légumes : tel est le plat du pauvre, la soupe solide, qui remplit l'estomac et donne l'impression d'être nourrissante. Témoin cette recette de 1650, figurant dans une *instruction pour soulager les pauvres* : « Il faudra remplir d'eau une marmite ou chaudron, contenant bord à bord cinq seaux dans laquelle on mettra par morceaux environ vingt-cinq livres de pain, sept quarterons de graisse pour les jours gras, et sept quarterons de beurre pour les maigres ; quatre litrons de pois ou febves avec des herbes ou demy boisseau de navets, ou des choux, poireaux ou oignons, ou autres herbes potagères, et du sel à proportion, pour 14 sols ou environ ; le tout cuit ensemble revenant à quatre seaux suffira pour cent personnes et leur sera distribué avec une cuillère tenant une escullée » ([17]). Ces légumes courants, cultivés derrière la maison paysanne, ou achetés au marché pour quelques sols, ont donc leur place sur toutes les tables, accompagnés des condiments ordinaires, le persil et le cerfeuil.

Les viandes — gibier ou de boucherie — sont par contre de consommation moins fréquente. Chez les paysans, comme chez les petites gens des villes, c'est un mets exceptionnel : quelquefois dans l'année, assurément pas tous les dimanches — en dépit du vœu, légendaire, de Henri IV. Sur cent inventaires de Carpentras dépouillés par L. Stouff, dix comportent des provisions de viandes (alors que quarante ont du vin et plus de cinquante du grain ou de la farine). La médiocrité de l'élevage, le bétail étant nourri, pour une large part, à la dérobée sur le terroir céréalier, les landes et les communaux, explique assez cette faible consommation ; seules les villes possèdent des boucheries, au ravitaillement capricieux — presque aussi irrégulier que le marché du poisson, de mer et de rivière. Sans doute le paysan peut-il élever quelque volaille, en plus de ce qu'il fournit à son seigneur ; de même un porc. Mais la rareté du sel, au moins dans les régions éloignées de la mer et des salines comtoises ou lorraines, est un obstacle courant à la salaison : bien souvent, les ménages paysans n'ont pas de quoi saler leur potée quotidienne. Et le recours aux faux sauniers, ces trafiquants redoutables, n'est pas sans danger. Sans forcer le ton, il est même possible d'avancer que les petites gens des villes et des campagnes seraient en peine de faire maigre en carême : les arrivages de marée, de morue, de harengs frais, fumés ou salés sont trop inconstants ([18]); la grande ressource, ce sont encore les œufs ; en fait, pour les plus pauvres, le carême dure toute l'année. « Les plus aisez », à la campagne comme à la ville, ont des provisions : le saloir, où se conserve la viande de porc, le gibier parfois aussi, les graisses — de bœuf surtout — indispensables à la cuisine. Mais toutes les viandes coûtent fort cher — de même que les autres produits animaux : lait, beurres, fromages. Ce sont presque des produits de luxe, qui ne sont jamais prodigués. Dans les banquets, organisés avec soin, à l'occasion des grandes fêtes, les rôtis sont ménagés de la façon la plus habile : on les fait précéder de viandes bouillies « pour abattre la grosse faim » ; les fines pièces de gibier, notamment, sont toujours appréciées : mais l'excès même des louanges permet de présumer de leur rareté. Sans nul doute, l'alimentation carnée n'est pas la règle quotidienne ([19]), et cela jusque dans la haute société : Louis XIV scandalisera les spectateurs de ses repas pantagruéliques...

Même inégalité enfin dans la consommation des « douceurs » : certes les fruits sauvages sont à tous, les paysans consommant myrtilles, mûres, framboises, cerises griottes, pommes aigres, etc, qui viennent dans les bois. Avec les glands disputés aux bestiaux pendant les mauvaises années, ces méchants fruits représentent une des inestimables ressources des forêts communes. Mais les bourgeois des villes disposent, eux, des fruits de leurs vergers ou du marché souvent conservés tout l'hiver, confits ou séchés : abricots, nèfles, pêches, prunes, raisins, cerises, amandes, poires et pommes aux cent variétés bien reconnues, souvent accompagnés d'eau de rose, forment un long cortège... Sans parler des pâtisseries, au sucre encore rare, ou au miel [20] qui terminent ordinairement un repas bien ordonné. Celles-ci sont faites, nous y revenons, de bonne farine de froment — sans seigle, ni orge, ni glands. Mets recherchés, qui n'apparaissent sur les tables des pauvres qu'aux grandes occasions, ces deux ou trois fois l'an où la viande est également au menu...

Cette énumération pourrait cependant donner une impression fausse : celle d'une variété à peu près équivalente à la gamme alimentaire d'aujourd'hui, puisque en fait il n'y manque vraiment que les produits exotiques, américains ou tropicaux : ils commencent à arriver en Europe pendant cette période. Soulignons-le encore : entre la table du pauvre — paysan ou compagnon des villes — et celle du noble ou du bourgeois, il y a plus qu'une différence de quantité — et de qualité. La table du pauvre ne porte jamais, bon an mal an, que l'alimentation végétale qui lui permet de subsister à grand-peine, de ne pas mourir : pain et farines sont presque tout ; la table des plus riches elle-même ne leur offre pas chaque jour cette belle ordonnance et cet échantillonnage abondant de produits végétaux et animaux que nous avons pu passer en revue ; sans doute le marché urbain offre-t-il tous ces produits, surtout le marché parisien sur lequel nous sommes mieux renseignés [21]. Mais la frugalité reste la règle générale. S'il est une époque dans l'histoire où l'alimentation des hommes a été dominée par les céréales, le froment progressant évidemment au détriment des autres, c'est bien l'époque moderne et le mouvement s'est poursuivi en fait jusqu'au XIXe siècle, jusqu'au moment où Maurizio s'inquiète du monopole du froment [22].

Il est beaucoup plus difficile d'indiquer comment étaient préparés ces différents compléments d'une alimentation céréalière : la cuisine — des légumes et des viandes — se fait alors à l'aide de graisses, d'huiles et d'épices ; celles-ci, comme le poivre, la cannelle, le gingembre, produits exotiques importés d'Orient, sont utilisées par les gens des villes, et en petites quantités ; elles sont toujours stockées et font partie des réserves bourgeoises, comme les grains et les salaisons ; elles font l'objet de cadeaux également... Produit de consommation courante dans une partie de la société seulement. Il en va autrement des graisses et des huiles : les unes et les autres sont utilisées, même rances — surtout rances : la potée en acquiert plus de goût. Ainsi Fazy de Rame vend du saindoux « vyelh » ([23]) ; en 1502, il utilise un fond d'outre d'huile d'olive, qui lui a été envoyée cinq ans auparavant et il en régale son notaire. Mais il n'est pas possible de reconstituer une carte des utilisations dominantes du saindoux ou de la graisse de bœuf, de l'huile d'olive, de noix, de chenevis. Le beurre semble alors beaucoup moins utilisé pour la cuisine qu'aujourd'hui, et la circulation de l'huile d'olive apparaît bien plus importante que de nos jours; cependant ce sont là notations générales auxquelles fait défaut le soutien d'une documentation abondante et localisable : pas de livres de cuisine proprement dits, en France du moins ([24]), avant le milieu du XVIIe siècle. Les traités du style « De re cibaria » sont des études de médecins, qui se soucient surtout de classer les aliments selon leur utilité pour l'organisme, leurs qualités, appréciées suivant les critères médicaux du temps : corps humains divisés en trois parties, esprits, humeurs et solides, chaleur et humidité...

2. LES BOISSONS

S'il n'est pas possible de délimiter les aires d'extension des fonds de cuisine, il est tout aussi malaisé de cartographier les boissons du Français de cette époque ([25]). A cet égard, comme à bien d'autres, la France est un carrefour où s'interpénètrent les domaines du vin venu de la Méditerranée, de la bière considérée alors comme la boisson anglaise par excellence (elle n'est pas encore la boisson allemande, les habitants de l'Empire consomment plus de vin que de bière) et du cidre, qui aurait été au XVe siècle le monopole des Normands et des Biscayens. La vigne, comme chacun sait, a gagné toutes les provinces et les Normands apprécient le vin tout autant que les Provençaux ; la Normandie est sans nul doute plus riche en pommiers dès la fin du XVIe siècle que beaucoup d'autres provinces ; mais la fabrication du cidre — et du poiré — est répandue partout : le poiré de la Brie par exemple, passe pour fort mauvais. Seule la bière

— ou la cervoise, cette boisson gauloise — peut être sans grand risque d'erreur considérée comme le breuvage des Flamands et autres peuples du Nord et Nord-Est : Féry de Guyon, voyageant dans le Nord, fait la grimace quand il en boit pour la première fois ([26]).

Entre ces trois boissons — et mieux vaudrait dire quatre, en comptant l'*aqua simplex*, d'utilisation générale — il existe une hiérarchie et, comme pour les aliments solides, une sorte de distribution sociale. Nous vivons, dans cet ordre d'idées, sur l'image traditionnelle d'un Français, buveur de vin depuis que les Phocéens, importateurs de la vigne à Marseille, ont acclimaté cette culture dans le pays : fierté du producteur qui boit *son* vin, dans les Alpes comme en Bourgogne — bon vin, ou piquette ; fierté du bourgeois qui a bonne cave, comme bon grenier : Lyonnais possesseur d'une pièce de vigne en Beaujolais, Parisien qui fait son vin à Montmartre, Ivry ou Argenteuil. En fait, il en va des boissons comme des céréales : pain noir et pain blanc ; ici bon vin, cidre ou poiré, et eau. Vauban, visitant Vézelay à la fin du XVIIe siècle, affirme encore que des paysans boivent du vin trois fois l'an... Le reste du temps, de l'eau, ou de ces mauvais breuvages qui sont réservés, dans les grandes maisons, aux hommes de peine : « petit cidre », « vins verds »... Par contre, les tables mieux garnies portent plus couramment les deux boissons, que vendent aussi les cabarets : cidre et vin, mais surtout le vin. Bien que certains médecins — normands notamment ([27]) — prétendent que le vin présente de graves dangers, menant le consommateur trop fidèle à l'hydropisie, la dysenterie ou les fièvres de la façon la plus sournoise, puisque ce « doux et plaisant ennemy » ruine ses amis sans qu'ils en sentent rien, bien que ces mêmes médecins prêtent au cidre la vertu précieuse d'assurer la longévité mieux que tout autre brevage, il ne fait pas de doute que le vin a la préférence — aussi bien dans les « tavernes de vin » que chez les particuliers :

Gaudeamus, faisons grande chère,
Buvons le vin, laissons la bière.

chantait-on à Amiens en 1600.

Cette préférence n'appelle pas de longues explications : les amateurs de cidre peuvent bien, à la fin du XVIe siècle, en mettre en valeur les variétés, exposer les vertus de ces dizaines d'espèces de pommes que le sire de Gouberville a fait connaître dans le pays normand, le cidre ne tient pas devant les crus qu'une viticulture plus que millénaire a mis sur pied, et fait connaître dans l'Europe entière. Les celliers des marchands bourgeois, des communautés urbaines ou religieuses, nous révèlent par leur composition une carte viticole ([28]) assez différente de celle qui nous est familière au XXe siècle : les vins « français » — entendons d'Ile-de-France — sont toujours de très bons vins, et leurs crus : Montmartre, Argenteuil, Dammartin sont cités loin de Paris. De même les vins d'Orléans, blancs et rouges, qui passent pour meilleurs entre les meilleurs ; puis viennent Gascogne et Aunis, Anjou et Soissonnais, Champagne (non champagnisé) et Auxerrois. La palme restant cependant aux Bourgogne, et en particulier aux vins de Beaune, qui font prime partout. Le tableau s'achève par les vins d'importation, peu nombreux — le plus important étant le malvoisie, le porto de l'époque.

Tous les Hôtels de ville ont, en leurs caves, d'imposantes réserves : le vin n'est pas seulement breuvage nourrissant — comme on croit — mais vin d'honneur : même les prisonniers en leurs cachots ont droit à une distribution, les jours de fête ; et surtout, outre les régalades générales occasionnées par une joyeuse Entrée (vin d'Orléans clairet pour les dames, vin de Beaune vermeil pour les messieurs), ces grands vins sont soigneusement conservés — suivant une tradition héritée du moyen âge — pour être offerts : une queue de vin de Beaune, cadeau royal ; quand le duc d'Alençon, nommé gouverneur de Normandie par François Ier, fait son entrée à Rouen, on lui offre trois queues de vin de Beaune, « dont deux estaient clerettes et une blanche » (20 août 1516). Vin de qualité conservé en tonneaux pendant quelques années, ou vin de pays, c'est bien la boisson dominante.

C'est aussi la seule boisson excitante : les hommes du XVIe siècle n'ont pas connu les breuvages qui feront fureur à l'époque des Lumières et qui n'ont cessé de gagner la faveur

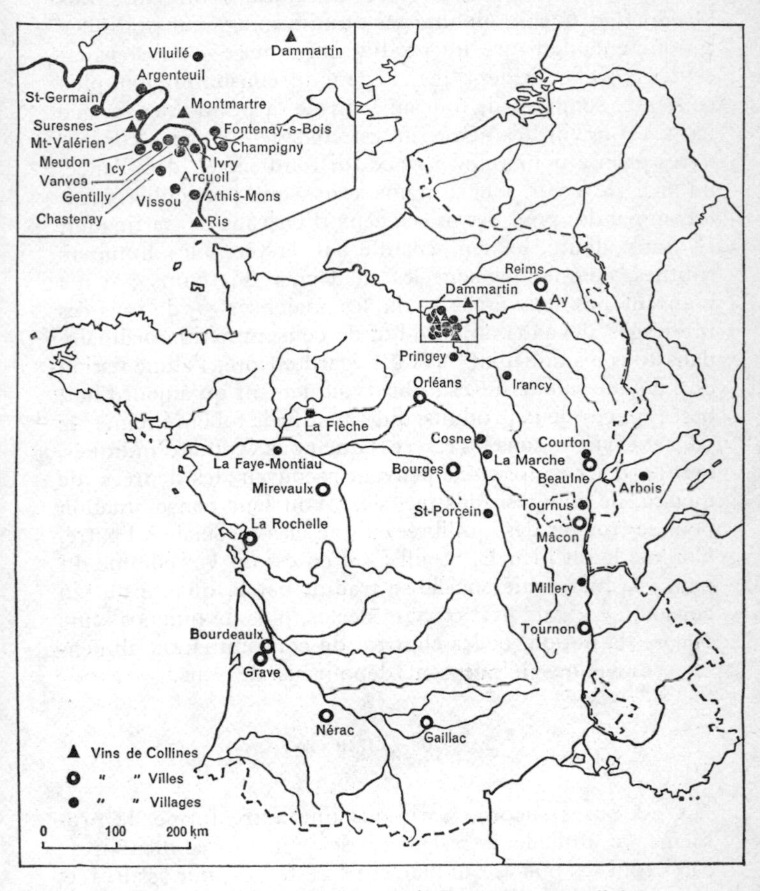

Carte n° 2 Les grands crus de France au XVIe siècle, d'après Étienne DOLET : *Commentarium linguæ latinae*, tome second, Lyon, 1536.

depuis : café, thé, cacao ; ils connaissent par contre l'eau-de-vie, qui peut être faite à partir du cidre et du vin. Mais l'*aqua vitae*, que les alchimistes du moyen âge ont pratiquée assidûment, demeure un produit chimique — ou pharmaceutique ; elle devient peu à peu de consommation plus courante, semble-t-il, tout au long de la période envisagée ici. C'est le vin lui-même qui est considéré comme cordial, « très propre pour relever ceux qui tombent en défaillance, ou mal de cœur » et certains crus sont particulièrement recommandés pour cet usage, ceux d'Orléans en particulier. Et sans doute le vin chauffe-t-il la tête, les humeurs subtiles, comme pensent les médecins du temps ; il n'a pourtant pas les vertus — ou les maléfices — de tous ces breuvages, devenus aujourd'hui de consommation ordinaire dans tous les milieux [29]. A cet égard encore, l'alimentation de l'homme moderne est, plus typiquement qu'aujourd'hui, basée sur ces deux produits, que sanctifie la foi chrétienne : le pain et le vin — sous les réserves que nous venons d'indiquer, tant les deux expressions peuvent recouvrir des denrées de qualité, de compositions inégales ; tant leur consommation peut se trouver déséquilibrée, d'une classe sociale à l'autre. Comme le dit bien L. Stouff : « il en est du vin comme du pain : la hiérarchie sociale se traduit par la qualité du vin consommé ». Aux XVIe et XVIIe siècles, plus de que nos jours encore, la notion, et les chiffres, de consommation alimentaire moyenne globale sont dépourvus de sens.

3. LA SOUS-ALIMENTATION

C'est poser encore, mais sous une autre forme, le problème, si difficile à résoudre, des régimes alimentaires ; rares sont les points qui peuvent être tenus pour assurés, et ce sont les moins importants à nos yeux. Ainsi de l'ordre des repas : le repas du matin (disner) est court, frugal, fait pour soutenir le travail de la journée et « refresner les aboys de l'estomach » ; le repas du soir, par contre, beaucoup plus copieux, car, selon les médecins « la coction des humeurs se fait mieux la nuit que le jour ». Mais cette règle de « bonne et saine médecine » n'a d'autre valeur que d'indication générale.

Mieux vaudrait connaître la composition de ces repas : il faut là nous contenter d'indications très disparates. C'est l'un ou l'autre : bombances dignes de Gargantua, ou privations génératrices de misère physiologique. Des premières, nous avons maintes descriptions : banquets et grandes ripailles organisés pour rois, empereurs et princes, sont passés à la postérité, comme des modèles de fastes alimentaires. Au banquet de la Toison d'Or, en janvier 1546 — à Utrecht — 5 plats sont servis où s'accumulent viandes et soupes, venaisons variées et entremets, pâtés de toutes sortes, confitures, gelées de fruits, fromages, le tout arrosé de vins blancs et « clérets », et précédé de malvoisie ([30])... Une orgie, en admettant même que chaque convive n'ait pris qu'une petite partie de chacun des cinq services.

Il est difficile de trouver des descriptions de repas plus « normaux » : les livres de raison relatent les seuls festins familiaux, qui réunissent la famille, au sens large du mot, pour les grandes fêtes religieuses. C'est encore l'exceptionnel ; de même les grands repas de communautés religieuses. En 1618, le chapitre de Dole fait les frais d'un souper de 16 personnes, et se procure pour ce banquet : du chevreuil, du mouton, trois perdrix, deux dindes, huit cailles, deux levreaux, sept poulets, quatorze pigeons, du lard à larder, des confitures, des câpres, des olives, trois pâtés de pigeon et de venaison, pâtisserie, biscuits, artichauts, cerises, poires, prunes, noisettes... C'est là un grand repas, à partir de produits assez courants.

A l'opposé de ces grandes agapes, d'où les convives pouvaient sortir solidement préservés des crampes d'estomac pour un ou deux jours, nous ne trouvons d'échos que des privations quotidiennes de la plus grande partie de la population : pain noir, légumes, eau. Un mémoire parisien du XVIIe siècle montre les dangers d'une charité trop généreuse, qui vide les campagnes alentour de leurs ouvriers agricoles : le texte est long, mais mérite d'être cité en entier : « Recevant dans l'Hôpital des pauvres qui viennent des champs, on prive la campagne d'ouvriers pour la culture des terres et de valets dont on a si grand besoin pour mener les bestes aux champs, parce que ces sortes de gens de quelque sexe et de quelque âge qu'ils soient, estant assurez d'avoir une retraite à Paris, où ils auront tous les jours du potage, du pain qu'on peut appeler pain blanc au regard du leur, de la viande et du vin, sans rien faire, comme on en donne aux pauvres qui sont un peu d'âge, il n'est pas malaisé de se persuader qu'ils ne demeureront pas à la campagne, où ils sont obligez de travailler depuis le matin jusques au soir, sans avoir autre chose qu'un morceau de pain bis et de l'eau, s'estimant bien heureux quand ils ont une fois ou deux l'année une coine de lard pour frotter leur pain, sans avoir jamais une goutte de vin... » ([31]).

Sans doute est-ce évoquer là le sort alimentaire des plus miséreux des journaliers sans terre, et souvent sans feu, errants en quête de travail, de vivre et de couvert à longueur d'année ; dans ce domaine, nous ne connaissons guère que les cas limites.

*

Du moins ceux-ci nous permettent-ils quelques affirmations assez valables. D'abord l'irrégularité de l'alimentation : sans nul doute l'alternance frugalité-ripailles est la règle dans toutes les classes de la société. Conséquence de l'insécurité alimentaire, elle s'impose comme un rite, dont subsistent des souvenirs jusqu'à nos jours. Fêtes urbaines des confréries, des entrées, fêtes rurales de la moisson, des vendanges ou de la Saint-Martin sont toujours l'occasion de vivre large, quelques heures au moins : avec mille nuances dans l'exécution, bien sûr. Mais ces grandes lippées, à la suite desquelles il faut se mettre au pain et à l'eau pour des mois, constituent une maigre revanche contre le mauvais sort, et sont appréciées comme telles : la précarité même de l'existence les explique. La vertu d'épargne, la répartition équitable de toutes les ressources sur la période à couvrir ne se conçoit pas sans un minimum d'aisance. *Mutatis mutandis*, tous ceux qui ont connu la faim dans les années 1940-1945 comprennent ce sentiment. Et il faudrait encore tenir compte pour expliquer ces « orgies », des dangers permanents qui menacent les greniers : à quoi bon de grandes réserves, si demain brigands ou soldats viennent tout enlever...

Il paraît non moins évident que cette alimentation n'est pas encore très raffinée : pâtés, viandes, entremets, même des plus fastueux banquets, ne paraissent pas l'objet de préparations compliquées. Nous serions tentés de parler de goinfrerie (mais il faut penser au froid qui les accable l'hiver et qui légitimerait une consommation alimentaire plus abondante que la nôtre). Cependant, il ne semble pas que le gourmet soit de ce temps et il faut attendre le début du XVIIe siècle pour entendre parler de la rue aux Ours à Paris (32) ; il faut attendre le siècle suivant pour voir le même chapitre de Dole commander (en 1756), pour recevoir l'archevêque de Besançon : bisque d'écrevisse, potage à la reine, grenouilles à la poulette, truites grillées, anguilles en serpentin, filets de brochet, carpes du Doubs avec coulis d'écrevisse, tourte de laitances de carpes, etc.

Troisième point, qui appellera beaucoup de recherches approfondies : le déséquilibre de ces régimes alimentaires à base de céréales, c'est-à-dire la soumission des corps à des maladies chroniques de carence ou d'excès.

Prédominance des féculents, rareté des protéines, insuffisance en vitamines : toutes ces notions, qui sont l'a b c de la diététique actuelle, ne sont-elles pas applicables à l'étude de cette alimentation d'il y a trois siècles (33) ? Notons, tout d'abord, que les hommes des grandes découvertes firent l'expérience directe de l'une de ces maladies de carence : le scorbut ; cette affection des grandes navigations n'est pourtant pas une nouveauté : le manque de vivres frais pendant l'hiver, dans les pays de montagne notamment, en suscitait de façon permanente des formes atténuées. Aussi bien, marins et explorateurs en découvrirent-ils sans peine les remèdes lorsque le mal prit de l'ampleur. Mais ces régimes mettent en cause bien d'autres insuffisances : ils peuvent rendre compte de ces corps tôt déformés, genoux cagneux, bras noueux, de ces bouches édentées, qui nous sont livrés par l'iconographie commune, entendons celle qui n'est pas consacrée aux grands de ce monde, mieux nourris et à l'abri de telles déficiences. La sous-alimentation chronique, nous le savons, ne mesure pas ses effets seulement en chiffres de calories. Sur ce point, ce sont les recherches faites par les médecins sur les carences des peuples habitant les pays sous-développés, qui pourraient nous éclairer. Les médecins d'autrefois nous fournissent de bonnes descriptions de maladies chroniques courantes, qu'ils attribuent à telle boisson ou à telle humeur batailleuse. Une confrontation systématique des études actuelles sur l'Afrique ou l'Asie du Sud-Est et des études trop vite abandonnées de la médecine européenne sur les famines des années 1940-1944 — avec les constatations médicales des siècles modernes devrait être fructueuse ([34]). Beau champ d'études pour l'historien de la vie matérielle...

Reste que la grande préoccupation de ces hommes fut d'éviter la faim : cette obsession, que quelques bons repas annuels ne peuvent exorciser, s'inscrit jusque dans les noms de lieux, et dans les noms de personnes : Bramefaim, Marche tourte, Tue tourte... Cette onomastique pittoresque est un laconique témoignage de cette hantise universelle, dont la portée psychologique est difficile à apprécier pleinement ; nul doute, par exemple, qu'une des premières vertus prêtées par le bon sens populaire aux privilégiés de ce monde est l'absence de telles préoccupations ; lorsqu'au début du XVIIe siècle, se répand en France la secte des Rose-Croix, dont beaucoup parlent sans savoir ce qu'il en est, la rumeur publique fait de ses adeptes des hommes qui sont à l'abri de tels maux : « ils ne sont subjects à la faim, soif, vieillesse, maladie, ou autre incommodité » écrit le *Mercure français* ([35]). A l'inverse, nous savons trop bien comme la famine peut ravager des provinces entières, jeter les gens sur les routes à la recherche de l'alimentation la plus élémentaire, dès que survient quelque mauvaise récolte : fait de foules, et non d'individus, la « nécessité publique » — disent d'innombrables documents. Certains décrivent même une maladie de la faim, une rage, qui mène droit à l'anthropophagie, si fréquente au moyen âge ([36]), et encore à notre époque : « Cette misérable pauvreté laquelle non sans cause est appelée rage, d'autant que la nature défaillant, les corps estans atténuez, les sens alienez et les esprits dissipez, cela rend les personnes non seulement farouches, mais aussi engendre une colère telle qu'on ne peut se regarder l'un l'autre qu'avec une mauvaise intention ([37]). »

La misère physiologique amoindrit les corps, leur enlève force et vigueur, et fait le lit des épidémies ; elle n'est pas moins grave et importante pour les âmes, qu'elle accoutume aux terreurs et à l'angoisse. Sans doute n'est-il pas possible de mettre à son passif toutes les émotions populaires du temps, les jacqueries des paysans et les révoltes urbaines. Bien d'autres éléments — sociaux et économiques, fiscaux notamment — ont pu intervenir pour déclencher les émeutes. Mais il est bien sûr que l'angoisse quotidienne du lendemain est demeurée à l'origine des paniques individuelles et collectives, des terreurs folles, mentionnées par maints documents. C'est toute une mentalité d'hommes traqués, avec ses superstitions, ses mouvements de colère, ses sensibilités trop vives, qui ressort de cette sous-alimentation chronique. D'autres époques, un autre contexte économique et social peuvent connaître d'autres formes de peur et de paniques : il en est ainsi aujourd'hui. Cette hantise de mourir de faim, inégale suivant les lieux et les classes, plus forte à la campagne qu'à la ville, rare chez les gens d'armes bien entretenus et chez les grands, permanente chez les petites gens, est le premier trait, le plus frappant, de la civilisation moderne. En quoi elle ne fait d'ailleurs que prolonger la moyen âge.

4. ENVIRONNEMENT : LE VÊTEMENT

Point de changement fondamental, non plus, du moyen âge à l'époque moderne, sur le plan de la lutte, vitale également, contre les intempéries, contre un climat trop changeant, et trop souvent hostile à l'homme. L'habillement et le logement, que nous connaissons mieux dans leurs expressions somptuaires que dans leur usage courant, restent pour la plupart des hommes une protection : c'est là leur fonction qui retient l'attention en tout premier lieu — quel que soit l'intérêt présenté par l'évolution des constructions princières : châteaux de la Loire par exemple — et par les variations des modes, telles que déjà le moyen âge des porches et des miniatures nous les révèle ([38]). Assurément, les deux domaines ne se séparent pas de façon absolue : il n'est pas indifférent de voir au XIVe siècle se répandre l'usage du linge de dessous, et les habits masculins courts. Cependant, à l'opposé, il est bien clair que les fantaisies vestimentaires du XVe siècle, dans le style d'Isabeau de Bavière, ne concernent qu'une infime minorité : question de moyens au vrai, car les résistances à la mode viennent bien du prix élevé des habits surchargés de façons, véritable capital qui ordinairement dure une vie entière : du moins chez les paysans, et les classes moyennes urbaines. A plus forte raison, l'évolution de l'habitation courante n'est-elle pas commandée par celle du château fort, qui abandonne les sites perchés et devient château de chasse et de résidence estivale au XVIe siècle... Ce que nous voudrions essayer d'estimer, c'est l'efficacité de la protection contre le froid et les intempéries procurée par le vêtement et le logement.

Au prix d'une grosse simplification, nous laissons donc de côté le costume comme élément d'un spectacle social, dans sa variété nécessaire, et laissons de même l'aspect national ou régional, caractéristique d'un engouement — ou d'une tradition collective.

Protecteur, le vêtement l'est assurément, et surtout contre le froid qui paraît avoir été plus rigoureux en ce temps que de nos jours : l'étude publiée par M. E. Le Roy Ladurie sur les climats de l'Europe occidentale ([39]) confirme l'hypothèse (suggérée par maintes mentions des livres de raison) d'une rigueur particulièrement accentuée, surtout pendant la seconde moitié du XVIe siècle. L'hiver, chacun revêt une ou deux pièces supplémentaires, mais il n'existe pas de tenue d'été, en tissus légers, et de formes particulières, comme nous en portons aujourd'hui. Se protéger de la chaleur ne pose donc pas de gros problème, quels que soient les risques, d'insolation par exemple. Mais, contre le froid — à l'intérieur des maisons, comme à l'extérieur, nous le verrons — il faut se défendre : de là, en premier lieu, l'importance des vêtements qui vont jusqu'aux pieds. Au moyen âge, quiconque n'est pas paysan porte la robe longue, ample, aux plis nombreux : ce qui ne laisse pas d'éclairer tout un comportement. La manière de marcher, sans trébucher dans les plis, de tenir les bras loin du corps, pour dégager plus aisément les mains, et soutenir les plis tombants, s'en trouve tributaire : la démarche est lente, les enjambées difficiles, inévitablement. L'homme habillé court, serré à la ceinture, a le pas plus vif, une aisance des gestes, que l'autre tenue interdit. Que cette gesticulation ait son influence, nul doute. Seul nous manque encore l'instrument de mesure.

Paysans et petites gens des villes et des bourgs, qui doivent beaucoup marcher et travailler de leurs mains, portent donc toujours un habit court : chemise, d'usage courant depuis le XIVe siècle, et braies, et par-dessus, une cotte ou un pourpoint, vêtements serrés à la ceinture et laissant libres tous les mouvements. Par-dessus encore, un manteau court avec un large col, l'hiver du moins. Aux pieds, sabots ou chausses, parfois bottes : c'est une tenue de travail. La « robe » — entendons garde-robe — féminine des classes populaires comporte des vêtements plus longs, la « chemise à femme », une cotte ou robe parfois serrée sur la poitrine, et une autre robe par-dessus, dite souvent robe de dessus : toutes pièces qui descendent jusqu'aux genoux ; Perrette, la fermière de La Fontaine, est « court vêtue » de la sorte. Les chemises sont de lin ou de chanvre ; robes, pourpoints et manteaux sont tissés de laine.

La garde-robe des classes aisées est évidemment plus complexe, encore que l'ordre reste le même : la chemise peut être de soie, de lin très fin et, pour les parties visibles, ornée de dentelles ; nobles et bourgeois ne revêtent plus la cotte médiévale en forme de blouse, restée en usage chez les pauvres : leur pourpoint, très ajusté, attaché aux hauts de chausses, est aussi court ; mais il se porte sous un manteau long, qui le protège en même temps qu'il recouvre l'ensemble du corps, comme une longue cape. Les dames portent chemise, robes de dessous et de dessus qui vont jusqu'à terre, tout en laissant apercevoir leur « linge » — et par-dessus les robes, un chaperon, sorte de manteau-cape, agrafé sous le cou, et recouvrant le tout.

Qualité des tissus et des cuirs, finition de la confection, importance de la garde-robe suffisent donc, en fait, à différencier les costumes. Contre la morsure du froid, riches et pauvres accumulaient les couches de tissus, plus ou moins travaillés ; contre la pluie et la neige, les uns et les autres n'avaient que ces robes-manteaux, nullement imperméables, qui étaient mises à sécher, une fois rentrés, près du feu, dans la cheminée. Protection suffisante ? Dans la perspective de la vie actuelle, où le vêtement est renforcé pour quitter son domicile, il paraîtrait que oui. Mais l'homme moderne a froid aussi à la maison : il est donc toujours lourdement vêtu, parce qu'il est attaqué, même chez lui, par le froid ; et qu'il est mal résistant, comme tout être sous-alimenté.

La recherche vestimentaire vise donc moins une amélioration de la protection, nécessairement limitée par la gamme restreinte de tissus dont disposent même les gens riches, que bien plutôt l'originalité des couleurs et des formes. Le XIVe siècle a connu les fantaisies des contemporains de Charles VII ; puis l'Italie est devenue la maîtresse de ces raffinements, qui continueront à venir de la péninsule au XVIe siècle : Brantôme décrivant quelque belle dame la vêt « à la mode d'Italie », voire « à la « siennoise ». Pelleteries, bijoux et parfums sont de la même façon des luxes réservés aux grands de ce monde ; ainsi la joaillerie de Bourgogne, comme les parfums d'Italie et d'Espagne, sont l'objet d'un commerce actif durant les années 1500-1550, à l'usage du petit monde des courtisans. Même pour ceux-ci cependant, le haut prix des étoffes, rares ou ordinaires, fait du vêtement un objet durable, qui peut être utilisé toute une vie et qui est légué nominalement à tel ou tel enfant ; la garde-robe d'une femme noble, d'un bourgeois riche est un capital compté dans le contrat de mariage, dans l'inventaire après décès ; il se compose, la plupart du temps, de deux ensembles par saison — et qui se reprennent d'une année sur l'autre... Aussi bien, avec quel soin Marot décrit-il son élégante bourgeoise : « Un corset de fin bleu, lassé d'un lasset jaulne... mancherons d'escarlatte verte, robe de pers large et ouverte..., chausses noires, petits patins, linge blanc, ceincture houppée, le chapperon faict en poupée, les cheveulx en passe fillon, et l'œil gay... ([40]) » Fantaisies coquettes d'une petite minorité.

5. ENVIRONNEMENT : LE LOGEMENT

Montaigne, traversant le pays de Bade, découvre « la tiédeur d'air plaisante » du « poêle », cette petite pièce bien chauffée des pays germaniques. Et il constate : « là où nous prenons nos robes de chambre chaudes et fourrées, entrant au logis, eux au rebours se mettent en pourpoint et se tiennent la tête découverte au poêle, et s'habillent chaudement pour se remettre à l'air » ([41]). La maison est inconfortable, essentiellement parce qu'elle protège mal : disons passablement de l'humidité, neige et pluie, mal du froid. Et c'est vrai aussi bien des plus riches châteaux que des masures faites de torchis et de branchages.

Quelle que soit la maison, la pièce principale reste celle où toute la famille demeure le plus possible — avec les bêtes souvent — la pièce où il fait à peu près chaud : la « salle » qui possède la grande cheminée bien aménagée, et qui s'appelle aussi la cuisine ; le sire de Gouberville, malade, reste au lit quelques jours sans pouvoir se lever : mais il note avec satisfaction celui « où il est redescendu à la cuisine ». En Vivarais, on l'appelle le chauffoir ; c'est la pièce où chacun peut prendre place, soit sous le manteau de la cheminée, soit auprès : cuisant au grand feu d'un côté, sentant la fraîcheur de l'autre. Ces grandes cheminées ne gardent, ni ne rayonnent la chaleur, mais cette salle commune est la plus accueillante : la veillée s'y fait devant l'âtre, les réceptions aussi, avec un mobilier monté pour l'occasion.

Toute l'organisation est fonction de cette préoccupation : conserver la chaleur, autant que possible. Ne parlons pas des matériaux de construction eux-mêmes : ne disons pas les murs, faits de pierres du pays, ou de terre séchée, protégée par des pans de bois ([42]). Pourtant il n'est pas douteux que la préférence longtemps conservée aux chaumes pour les toitures tient à cette raison, malgré les risques d'incendie, qui, en ville au moins, incitaient les autorités municipales à les interdire. De même les petites ouvertures, fenêtres étroites bien protégées par volets, toiles huilées, ou vitres (dans les meilleurs cas) ; même en plein jour, les pièces sont sombres, et il faut user de luminaires à l'huile pour lire, dès que le jour commence à baisser. De même encore, l'abondance des tapis aux murs et à terre, des nattes dans toutes les pièces pour conserver de la chaleur : « Chambre chaude et nattée » est un privilège d'homme riche — ou aisé pour le moins. Les pauvres remplacent les tapis par la jonchée de feuillages, qui constitue aussi un isolant appréciable ([43]), que ne dédaignent pas, à l'occasion, de grands personnages. Et malgré tant de précautions, les maisons restent glaciales : pour éviter le pire, les parents couchent leurs enfants tout jeunes avec eux, pendant l'hiver ([44]). Il est fréquent aussi de coucher plusieurs grandes personnes dans ces vastes lits à baldaquin, isolés du reste de la chambre par des rideaux pour conserver l'air humide, tiède et confiné de la respiration.

Heureux encore de pouvoir chauffer honnêtement la salle, d'avoir du bois en suffisance. Quelques pays connaissent le charbon de terre : la tourbe ; ainsi les villes de la vallée de la Somme, Abbeville, Amiens, Péronne ; quelques autres, la houille, autour de Saint-Étienne notamment. Mais nulle part le charbon n'a pu s'imposer, comme en Angleterre à la même époque. Villes et campagnes se chauffent donc au bois des forêts, à grands frais, car les transports en sont chers, difficiles, à la merci d'aléas redoutés : en janvier 1646, Paris connaît « la disette de bois, n'y ayant pas une bûche à Paris. La rivière ayant esté basse tout l'esté et estant gelée du lendemain de Noël, le bois ne venait que des champs et se vendait une fois autant qu'à l'ordinaire ([45]). »

Dans ces maisons, qui nous paraissent inhospitalières, qui ne sont pas spécialisées, puisqu'elles ne comportent que la salle et les chambres (la salle à manger ne s'impose qu'au XVIIIe siècle), le luxe se place donc dans l'ameublement, et non dans le confort de la « climatisation ». Aux paysans, le matériel rudimentaire, coffres tout venant si pratiques à déménager à dos d'hommes ou de bêtes jusqu'à la forêt proche, lorsque brigands ou soldats sont annoncés ; ustensiles de cuisine, le rouet, une table, quelques bancs... A l'opposé, rois et princes exposent dans leurs chambres des dressoirs chargés de vaisselle d'or, accrochent aux murs des tapis épais, importés des pays d'Orient ; la richesse bourgeoise ou noble se mesure également en tapis et en vaisselle d'étain et d'argent, mais encore en linge, surtout des draps entassés dans les coffres de la salle ; en miroirs, petits et précieusement encadrés ; en quelque horloge de cuivre ou de fer forgé (au moins à partir des années 1530-1540) ; puis, peu à peu, viennent encore embellir ce décor domestique les tableaux, les portraits des ancêtres. De tous ces éléments, seuls les tapis et tentures déployés sur les planchers, le long des murs, devant les fenêtres, peuvent aider au confort de « l'intérieur » ; aide appréciable, mais médiocre.

Ne nous étonnons donc pas de voir ces hommes constamment le nez au vent, toujours dehors, — même à la ville : ils vivent hors de chez eux, se réunissent chez l'un ou l'autre, ou au cabaret, parce que ce mouvement, ces déplacements leur sont nécessaires... En attendant les techniques du chauffage domestique que nous connaissons, ils n'auraient d'autre moyen d'échapper aux rigueurs hivernales que de fuir vers le Midi : ce qu'au XVIIe siècle a su faire un homme avisé — et riche — comme le conseiller (au Parlement) Desbarreaux, dont Bayle nous dit : « Il se plaisait à changer de domicile selon les saisons de l'année... principalement, il allait chercher le soleil sur les côtes de Provence pendant l'hiver. Il passait à Marseille les trois mois de la vilaine saison ([46]). »

Ainsi, même dans les villes, l'homme moderne se trouve étroitement soumis — et sans grand recours — aux conditions climatiques : froids et tempêtes, orages et fortes chaleurs ont prise sur lui, lourdement, rendent sa vie constamment inconfortable — dans des proportions que nous imaginons au prix d'un gros effort : ni température stable, ni éclairage facile et agréable, ni usage pratique de l'aération... Tout ceci d'autant plus dommageable à leur équilibre physique, à leur santé même, qu'ils sont, il faut toujours y revenir, pour le plus grand nombre, sous-alimentés —

donc, en premier lieu, sensibles au froid, comme chacun sait ; le manque d'air et de lumière n'est pas sans importance non plus, (il faudrait pouvoir décompter les goîtreux!) quoiqu'ils y remédient en sortant le plus possible, vivant au-dehors, en plein vent, mais n'échappant pas pour autant, pendant au moins trois mois de l'année, à la froidure. La faim, le froid sont les deux dominantes matérielles de la vie humaine à cette époque, ne sévissant heureusement pas simultanément — sauf exception, qui crée la catastrophe, et provoque l'hécatombe.

Chapitre II

L'homme physique : santé, maladies, « peuplade »

Au delà de ces données proprement matérielles, il devient plus difficile de saisir ce que nous entendons aujourd'hui par l'état sanitaire d'une population : faute de statistiques bien sûr ; mais surtout parce que, plus encore que dans les domaines déjà évoqués, se trouvent engagées des conceptions complexes (scientifiques, ou tenant la place des sciences) dont se nourrissaient les hommes de cette époque.

Pour eux, leur corps et leur existence même ne sont saisissables que dans les réalités de leur vie de relation, dans les gestes qui expriment des activités physiques ou affectives, dans tout ce qui donne à la vie plus ou moins de saveur humaine. Tout ce que la physiologie nous a fait connaître depuis un siècle et demi sur les activités fonctionnelles de l'animal humain, par lesquelles l'être transforme sans cesse en sa propre substance les molécules des corps voisins, tout en rejetant ce qui lui est devenu hétérogène, tout cela est inconnu, pour Vésale comme pour Rabelais ; la connaissance du corps humain se réduit à une morphologie, à une découverte de formes, qui aboutit à la *Leçon d'Anatomie*. Mais la vie organique elle-même n'existe pour ainsi dire pas : les traités de médecine regorgent de considérations sur les combinaisons et les conflits des « éléments » à l'intérieur des corps : l'air, l'eau et le feu ; ce qui explique tout, de la bouche même des médecins. Et rend compte, par surcroît, de l'incuriosité presque totale qui éloigne l'homme communément cultivé de la connaissance, de l'exploration des mécanismes corporels réels.

La maladie est ainsi considérée comme une intruse qui vient s'installer dans le corps du malade, et qu'il faut déloger ; conception en partie magique, car il est plausible de sommer le mal d'évacuer un organisme indûment envahi.

La thérapeutique du siècle dernier, imposant, par une intervention physico-chimique, la guérison au « patient » qui « subit » un traitement, a gardé longtemps, comme un héritage encombrant, ce vocabulaire d'une médecine devenue désuète. Corps étranger, le mal n'en est pas moins un corps subtil : vents, humeurs expliquent la part accordée — sous l'influence de l'humanisme stoïcien peut-être — aux « passions de l'âme » ; elles engendrent leurs propres maux : l'envie crée l'insomnie et la jaunisse, la paresse suscite langueurs et léthargies, la mélancolie pis encore : *affectus frequentes contemptique morbum faciunt*... Enfin, la maladie, le mal peut se confondre avec le péché, imposé par le Malin — et c'est la possession ; elle peut être une souffrance exigée pour la rédemption du pécheur : la tradition chrétienne n'a pas attendu Claudel pour donner un sens aux affres de la douleur. Point d'autre remède en ce cas que la foi, et la grâce.

Ainsi devrait-il du moins être facile de définir l'homme en bonne santé, l'homme « normal » : définition toute négative que récuserait un Knock, car ce n'est jamais que l'individu non attaqué par un mal quelconque. Mais, faute de préoccupations physiologiques, médecins ou chirurgiens ne se soucient guère de définir le fonctionnement « normal » d'un organisme ; pour Rabelais, la santé n'est guère plus que bonne humeur — alors que nous voudrions tant d'autres précisions : le poids et la taille, la force musculaire et l'endurance, voire la pratique d'exercices physiques, comme l'équitation et la marche. Ce sont également les techniques corporelles qui importeraient pour définir le comportement de l'homme normal : pratiques quotidiennes des positions, assise, couchée, debout, part du repos et de l'exercice... Les témoins sont ici trop rares pour être utilisables (47). De la même façon, l'entretien de la santé — l'hygiène — n'a pas de sens : si Montaigne préconise les bains, c'est à cause des mauvaises odeurs que secrète la crasse accumulée ([48]). En dehors de cela, il n'est guère qu'une prescription, qui se retrouve partout, et qui s'apparente à une recommandation hygiénique : éviter le mauvais air humide et froid, corrompu, dit Pierre de L'Estoile, des villes à l'automne, car il engendre la contagion. Mais c'est déjà rejoindre la lutte contre les maladies...

C'est aussi tomber dans un excès contraire, car si rien ne nous permet de définir l'homme en bonne santé, son poids et son teint, par contre, nous possédons une littérature médicale immense, qui traduit un fait incontestable : l'abondance des maladies, la morbidité chronique de toute la population, et surtout l'impuissance de la médecine en face des maux les plus communs ; sous forme de petits libelles imprimés avec soin, les recettes pour éviter la peste ont couru à travers toute l'Europe, tant la crainte des contagions est grande, tant les remèdes proposés ici et là s'avèrent fragiles en face des fléaux qui accompagnent régulièrement famines et guerres. Ainsi se comprend encore l'intervention constante, à côté de traitements médicaux savamment motivés en bon latin de Sorbonne, des pratiques superstitieuses les plus variées, qui paraissent souvent aux usagers non moins efficaces que les prescriptions de la Faculté. Recettes, traitements, ordonnances publiques de protection nous fournissent enfin moins une description des maladies, bien connues des contemporains, que les remèdes à leur appliquer : d'où les hésitations de la médecine aujourd'hui lorsqu'il faut identifier ces innombrables fièvres, ces terribles pestes trop souvent traitées de *cholera morbi*, qui ravagent périodiquement villes et campagnes.

I. LES MALADIES

Pour faire le tour des fléaux qui menacent alors les hommes — et que ceux-ci sont habitués à redouter — il faut à la fois se laisser conduire par leurs témoignages, qui sont d'un poids décisif — et découvrir, derrière des descriptions parfois très précises, la nature exacte des maux en question. Pour notre période, point de ces richesses extraordinaires que recèle le fonds Vicq d'Azyr dans les archives de la

Société Royale de Médecine du XVIIIe siècle : plusieurs historiens en ont entrepris l'exploitation difficile qui devrait bientôt permettre une meilleure compréhension de cet immense domaine [49]. Pour l'heure, il convient de s'en tenir à des données fort imprécises. Ainsi voyons-nous traiter la plupart des maladies du nom de fièvre : dûment numérotées, les fièvres tierces, quartes, doubles quartes, ne cessent d'encombrer livres de raison et mémoires [50] — recouvrant assurément des affections très différentes ; mieux encore, il est peu de maux qui ne soient considérés comme contagieux : un mémorialiste, dont la géographie médicale ne manque pas d'intérêt, n'écrit-il pas : « On reproche la lèpre aux Juifs, la phthisie aux Anglais, les écrouelles aux Espagnols, le goître aux Savoyards, la vérole aux Indiens, le scorbut aux Septentrionaux [51] » ; à chaque nation, une dominante, qui n'exclut pas les autres maladies et qui ne préjuge pas des contagions.

Cependant, il se dégage sans peine un ordre de préséance : la peste — terme générique cependant, presque autant que les fièvres — vient en premier rang, avec les autres maladies parasitaires, comme le typhus, fièvre pourpre, dite aussi fièvre des armées, trousse-galant ; puis viennent les maladies alimentaires, de carence ou de déséquilibre ; et, en troisième rang, le fléau qui a ravagé l'Europe occidentale au XVIe siècle et a causé une des grandes peurs de l'époque : la syphilis.

Peste et typhus accompagnent ordinairement famines et guerres ; la relation est constante, toujours constatée par les contemporains, qui redoutent particulièrement les porteurs de germes : vagabonds, miséreux, toujours en mouvement pendant les grandes crises. Puces et poux sont-ils reconnus comme agents de transmission ? Rien n'est moins sûr — quoique des précautions utiles soient souvent prises sur ce point : tondre et raser les vagabonds — à Paris, en 1596 [52]; interdiction de vendre et colporter des vieux habits, « hardes, linges et autres meschans meubles » — à Paris encore, en 1638 [53]. Mais la plupart du temps, c'est à l'air que la propagation de la maladie est imputée, en particulier pendant les demi-saisons, où il est tiède et humide, où se font de brusques changements de température : « Peste est une vapeur venimeuse d'air ennemie du cœur ; elle advient quand le temps ne garde pas sa nature ; maintenant faict chaud, tantost froid, maintenant clair et tantost trouble... quand la vermine abonde sur terre, quand le vent chaud dure en automne, quand les vers et la vérolle mollestent les petits enfans ([54]). » La contagion lancée, rien ne l'arrête : les épidémies de la fin de l'hiver se prolongent le plus souvent jusqu'aux chaleurs estivales — où elles sont relayées dans les plaines humides par cette autre maladie parasitaire, dont l'aire géographique est moins limitée qu'aujourd'hui : la malaria. Peste et fièvre pourpre emportent leurs victimes rapidement, surtout dans les villes aux rues étroites, aux maisons serrées, où les épidémies atteignent toujours la plus grande efficacité ([55]) : ville pestiférée, c'est ville condamnée pour des mois à l'isolement. De même que chaque maison touchée est placée sous scellés et confiée à la garde vigilante des voisins, de même la ville tout entière est refermée sur elle-même, ses habitants interdits de séjour partout ailleurs — sauf les maisons des champs pour les riches bourgeois, qui habituellement se replient sur leurs terres dès l'annonce des premiers cas et ne rentrent qu'après la quarantaine largement écoulée.

En 1629, la peste ravage Le Puy, de mai à la fin d'août, faisant des milliers de victimes au total : les mois les plus durs étant juillet et août, où il meurt cent à cent soixante personnes par jour. A Pignerol, occupée par les troupes françaises, en 1630, la peste emporte neuf habitants sur dix, et plus de cinq cents soldats français ([56]).

La virulence de ces épidémies s'explique sans doute par le mauvais état général des organismes attaqués, débilités par la famine. Mais l'entassement des hommes dans les cités aux ruelles étroites, l'absence courante de voirie — il est fréquent de voir interdire aux habitants, pendant les crises de contagion, de joncher les rues de paille pour faire leur fumier — aident puissamment la diffusion du mal : les villes ont beau fermer leurs portes aux vagabonds, suspects d'apporter les « bubbons », tout comme les villages les chassent sans aménité, toutes les conditions sont favorables. Pestes et fièvres sont partie stable du cadre mental, dans lequel les hommes se maintiennent de génération en génération.

Importantes également les maladies de l'alimentation, si difficiles à identifier : sous le nom de flux de ventre, de « dyssenteries » ([57]), opiniâtres jusqu'à la mort, combien de ces maux seraient à reconnaître! Nous retrouvons cependant là le scorbut des marins, bien repéré des contemporains, et soigné avec une relative facilité, nous l'avons déjà dit. De même la maladie du pain, réapparue il y a quelques années à Pont-Saint-Esprit, terrible, mais aisée à combattre au prix de quelques privations ([58]). Enfin, la goutte, cette maladie des trop bien nourris — et qui ne menaçait donc qu'une petite partie de la population — est un fléau redouté : c'est le pire des rhumatismes à leurs yeux, et un des martyres les plus insupportables, en raison de l'immobilité à laquelle il contraint ses patients. Mais il est tellement moins répandu que les fièvres — ou même que les déficiences, mal identifiées, qui ont pour cause une carence chronique... La plus claire de celles-ci est le mal des écrouelles, mieux connu en raison des interventions thaumaturgiques des Rois de France. L'adénite scrofuleuse est typiquement une maladie de la sous-alimentation ; le meilleur remède — outre la propreté que rendaient nécessaires ces plaies du cou, vite purulentes — est une nourriture enrichie, de viandes notamment. Mais l'adénite mal soignée peut devenir tuberculeuse et ces petites plaies une maladie très longue à guérir... En France, depuis le haut moyen âge, les malades s'adressent volontiers au Roi qui, lors des grandes fêtes, exerce un pouvoir miraculaire, identique à celui d'un saint, en touchant du doigt les malades au front et en prononçant une formule rituelle qui leur promet la guérison. Le rite et sa popularité ont été admirablement étudiés par Marc Bloch ([59]).

Ce sont là cependant maladies traditionnelles, fréquentes au moyen âge également : Joinville et les croisades de saint Louis avaient eu à connaître du scorbut ; de même fièvres et pestes... L'imagination populaire a été beaucoup plus frappée au début des Temps Modernes par la diffusion foudroyante du mal de Naples : la syphilis. Devenue discrète dès la fin du XVIIe siècle, et soignée longtemps dans le plus grand secret, — jusqu'à ce que les antibiotiques en réduisent partiellement la malfaisance —, la syphilis a été, à ses débuts en Europe, d'une exubérance qui explique l'émoi des contemporains : couvrant ses premières victimes de plaies putrides, de tumeurs purulentes, de lésions étendues et ulcéreuses, elle transforme ces êtres en monstres repoussants et rongés par le mal — qu'ils ne sauraient songer à dissimuler, comme il sera plus facile de le faire au XIXe siècle. Ramenée d'Italie au début du XVIe siècle par les soldats de François Ier — et le roi lui-même, selon la tradition — la vérole s'acclimata très facilement dans l'ensemble du pays. Dès les années 1550, elle est au premier rang des préoccupations médicales : « curer la vérole », c'est le premier chapitre des traités qui concernent les maladies contagieuses ; sans doute les médecins ont-ils trouvé rapidement les remèdes à base de sels de mercure assez efficaces pour que Rabelais puisse se permettre d'en plaisanter, dédiant son Gargantua à ses amis, les « verollez très précieux »... Mais tous n'en rient pas comme Rabelais : le mal importé d'Amérique a rendu pour longtemps dangereux les jeux crapuleux de l'amour et ajouté, peu de temps après les voyages de Christophe Colomb, une misère physiologique à celles que les hommes des temps modernes avaient héritées des temps antérieurs.

Petite compensation : la lèpre, qui durant tout le moyen âge a exercé autant de ravages que la peste — et surtout encombré les vivants d'une lourde armée de malades, lents à disparaître, et qu'il fallait isoler dans les maladreries — la lèpre semble en régression. A Amiens, au cours du XVIe siècle, l'habitude s'est perdue d'exiger des nouveaux bourgeois, venant s'installer dans la ville, qu'ils fournissent une attestation certifiant qu' « ils venaient de gens de bien, naiz en léal mariage et non yssuz de pères et mères suspectz et attaincts de la maladie de lèpre ». Pourtant, cette négligence n'est pas sans inconvénient : en 1574, il est décidé de revenir à cette prudente pratique.

Compensations encore, la faible fréquence — semble-t-il — de la tuberculose et, vraisemblablement, du cancer.

Les mentions de maladies « pulmoniques », « pleurésies », « asmes », « phthisies », ne manquent certes pas, touchant jeunes et vieux, et jusqu'au décès. « Maladies de poulmon » « oppressions de poitrine » qui font cracher le sang et tousser incessamment ne sont pas cependant maux courants comme les précédents. *A fortiori*, le cancer, difficile à identifier ([60]), paraît encore plus rare. Peu d'alcoolisme également : l'eau-de-vie n'est pas encore d'usage interne assez courant (elle est même peu employée pour nettoyer les plaies qui sont, en toutes circonstances, une porte ouverte à la mort et qui sont, d'ordinaire, traitées au fer rougi.)

Les maladies mentales sont à mettre à part et leur cas pose des problèmes encore plus difficiles. Tout être dont les propos sont aberrants, et non orthodoxes, court risque d'être tenu pour possédé... C'est donc entrer dans le monde complexe des suppôts de Satan, qui, au demeurant, connaissent des mixtures et breuvages capables d'entraîner leurs créatures vers des paradis artificiels : forme d'aliénation qui ne peut être considérée exactement comme une maladie, — malgré la relative fréquence des pratiques magiques. Sont donc tenus pour simples aliénés les seuls « innocents », « povres insensés », « aliénés de leur entendement », comme disent les textes, qui déambulent à travers villes et villages en marmonnant des gentillesses à qui les rencontre : à ceux-là, qui sont en liberté et qui reçoivent la charité d'un manteau (il est fréquent de voir alors les insensés se promener en tenue très légère) ou d'une écuelle de soupe, conviendrait sans doute le surnom d'idiots de village, encore donné aujourd'hui à des simples d'esprits. Mal certainement moins répandu qu'aujourd'hui où l'alcoolisme se charge d'assurer la clientèle des hôpitaux psychiatriques...

2. REMÈDES ET MÉDECINES

Ce bref tableau des maladies courantes ne donne pas une idée nette du désarroi des hommes attaqués par la maladie, et désarmés devant elle. Voici un bon bourgeois de Paris touché d'une paralysie de la langue, et fort inquiet de son sort : « Chacun de mes amis eut la bonté de m'amener tous les habiles gens qu'ils connaissaient. On me saigna sous la langue, je pris les gouttes d'Angleterre, j'usai d'esprit de corne de cerf, d'essence de poudre de vipère, de teinture d'anis, d'extrait de fleurs de tilleul, de vulnéraires, et de plusieurs autres remèdes que chacun disait être le spécifique de mon mal. Mais, bien loin de m'en sentir soulagé, ma paralysie augmentait toujours ([61]). » Sans doute cette maladie, moins fréquente, moins connue que la peste, explique-t-elle le recours à toutes sortes de gens — médecins ou non, mais l'explication ne vaut qu'en partie seulement, et pour plus d'une raison.

Pour se soigner, chacun, selon ses moyens, pouvait faire appel aux médecins et chirurgiens, dûment organisés en corporations, pourvus de bons diplômes délivrés par la Faculté et le corps des maîtres jurés ; mais la médecine de la Faculté est encore celle d'Hippocrate et Galien, sempiternellement ressassée, et appliquée aux maladies diagnostiquées par une tradition empirique. Les grands médecins du temps restent les pragmatistes hardis qui, au fil de leur expérience, vont au delà des leçons de l'École, pour perfectionner empiriquement leurs méthodes. Tel Ambroise Paré s'appliquant à l'étude nouvelle des « playes faictes par les hacquebuses et aultres bastons à feu ». Mais, pour un médecin — et chirurgien — doué d'esprit déductif d'observation, combien d'autres se contentent d'appliquer les leçons toutes faites : Hippocrate a dit... Certains peuvent s'adonner à des recherches obscures, inspirées de grimoires secrets, où l'alchimie tient la première place : rares disciples de Paracelse, et des mystiques allemands recherchant le secret de la vie ; leur place n'est pas importante, quel que soit leur prestige, dans quelques grandes villes, comme Paris et Strasbourg. D'autres enfin se sont attachés à raffiner mathématiquement la combinatoire des humeurs fondamentales (selon l'École), sang, flegme, bile et atrabile, reconnaissant quatre degrés en chaque état humoral et dosant les médications selon ces degrés, tel le catalan Antoine Ricart au début du XVe siècle, dont la réputation a passé les limites de la Catalogne ([62]). Au demeurant, tout cela compte pour les villes : dans les campagnes, point de médecin ; le barbier, le berger, les matrones, la sorcière en tiennent lieu.

Le fait essentiel, qui conditionne la pratique médicale, c'est l'inefficacité relative des thérapeutiques ; même pour une maladie aussi fréquente que la peste, le meilleur remède reste la fuite devant la contagion, tant les prescriptions appliquées par les médecins paraissent de faible valeur ([63]). Aussi est-il d'usage courant de mettre sur le même plan, les ordonnances médicales les mieux paraphées ([64]), et les recettes recueillies par les traditions populaires les plus diverses, allant jusqu'aux pratiques superstitieuses, innombrables, conservées jusqu'à nous dans les premiers almanachs et dans les livres de raison. Ainsi M. du Fossé, que nous venons de citer, accepte-t-il tous les remèdes proposés par ses amis — les essayant à tour de rôle avec une égale confiance. Ainsi voit-on simultanément, dans une ville où l'épidémie gagne, préparer des « parfums » désinfectants, dont l'efficacité est indubitable (tel comporte dans la composition de la drogue 6 livres de soufre, 4 livres d'antimoine...) — et user de pratiques dévotieuses de ce style : « Assister en un seul jour de dimanche à trois eaux bénites en trois différentes paroisses. »

Dans le domaine de la médecine patentée, la gamme des médicamentations est cependant d'une très grande variété : pour la seule peste, l'énumération des préventifs et curatifs proposés par les traités *ad hoc* encombrait des dizaines de pages ([65])... En dehors de la pratique, universelle, de la saignée et de la purgation, qui doivent nettoyer toutes les mauvaises humeurs, deux thérapeutiques paraissent dominer la vie médicale : la pharmacopée et le thermalisme. La pharmacie a pour base la combinaison des vertus simples de végétaux et de minéraux, d'où l'infinie variété des recettes proposées pour un même mal : quelques feuilles de menthe de plus, trois grains de cannelle, et c'est un nouveau remède, s'ajoutant à beaucoup d'autres. La plupart de ces médicamentations se présentent sous forme de liquides, dans lesquels ont macéré, ou bouilli, plantes ou poudres : le vinaigre additionné de rue, de menthe, de romarin et de lavande est un bon préservatif de la peste ; le cidre doux au sucre rosat est bon pour les phtisiques ; le cidre à l'absinthe passe pour tirer les vers des enfants et faciliter la digestion des parents ; d'aucuns prétendent, il est vrai, que le bon vin, « cette liqueur septembrale », pris selon la nécessité de la nature, est un souverain préservatif pour toutes maladies... A côté des liquides, des tablettes faites de poudres variées : on prévient la peste avec des pilules où entrent du soufre, du trochisque de vipères, du diarhodon, etc. La même maladie est également combattue à l'aide de parfums, dont maisons et personnes sont abondamment enfumées ([66]). Dans ces compositions, nous retrouvons, en premier lieu, les « simples », aux vertus reconnues depuis la plus haute antiquité, et les épices, importées de l'Océan Indien et de l'Extrême-Orient par l'intermédiaire des trafiquants méditerranéens. Dans le courant du XVIIe siècle, cet arsenal pharmaceutique s'est enrichi des découvertes faites par les missionnaires dans le nouveau monde : ainsi le quinquina, « qui guérit infailliblement la fièvre quarte ou la tierce », entre dans la pratique médicale — à des prix exorbitants d'ailleurs — dans les années 1650 : progrès empirique, mais considérable.

Pourtant, il n'y a pas de doctrine médicale unanime sur ce plan aux XVIe et XVIIe siècles : tout un courant d'innovation se réclame de Paracelse, le Bâlois qui recueillait les recettes des sorcières, soignait avec des produits chimiques et des simples ; ces médecins recommandent l'utilisation même expérimentale de produits nouveaux, de compositions qui réduiraient la part de la saignée et de la purgation dans les thérapeutiques. Au milieu du XVIIe siècle, la querelle de l'antimoine à Paris a été illustrée par Guy Patin, grand pourfendeur des iatrochimistes : la Sorbonne est, avec son doyen, traditionnaliste, alors que Montpellier paraît plus ouverte aux novateurs.

Les vertus insuffisantes des plantes et des poudres minérales soigneusement mélangées se trouvaient complétées par l'action des eaux thermales. Celles-ci sont vantées par médecins et apothicaires avec une générosité qui surprend quiconque croit aux initiatives décisives de Mme de Sévigné. Bien avant elle — et dans toutes les provinces — les sources

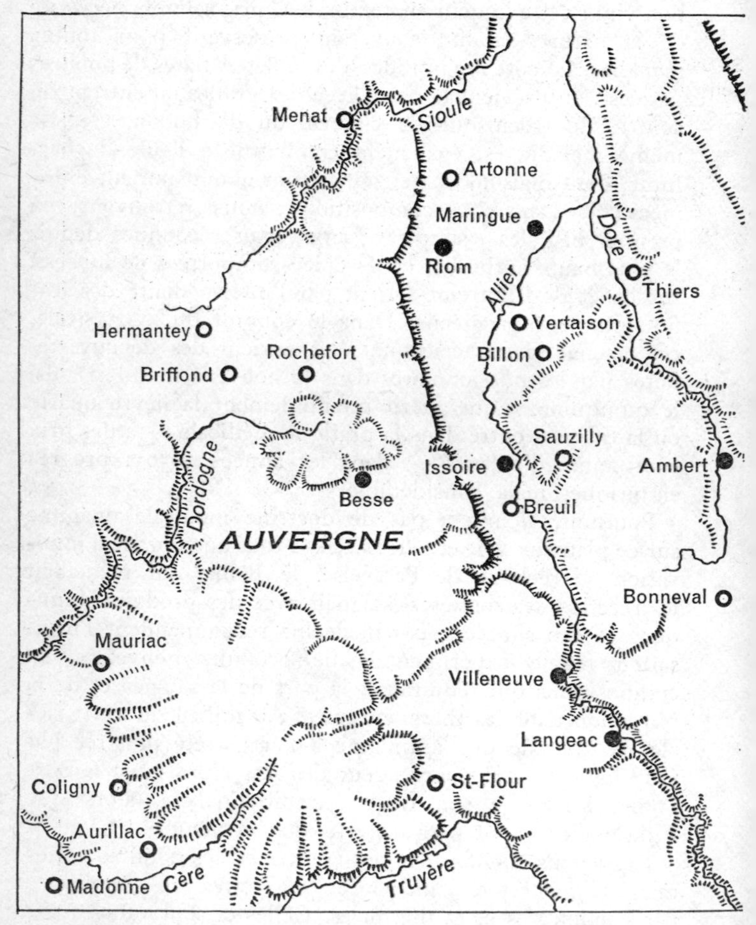

Carte n° 3 : L'équipement hospitalier au XVIe siècle.

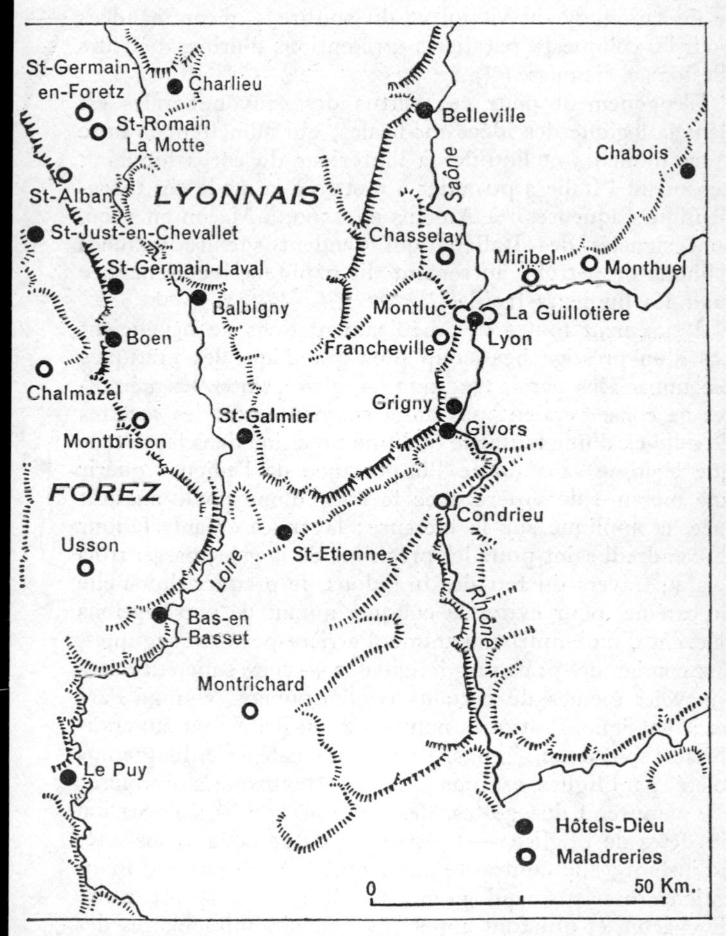

Deux exemples, Lyonnais et Auvergne. (BN, Mss, fds. fs, 17608)

minérales sont repérées, recommandées pour un nombre imposant de maladies : au faubourg de Bourgogne, près de Moulins, jaillissent des sources médicinales, « ayant je ne sais quoy du vitriol et du souffre », recommandées pour les coliques, « paralisies », rétentions d'urine, douleurs d'estomac, jaunisse ([67])...

L'engouement pour ces vertus des eaux minérales est dans la logique des idées médicales, qui admettent la lutte entre humeurs et liquides à l'intérieur du corps humain ; cependant l'Italie a pu aider à mettre à la mode ces thérapeutiques aqueuses : à Amiens en 1560, à Mâcon en 1606, sont signalés des Italiens qui vendent sur les marchés « l'huile de pétrole, autrement dit naphte », recommandée pour les humeurs froides...

Assurément toutes ces médicamentations ne bénéficient pas d'un prestige beaucoup plus grand que les pratiques recommandées par la tradition populaire, sinon, les mémoires ne conserveraient pas aussi soigneusement les recettes de celle-ci, d'une fantaisie et d'une précision dans les détails que légitime sans doute l'importance de l'enjeu : guérir une morsure de vipère avec le sang d'une poule aussitôt tuée, et appliqué sur la blessure; laver les enfants le jour du vendredi saint pour les préserver de la gale; passer trois fois au travers du feu des brandons, le premier dimanche de carême, pour éviter la colique, autant de prescriptions relevant d'un empirisme animé d'arrière-pensées magiques, aux confins des pratiques religieuses — voire superstitieuses aux yeux mêmes de certains contemporains, comme Paré ou Montaigne. Pratiques naturelles, ou nettement superstitieuses, sont donc légions. La seconde catégorie, longtemps tolérée par l'Église, est bien plus importante que la première; elle comprend des gestes, des actes accomplis à l'occasion des fêtes de l'Église — comme ceux que nous avons cités à l'instant ; elle comporte aussi quantités de prières, invocations, oraisons, qui prennent place dans le répertoire de chacun, et qui font appel aux pouvoirs miraculaires des Saints, sinon de Jésus lui-même ; parfois rédigés en latin ([68]) — donc par des clercs ? — de tels textes constituent une sorte de répertoire médical à l'immédiate disposition des malades. L'Église n'a répudié ces textes et pratiques qu'assez tard dans le XVIIe siècle, et avec beaucoup de prudence, puisque les oraisons à des fins médicales ont été pratiquées par les prêtres depuis la primitive Église.

En accord avec les membres du clergé — au moins chez les catholiques — il ne pouvait être disconvenant en effet de solliciter l'usage d'exorcismes et d'oraisons pour chasser les maladies des hommes (et même des bêtes). La participation de l'Église semble cependant, surtout au XVIIe siècle, une condition d'exécution — et de succès. Ce qui finalement met à la disposition du patient trois méthodes curatives — que nous distinguons, par prudence d'analyse, mais qui peuvent, plus ou moins, se combiner — et qui, de toute façon, peuvent être mises en œuvre par la même personne, consécutivement ou simultanément.

Au delà de ces pratiques, reste le recours à la chirurgie : celle du barbier chirurgien, qui n'a pas les diplômes de la Faculté, mais est reconnu capable de pratiquer au moins une saignée — et celle du maître chirurgien, non moins couvert de diplômes par la Faculté que son confrère médecin. Le chirurgien soigne les plaies, les malformations de nature (enlever les doigts en trop, ajouter un bras qui manque, est pour A. Paré le premier travail de la profession) ou d'accident (hernies, blessures, chancres, gangrènes). Il est médecin aussi, son habileté manuelle ne pouvant lui servir qu'à parfaire l'œuvre de médecine, lorsque les moyens habituels ne suffisent pas. Ainsi l'*Introduction ou Entrée pour parvenir à la vraye cognoissance de la chirurgie*, du même Ambroise Paré, est-elle un traité de médecine, qui ne s'appesantit pas sur les techniques chirurgicales, mais passe en revue maladies, facultés, humeurs ; médecine et chirurgie se trouvent bloquées devant de trop grandes inconnues anatomiques et physiologiques, qui seront affrontées très lentement aux siècles suivants seulement. Ce qui explique pourquoi un chirurgien habile comme Paré a passé le plus clair de son temps sur les champs de bataille, où ses services sont nécessairement les plus appréciés, à opérer les blessés, brûler les plaies au fer ou à l'huile bouillante, extraire des balles ou des éclats, couper des membres gangrenés.

*

L'inefficacité de ces thérapeutiques se trouve particulièrement ressentie pendant les épidémies ; face à la contagion, les villes — même les plus petites — se sont donné depuis les XIIe-XIIIe siècles tout un équipement défensif, qui s'efforce de compenser la carence médicale ([69]). Chaque communauté possède son hôpital, ce qui permet d'isoler les malades, au moins pendant les premiers temps ; la France du XVIe siècle compte plus de mille hôtels-Dieu — et presque autant de maladreries, celles-ci en voie de désaffectation ([70]). Habituellement tenues par des réguliers, ces fondations médiévales ont fonctionné à la satisfaction de tous pendant des siècles, mais le bouleversement économique du XVIe siècle porte à leur gestion temporelle des coups très durs : beaucoup périclitent au début du siècle suivant ; faute de revenus suffisants, elles refusent la clientèle et, sous Henri IV, une commission royale enquête longuement sur leur situation. Quelques années plus tard, Vincent de Paul multiplie les fondations nouvelles alors qu'une nouvelle enquête royale réalisée en 1639-1640 a révélé le délabrement et l'abandon de nombreuses fondations.

Les hôpitaux sont les maisons des malades (et des vieillards et nécessiteux). Mais les communautés urbaines disposent, en outre, d'un arsenal imposant de règlements constamment repris, lorsque l'épidémie menace : mesures souvent draconiennes, puisqu'elles comportent l'évacuation des maisons contaminées, l'expulsion des mendiants et suspects, l'exécution des animaux errants, la fermeture des marchés et tribunaux, l'interdiction de certains métiers (cordonniers par exemple), la mise en quarantaine, hors de la ville, des personnes guéries, l'obligation, pour les malades en traitement, de porter des costumes spéciaux visibles de loin...

Toutes ces mesures, dont le principe est l'isolement des malades touchés par la contagion, ne laissent pas d'être inefficaces à leur façon : ces hôpitaux, qui regorgent vite de patients, deviennent rapidement les principaux foyers de contamination, et contribuent à répandre le mal — d'autant plus qu'ils étaient le plus souvent situés au cœur de la vieille ville. D'autres précautions prises d'une ville à l'autre — mise en quarantaine de la ville infectée, exposition des produits à livrer dans la ville contaminée sur une place hors des murs pendant des jours, interdiction de commercer, voyager... — ne présentent pas beaucoup plus de vertu.

Ainsi, contre la maladie — contagieuse ou non — l'homme moderne est-il très mal défendu ; à la sous-alimentation, l'épidémie s'ajoute comme une menace chronique. Ces constatations essentielles se traduisent dans la démographie caractéristique de ces temps difficiles.

3. LA « PEUPLADE » : ÉLÉMENTS DE DÉMOGRAPHIE

Il n'est pas douteux que notre rapide esquisse doive s'achever sur une étude de l'évolution démographique : les effectifs, la mortalité et la natalité, la fécondité des différents groupes, autant de données qui éclairent l'économie générale de toute société, voire les conceptions des hommes ; la notion de surpeuplement, toute relative qu'elle soit, est aussi ancienne que l'humanité et détermine des comportements fondamentaux.

Or rien n'est plus difficile à saisir que les séries démographiques en deçà du XVIIe siècle, où — en Europe occidentale du moins — les savants ont commencé à compter systématiquement. Les chiffres cependant ne manquent pas totalement : l'ingéniosité et la patience d'historiens comme F. Lot, P. Gouvert, J. Meuvret, ont pu tirer, de données très fragmentaires, d'intéressantes conclusions, à l'échelle d'une région, ou de quelques villes. A partir de documents, fiscaux pour la plupart, qui sont certainement les plus difficiles à utiliser ([71]).

A défaut de chiffres, sur lesquels travailler utilement, il est trop souvent nécessaire de se contenter de signes indirects, dont la valeur peut paraître discutable : hausse ou baisse de certains revenus seigneuriaux, multiplication des perceptions de droits sur les ventes, augmentation des effectifs des notaires, par exemple. Isolés, ces mouvements ne présentent pas grand intérêt ; convergents dans le même sens, ils permettent d'indiquer une évolution.

Compter les hommes n'est pas dans les conceptions de l'époque : tout au plus le censier seigneurial comporte-t-il la liste des paysans qui paient les droits ; mais les autres villageois n'y figurent pas. Nous connaissons de la même façon des nombres de feux : autres inventaires fiscaux, à l'échelle du bailliage ou de la ville. Mais, au delà, pour un État comme la France — à plus forte raison pour des continents entiers, l'Asie ou l'Amérique, la question ne se pose même pas. Quelques classifications simples suffisent : les hommes noirs et jaunes rencontrés dans les grands ports de la Méditerranée orientale, sont étiquetés suivant les divisions de la Bible : les fils de Sem, de Cham et de Japhet... Au sens démographique du terme, l'humanité n'est qu'un mot, au XVIe siècle : de grandes masses continentales, qui s'ignorent en partie, sont juxtaposées ; et il n'est pas possible d'en savoir plus... jusqu'à la fin du XVIIe siècle où les premières estimations « mondiales » seront tentées avec plus ou moins de bonheur ([72]).

Pourtant les XVIe et XVIIe siècles ont vu des migrations considérables : départs vers l'Amérique bien sûr, mais aussi attraction de l'Italie méridionale et centrale ; le « coude à coude » humain des Flandres et de l'Italie fait contraste avec les espaces vides — ou presque vides — de certaines montagnes. Les contemporains de Rabelais ou de Montaigne ne sentent pas fortement ces mouvements et ces contrastes ; les problèmes qu'ils posent leur sont étrangers. Ces hommes se sentent membres de grands corps mystiques : les religions ; de corps politiques également, qu'ils n'appellent pas encore des États ; surtout ils se sentent membres de communautés : villes et villages qui ne comptent pas leurs éléments parce qu'elles les connaissent personnellement et leur donnent une place dans la hiérarchie sociale, ce qui suffit à leur existence quotidienne.

A plus forte raison, ne retrouvons-nous pas dans leur pensée le besoin d'analyser la structure d'une masse humaine ; filles et garçons, jeunes et vieux ne font l'objet que de notations brèves — ou pittoresques — tout comme la durée de la vie : la forte mortalité accrédite des mythes de vieillesses séculaires, d'autant plus faciles à accepter que l'état civil presque inexistant permet toutes les fantaisies ; non sans gloriole, à l'occasion : Thomas Platter, veuf à 73 ans, se remarie aussitôt, et n'est pas peu fier d'avoir eu six enfants de ce second mariage.

Bien des calculs — évaluation globale, comme celle de F. Braudel pour l'espace méditerranéen — déductions habiles d'un Roupnel à partir des feux dijonnais énumérés quartier par quartier — dénombrements patients de Goubert sur son Beauvaisis —, tous ces chiffres autorisent à prêter à la France de la fin du XVIe siècle une population de 16 millions d'habitants. Ce qui signifie un fort peuplement, eu égard aux faibles rendements des surfaces cultivées — elles-mêmes beaucoup moins vastes qu'aux XVIIIe et XIXe siècles : la terre de France est bien remplie ([73]), en dépit des espaces vides, dans le Massif Central notamment ; mais il n'est guère possible de préciser plus que ce chiffre global...

Au delà, il faut se contenter de déductions tirées des conditions générales d'alimentation, de santé, que nous venons de voir — mises en comparaison avec les données numériques plus solides que nous possédons pour les périodes immédiatement postérieures, lesquelles relèvent des mêmes caractéristiques démographiques ; le premier trait, résultat d'une très forte mortalité, qui, comme toujours, touche les plus faibles en premier lieu, c'est-à-dire les enfants, c'est la courte durée de la vie : vingt ans ? La vie de l'homme est misérablement courte, dit Pascal, qui voudrait la compter à partir de l'âge de raison... De là la précocité des mariages — et tant de jeunes veuves, de quinze ans et moins, qui se rencontrent dans toutes les villes ; de là, encore, le prestige des barbons, qui, dépassant la quarantaine, ont révélé une complexion à toute épreuve, et la place de choix réservée aux vieillards dans une société où mourir jeune est si commun. Indications toutes approximatives évidemment, qui ne valent pas une bonne statistique sur l'âge moyen des premiers mariages, établie d'après nos listes d'état civil...

Compensant cette forte mortalité, une natalité imposante semble bien la règle ; même si les naissances paraissent un fardeau encombrant, au moins dans les villes : au milieu du XVIe siècle, on s'inquiète à Paris du nombre des avortements, malgré une répression féroce — puisque les femmes et filles convaincues d'avoir « celé leur grossesse », et « tué leur fruit » sont ordinairement condamnées à mort ([74]).

Le trait le plus décisif semble cependant la mobilité de cette démographie — son caractère spasmodique. Une épidémie — et *a fortiori*, une série d'épidémies — ruine une région, une ville : la population diminue alors du quart, parfois de moitié. Ce vide se trouve cependant vite compensé : à la fois par des migrations extérieures, habitants nouveaux venus de provinces voisines, et par les naissances ; les moissons de la mort et les poussées de natalité font osciller brutalement nos données ([75]). Les passions religieuses ont ajouté encore à ces mobilités, au cours du XVIe siècle : il n'est que de voir l'afflux des réfugiés protestants à Genève, entre 1549 et 1560, pour s'en persuader. A aucun moment, il ne saurait être question de parler d'une population stabilisée.

Enfin, il paraît assuré qu'une telle mobilité des vies humaines implique un certain mépris de cette vie : les fluctuations brusques, et à tous les âges, les déplacements comme l'importance de la natalité font que l'être humain n'est pas estimé d'un grand prix comme à notre époque où — en dehors des périodes de guerre — des prodiges sont faits chaque jour pour conserver, ou prolonger, des vies humaines (du moins au bénéfice des nantis). La facilité avec laquelle le meurtre est commis ([76]), dans toutes les classes de la société, en est, aussi bien, la meilleure preuve.

Chapitre III

L'homme psychique : sens, sensations, émotions, passions

Prendre la mesure du psychique n'est pas plus facile que la mesure physique, et ce pour de multiples raisons. La principale est qu'il s'agit d'entrer ici dans un monde confus, et qu'il ne peut être question de rendre clair à l'excès ; séparer affectif et intellectuel suivant les meilleures méthodes de nos philosophes est une tentation contre laquelle il vaut mieux lutter. Pour les contemporains de Ronsard et ceux de Malherbe, la distinction ne s'impose pas — et il serait dangereux de la leur imposer : la moindre sensation que nous voudrions objective — couleur d'une fleur, forme d'un meuble — a une tonalité affective. La seule démarche licite en ce domaine est — tout en soulignant cette fusion de l'affectif et de l'intellectuel jusqu'à Descartes, sinon au delà — de procéder du simple au complexe : des sensations aux attitudes mentales commandées par les abstractions du langage et du livre, lente exploration d'un outillage mental difficile à cerner en cette période mouvementée où il se renouvelle dans une large mesure.

Au départ donc, organes des sens et sensations, telles que nous pouvons les repérer, ici et là, surtout chez les poètes doués d'une sensibilité, peut-être non plus vive que celle du commun des mortels, mais plus prompte à s'exprimer. Voici Ronsard et ses compagnons de la Pléiade, Marot et d'Aubigné, nos guides d'un instant pour prendre la tonalité sensitive du premier siècle moderne. Non sans risques assurément : qu'il faut bien assumer, puisque les autres témoins, et notamment les mémorialistes, ne sont pas prolixes en fait de sensations immédiatement transcrites, de données élémentaires et spontanées du senti.

Cette exploration des « cinq sens de la nature » ne manque d'ailleurs pas d'imprévu — si du moins nous comparons brutalement aux sens du XXe siècle : le perfectionnement et l'utilisation des différents organes ne sont pas les nôtres — tant s'en faut ([77]). La hiérarchie n'est pas la même, puisque l'œil qui règne aujourd'hui se trouve au troisième rang, après l'ouïe et le toucher, et loin après ceux-ci. L'œil qui organise, classe et ordonne, n'est pas l'organe de prédilection d'un temps qui préfère écouter — avec toute l'imprécision inquiétante que comporte cette préférence durable ([78]). Ainsi les organes sensoriels sont évidemment les mêmes que les nôtres ; ils sont même, très vraisemblablement — en ces siècles de violences incessantes où le qui-vive est perpétuel, où jamais un voyageur ne traverse une lande ou une forêt sans grimper une ou deux fois sur un grand arbre pour scruter le paysage et repérer s'il ne voit pas quelque troupe de brigands en maraude — plus aiguisés, plus exercés que les nôtres. Mais le grand pourvoyeur de leur imagination, c'est l'ouïe, bien plus que la vue ; c'est le toucher également, plus que la vue, toujours.

1. PRIMAUTÉ DE L'OUÏE ET DU TOUCHER

En cela, l'époque moderne prolonge un caractère essentiel de la civilisation médiévale ; non sans un brin de paradoxe, puisque l'imprimé en incessante progression exprime apparemment la faveur croissante de la lecture : mais dans tous les milieux sociaux, elle se fait encore à haute et intelligible voix ; elle est à la fois lecture et audition. L'information reste principalement auditive : même les grands de ce monde écoutent plus qu'ils ne lisent ; ils sont entourés de conseillers qui leur parlent, qui leur fournissent leur savoir par l'oreille, qui lisent devant eux. Dans les assemblées d'administrateurs, les conseillers des rois et des princes portent tout naturellement et fréquemment le titre d'auditeurs ([79]) ; et à la veillée, dans les humbles chaumières paysannes, c'est encore le récit qui nourrit les pensées et les imaginations. Enfin, même ceux qui lisent volontiers, les humanistes, sont accoutumés de le faire aussi en compagnie — et entendent leur texte.

A cette primauté il y a tout d'abord une raison d'ordre religieux : c'est la Parole de Dieu qui est l'autorité suprême de l'Église. La Foi elle-même est audition. Les prophètes, avant Jésus, ne cessent de clamer : Écoutez! Ils n'écoutent pas! Ils ne veulent pas écouter! Dieu opère par la Parole qu'il fait entendre aux hommes... Ce que Luther a admirablement exprimé dans son Commentaire de l'Épître aux Hébreux ([80]) : Si tu demandes à un Chrétien quelle œuvre le rend digne du nom de Chrétien, il ne pourra rien te répondre d'autre que ceci : l'audition du verbe de Dieu, c'est-à-dire la Foi (Auditum verbi Dei, id est fidem). Et Luther d'ajouter : « Ideo solae aures sunt organa Christiani hominis, quia non ex ullius membri operibus, sed de fide justificatur, et Christianus judicatur ». Ainsi seules les oreilles sont les organes du Chrétien... Elles possèdent par là une dignité éminente.

A cette préférence doctrinale, si je puis dire, s'ajoute cependant un exercice beaucoup plus affiné que celui des autres sens, s'il faut en croire les poètes, tous auditifs plus que visuels : bruits de ruisseaux, chants des oiseaux reviennent sans fin sous la plume de Marot et de Ronsard. Les petites chansons de Marot où pies, linottes, chardonnerets sont légion, n'évoquent jamais leur plumage, mais bien leur gai ramage : chants de linottes, caquets de pies, et — au fond de la forêt « les voix très hydeuses et hurlemens des bestes dangereuses » ([81]). Du Bellay veut-il chanter la source de la Loire :

Pour saluer de joyeuses aubades
Celle qui t'a, et tes filles liquides
Deïfié de ce bruyt éternel.

Ronsard évoque la mer et ses humides habitants, mais ne les pare pas de formes ou de couleurs attrayantes : c'est un son que leur présence marine évoque

Et par les palais humides
Hucha les sœurs néréides
Qui ronflaient au bruit des flots.

S'il veut charmer le Roi ou sa protectrice, il n'est pas d'autre moyen que de s'adresser encore à l'ouïe. Voici

Notre Roi,
Duquel la divine oreille
Humera cette merveille

et ailleurs :

Il faut que j'aille tanter
L'oreille de Marguerite
Et dans son palais chanter.

Chanter, ou jouer de la musique : chez Ronsard sans cesse reviennent la harpe, la lyre et le luth — voire les flûtes et trompettes. Plus souvent que les bruits, et le tonnerre, c'est la musique qui est à l'honneur : partout appréciée, car elle exalte toutes les âmes bien nées, si l'on en croit encore Ronsard préfaçant un recueil de chansons : « celuy, Sire, lequel oyant un doux accord d'instrumens, ou la douceur de la voix naturelle ne s'en résjouit point, ne s'en esmeut point, et de tête en pieds, n'en tressault point, comme doucement ravi et si ne scay comment dérobé hors de soi, c'est signe qu'il a l'âme tortue, vicieuse et dépravée, et duquel il se faut donner garde » ([82]). Cette musique est si prisée qu'un homme comme Cardan a près de lui deux jeunes domestiques musiciens, n'ayant d'autre charge que de lui jouer des instruments ; elle apporte à tous une harmonie, un ordre dans leurs sensations, dans leurs troubles. Composée, réglée, ordonnée dans sa suite, dans l'expression alternée des sentiments, la pièce de musique est sans doute pour eux un apaisement, dont ils ne se lassent pas ([83]). Et comme dit Sancho Pança à la duchesse inquiète d'entendre dans la forêt une rumeur d'orchestre « là où il y a musique, Madame, il ne saurait y avoir chose mauvaise ». « Musica me juvat » dit Cardan ; c'est presque la devise de ce temps, qui s'est enchanté de musique.

Le toucher vient aussitôt après l'ouïe, et peut-être aussi pour des raisons religieuses, puisqu'il existe un toucher religieux, celui du saint qui guérit les malades par imposition miraculaire de ses mains.

Nos poètes touchent, tâtent sans cesse — lèchent aussi ([84]), goulûment, pour reprendre un mot qui revient souvent sous leur plume :

> *Que de coral, que de lys, suc de roses*
> *Tastay je lors entre deux maniments* ([85])

dit Ronsard. Veut-il décrire une jambe bien faite, il ne se met pas en peine d'en évoquer les formes par comparaisons faciles, ou par évocations anatomiques, il lui suffit d'indiquer qu'elle appelle le toucher :

> *... la jambe de bon tour*
> *Pleine de chair tout à l'entour*
> *Que volontiers on tâterait* ([86]).

Jusqu'au XVIIIe siècle au moins, le toucher demeure donc un maître sens ; il contrôle, confirme ce que la vue ne fait qu'apercevoir. Il assure la perception, donne solidité à l'impression fournie par d'autres sens, qui ne présentent pas la même sécurité. Ce qui confirme encore le rôle subalterne de la vue pour ces hommes qui, en premier lieu, prêtent l'oreille. Faut-il rappeler encore le malheur de Ronsard devenu sourd ?

2. RÔLE SECONDAIRE DE LA VUE.

Sans doute cette époque a-t-elle eu ses peintres, tout comme ses musiciens — et même ses dessinateurs, ne serait-ce que Léonard de Vinci. Encore que ces individualités, Vinci, Dürer, Holbein et tant d'autres soient passablement hors série. Il est assuré, en effet, que les contemporains de ces génies visionnaires ne sont pas habitués à voir des formes — à les représenter et les décrire. Érasme ne dessine pas, ne « croque » pas en marge de son texte, à aucun moment. Marguerite de Navarre ou Brantôme, l'un et l'autre bien placés pour voir les grands de ce temps, ne décrivent pas : ni rois, ni empereurs, ni papes, pas une silhouette qui vive devant nous. Rabelais lui-même donne vie à ses personnages par leurs discours : c'est frère Jean dans la tempête, qui parle, cependant que les cordages crissent, et que le mât s'abat à grand fracas. Pourtant ils sont sensibles aux couleurs, vivement contrastées ; les fleurs des poètes ne sont pas nombreuses, mais les couleurs tranchées : la rose, le lys et l'œillet (qui est habituellement rouge), et — moins souvent évoquée — la violette. Les livrées des sergents aux jours de fête sont couramment faites de teintes vives, qui frappent — et qui portent tout un symbolisme, mal connu ([87]).

L'exploration de ces couleurs — et de leur emploi poétique — n'est pas encore faite ([88]) : ce qui doit nous inciter à la prudence pour présenter quelques indications sur la palette des uns et des autres. Ici, chez Ronsard, à côté des fleurs déjà citées, interviennent l'ébène, le cinabre, le cramoisi qui n'est pas un rouge, mais un superlatif s'appliquant aussi bien au bleu qu'au brun. Là, chez Du Bellay dans l'*Olive*, reviennent une demi-douzaine de couleurs fondamentales : or à satiété, blanc et noir (avec les variantes, blanchissant...), le rouge et son cortège de vermeil, corail, pourpre — cependant que bleu, violet et toutes leurs nuances n'existent pas. Par contre, Du Bellay utilise tout un attirail de pierres précieuses, qui tiennent lieu d'évocations colorées : un beau pied montre « cinq pierres » qui sont les ongles, les lèvres sont de corail, les dents sont des perles, « bien plantez », claires ou cristallines, le cou est de porphyre ; émeraudes vives, beaux rubis, perles et saphirs, voilà le répertoire. Avec d'Aubigné, les ressources sont plus grandes : le cramoisi rouge ; les « étangs noirs », les fleurs des champs, le soucy, l'ancholie, représentent des conquêtes de la palette poétique à la fin du siècle.

Peut-on rapprocher cet enrichissement de l'effort fourni incontestablement, par le siècle finissant et par le XVIIe, pour mieux voir ? Il n'est pas douteux que la vue progresse, même de la façon la plus humble : doter les fenêtres de vitres claires, les yeux affaiblis de lunettes, équiper les intérieurs de luminaires plus perfectionnés, tous ces progrès vont dans le même sens. A côté de ces améliorations, qui touchent d'abord les plus riches et qui sont des éléments de confort, il faut faire la place aux instruments d'optique, aux lentilles qui permettent d'observer le ciel, ou l'infiniment petit. La lunette de Galilée et les premières lentilles microscopiques sont les instruments du progrès scientifique : mais c'est une vue prolongée et mieux exercée qui entre dès lors en jeu. C'est le début de la promotion de la vue et il est évident que celle-ci est étroitement dépendante de l'essor scientifique moderne ([89]).

*

Odorat et goût comptent aujourd'hui assez peu à côté des trois autres sens. Les hommes du XVIe siècle sont au contraire très sensibles aux odeurs, aux parfums — et aussi aux douceurs de bouche. Doux et douceurs sont d'emploi incessant, tout comme le sucre et le miel — et donnent lieu à d'infinies métaphores. Pour Ronsard, le baiser n'est pas un contact, ne relève pas du toucher — mais de l'odeur.

Quand de ta lèvre à demi close
Je sens ton haleine de rose ([90])

dit-il un jour. Et d'ajouter à Cassandre une autre fois :

Nymphe aux beaux yeux
Qui souffles de ta bouche
Une Arabie à qui près en approuche,
Pour déraciner mon esmoy
Cent mille baisers donne moy.

L'odeur est, selon eux, chose positive, la cause d'une transformation, plutôt qu'un effet, les humeurs et vents jouant dans la nature animale ou végétale le même rôle important que dans la nature humaine.

Cependant ni l'odorat, ni le goût, évidemment, n'ont créé de formes artistiques, du moins jusqu'à Brillat-Savarin. Est-ce une bonne raison de leur position mineure? En ces domaines, où les artistes témoignent tout naturellement en premier rang, le silence du commun est d'autant plus encombrant pour l'historien qui s'efforce de reconstituer cet univers des sensations et leurs significations dans le temps. Comment interpréter les silences des livres de raison sur ces réalités du quotidien?

Ainsi la pensée se trouve baigner dans une atmosphère plus trouble que la nôtre : les sens les plus affectifs, l'odorat, le goût, sont bien plus développés que chez nous. Ceux-ci, et l'ouïe elle-même, pèsent de tout leur poids en faveur de l'affectif, plutôt qu'ils n'aident l'intelligence. Rien d'étonnant si, longtemps encore, les sens — et tout le domaine de l'imagination nourrie par eux — passent pour ne porter qu'à l'erreur et à la fausseté : Malebranche dit encore, qu'ils nous ont été donnés pour la conservation de notre corps — instruments de notre instinct — « et non pour apprendre la vérité ».

Les hommes de ces temps difficiles vivent donc proches de la nature, qu'ils hument, écoutent, touchent de près : mais ils réagissent avec violence aux impressions qu'ils éprouvent. A ces sens affectifs exercés, aux aguets, correspond une sensibilité très vive, très primesautière, comme portée aux extrémités par son propre mouvement, par l'incertitude aussi qu'entraîne une connaissance très approximative de ce monde extérieur, préjugé hostile en beaucoup de ses manifestations. De simples contrastes naturels : le jour et la nuit, le froid et le chaud, naissent des émotions chargées de symboles surnaturels, d'explications anthropomorphiques ou occultes, qui ne font qu'amplifier le premier mouvement causé par les sensations. A un équipement sensoriel, essentiellement affectif, s'ajoutent les déformations d'une sensibilité facilement exaspérée et prompte à s'égarer dans les domaines insondables de l'imaginaire.

3. CONTRASTES ET RÉACTIONS VIOLENTES

Pour de longs siècles encore, la nuit est redoutée, pour elle-même : l'ombre nocturne est partout le domaine de la peur, à la ville comme à la campagne ; à Paris même, qui a plus de rondes du guet que toute autre ville. Du couvre-feu à l'ouverture des portes, tous feux éteints, la ville se replie dans les ténèbres, craintive ; une équipée de mauvais garçons suffit à faire hurler de peur tout un quartier : femmes seules que leurs voisins laissent crier sans les secourir, enfants qui voient en leurs songes éveillés tous les loups garous des récits entendus aux veillées, anxieux de tous âges qui attendent impatiemment le retour du jour : une libération quotidienne, la fin du danger redouté *perambulans in tenebris*. Mêmes craintes à la campagne, où la nuit signifie aussi hostilité. Racan le dit en vers faciles :

Les coqs ne chantent point, je n'entends aucun bruit...
Maint fantôme hideux couvert de corps sans corps,
Visite en liberté la demeure des morts.
Je saute à bas du lit et ne vois rien paraître
Que l'ombre de la nuit dont la noire pâleur
Peint les champs et les prés d'une même couleur
Et cette obscurité qui tout le monde enserre... ([91]).

Domaine de l'obscur, la nuit l'est aussi — inséparablement — des fantômes, et des suppôts de Satan : l'esprit du mal est là chez lui, tout comme la lumière, rassurante, est l'apanage d'un Dieu de bonté. Par les nuits sans lune, les épouses du Malin se rendent au sabbat sur leurs balais ; mais, lors même que les sorcières ne sont pas de la partie, toutes les mauvaises rencontres sont possibles :

La nuit des fantômes volans
Claquetans leurs becs violans
En sifflant mon âme espovantent

dit Ronsard.

La lumière qui troue la nuit et qui libère par son brutal

éclairage, dessinant des formes nettes, mettant à nu les visages, est sans nul doute celle que se plaisent à représenter tant de peintres, amoureux de contrastes lumineux, de Rembrandt à La Tour.

Le contraste de la nuit et du jour est le plus important de ceux qui hantent ces imaginations inquiètes, parce qu'il porte toutes leurs ignorances : tout phénomène inexplicable — comète, éclipse, animal monstrueux — devient en un éclair manifestation du mal, signe d'un acte maléfique, contre lequel il n'est pas possible de se défendre. Cardan, ce savant souvent malade, voit à son réveil, un matin, le soleil brillant à travers les fentes de son volet, et la poussière qui danse dans le rayon. Il est pris de panique, et s'enfuit en chemise croyant avoir vu un monstre qui coupe les têtes avec ses dents. Une autre nuit (en 1557), il sent son lit trembler, mais parvient à se rendormir. Au matin un domestique lui apporte la nouvelle que son fils a conclu la veille un mariage peu reluisant. Le tremblement du lit, c'est l'avertissement miraculeux de son génie familier...

C'est donc sur le plan affectif d'abord qu'il convient de faire sa place à ce monde — que nous disons, nous, surnaturel — peuplé de démons et de fantastique : l'univers grouillant de diables encornés, pointant leurs oreilles de bouc, gambadant sur leurs jambes velues, brandissant des crochets, l'univers des loups garous, présents en deux endroits simultanément, dans l'un comme bête, dans l'autre comme être humain, parfois diables lycanthropes, toujours horribles à voir, menaçants — tels que peintres et sculpteurs du temps de Jérôme Bosch et de Brueghel l'Ancien les ont imaginés. Cet univers est un domaine imaginaire d'une rare présence ; il engendre la peur, le cauchemar, lui qui est né d'une première terreur ; monde foisonnant, encombrant, plus sans doute que les images paradisiaques du Ciel, plus même que la Terre telle qu'en plein jour chacun peut l'explorer familièrement et paisiblement.

Hypersensibilisés par ce jeu des contrastes quotidiens, les tempéraments manifestent fréquemment un goût prononcé pour les spectacles, les actes où la mort entre en jeu. Là encore, un fossé nous sépare de ces temps si proches :

nous appellerions cruauté telle délectation collective devant un supplice, une exécution capitale. Jouer avec la mort n'a rien d'extraordinaire : qu'une joute, un tournoi se termine par mort d'homme, cela ne mérite pas lamentation. A peine une mention, dans le journal d'un bourgeois de Paris (en 1515) : « Le lundy 14 février furent commancées les jouxtes devant l'hostel des Tournelles, et furent moult excellentes, et y fut tué d'une lance ung gentilhomme ». Un siècle plus tard, Monconys traverse la Hollande, admirant les maisons, les prairies, les arbres et il ajoute « il y a force gibets sur les chemins et qui sont magnifiques ». Cette admiration macabre n'est rien ; il est plus significatif de voir des foules se rassembler pour assister à un supplice, à une exécution bien mise en scène. En 1571, à Provins, le bourreau débutant dans le métier, a raté une simple décapitation : il lui a fallu faire face à sa victime — puis aux spectateurs mécontents. A Metz, en 1500, trois mille personnes se sont rassemblées sur la glace d'un étang, pour voir noyer en plein hiver deux filles qui avaient rossé à mort un garçon, à coups de bâton. En 1510, Philippe de Vigneulles nous raconte comment tous ses concitoyens se réunirent pour voir exécuter un faux monnayeur condamné à être bouilli dans l'huile. Toute la ville est là, au point que, sur la place, on ne peut « les pieds tourner ». Le malheureux est précipité, tête première, dans le grand chaudron plein d'huile bouillante...

Cependant, une fois passé ce moment d'intense émotion, les plus grands criminels ne sont pas oubliés : les petits colporteurs — au début du XVIIe siècle au moins — ont souvent au fond de leur caisse des libelles de quelques pages, contant, sur un air connu, les méfaits du malheureux, repentant :

Diligemment examiné
Le siège m'a tost condamné
D'estre pendu et mis en cendre
Avecque la quille de bois
Afin qu'un chacun pust apprendre
Qu'il faut mieux révérer les Croix [92].

Tristes complaintes très moralisantes, toujours terminées sur une invocation à quelque saint, quand ce n'est pas à Jésus ou la Trinité, ces chansons n'ont-elles pas d'abord perpétué le souvenir des crimes célèbres et de leurs auteurs, et entretenu le goût collectif de la violence (93) ?

La cruauté confine, ici, à l'insensibilité : nous retrouvons, sur le plan des attitudes affectives face à la mort publique, ce petit prix accordé à la vie humaine, que nous évoquions à propos des maladies.

Mais la mort, la tuerie, c'est le cas limite ; anxieux face au monde extérieur, face à une nature impénétrable, encore impossible à interpréter, ces hommes sont, à tout moment, agressifs, face à leurs congénères ; une discussion, une, dispute trop vive, et les mains entrent vite en action. A Laon en 1611, il faut interdire aux habitants des bourgs et villages de porter l'arquebuse avant le lever et après le coucher du soleil, « pour empescher à l'avenir les habitants de s'entretuer les uns et les aultres sur les moindres querelles » (94). Mœurs de paysans ? Les hommes de justice, jusque dans les plus hautes assemblées, les Parlements, ne sont pas exempts de pareils mouvements : si les fusils n'entrent pas en jeu, ce sont des soufflets en pleine audience, qui accompagnent un mot trop vif, règlent une querelle de préséance, une dispute sur des épices mal réparties (95).

4. AFFECTIONS ET PASSIONS

Au delà de ces mouvements d'humeur, si violents soient-ils, et plus profondément, nous trouvons des hommes passionnés : le renouveau des lettres classiques n'a pu imposer la terminologie antique, et la distinction habituelle des vertus et des vices. Passions n'est pas équivalent de vices, tant ces « puissantes émotions » de l'âme paraissent le résultat de phénomènes mécaniques, susceptibles d'entraîner de grandes actions ; l'homme sage et heureux « tourne au bien » ses passions, il en fait un bon usage puisque après tout, il ne peut pas ne pas en avoir : il lui faudrait être Dieu, ou bien être réduit à l'état de statue stupide, pour éviter les passions. Conception mécaniste et volontariste, puisque seule la volonté permet d'échapper à l'emprise de ces impulsions.

Mais une volonté d'autant plus solide que les passions se développent au rythme, à la mesure des émotions : porter quelque haine à son prochain, c'est pour le moins être tout disposé à le battre comme plâtre — ou si la situation sociale implique quelque retenue, payer des gens pour accomplir cette besogne vengeresse ; ou encore faire appel à sa progéniture... Voici, en 1646, au Puy, un consul aux prises avec un receveur des tailles de la même ville, à propos d'une élection consulaire : échange de mots « sot, ignorant », « petit garçon ». Finalement le receveur des tailles « fist appeller ses enfans, leur tint semblables paroles : J'ay nourry des mastins qui abboyent et ne mordent pas. Je vous déshérite si vous ne tues Royet » (son adversaire). Ce qui fut fait par les héritiers ([96]).

Cette mécanique passionnelle va donc très loin, dès que ces impulsions ne sont pas refrénées : en tous domaines, et d'abord, évidemment, en amour ([97]). Bien avant que Corneille et Racine en aient fourni les modèles incomparables, les luttes de l'amour et du devoir sont poussées aux extrémités les plus noires : Pierre de L'Estoile se lamente sur « les folles affections des filles » qui les conduisent au tombeau de dépérissement. « Mademoiselle Marie de Baillon ma nièce âgée de 20 ans ou environ mourut en cette ville de Paris au logis de M. X. où on l'avait mise pour empêcher le mariage d'un gentilhomme auquel elle portait tant d'affection qu'ayant trouvé moyen de le voir et lui parler l'amour, au bout de 24 heures, lui donna la mort ([98]). »

A ces amours contrariées par des raisons sociales le remède couramment apporté — et bien préférable à la mort au demeurant — est l'enlèvement, suivi d'un mariage rapidement célébré à quelques lieues de là. Passe encore lorsque la jeune veuve — ou demoiselle — est consentante, et complice : l'affaire tourne à l'opérette ; mais il est beaucoup plus remarquable de voir des filles enlevées contre leur gré par un ravisseur attaché à une proie qui résiste de toutes ses griffes. D'Ormesson raconte ainsi la seconde tentative faite par M. de Charmoy sur la personne de Mlle de Sainte-

Croix, réfugiée après une première alerte au monastère des filles-Dieu, rue Saint-Denis : « Charmoy, enragé, se résout d'enlever la fille ; pour cet effet la nuit de la Nostre Dame, à une heure, il vient avec Saint-Ange et cinq hommes ; ils pétardent une première porte... montent à la chambre de la demoiselle qui s'en estait fuie avec une religieuse dans un grenier à fagots ; ils l'y trouvent, l'en tirent de force, quoy qu'elle fut en chemise ; elle se tenant à une échelle, ils l'entraisnent et luy font donner de la teste sur le plancher ; elle se jette à leurs jambes pour les empescher de l'enlever ; ils luy donnent cent coups de baston, d'éperons et de coups sur les bras pour luy faire quitter prise ; ils la traisnent dans le jardin nue comme la main ; taschent de la passer sur la muraille ; elle se prend à l'échelle et à la muraille ; ils la tirent par les cheveux ; ils n'en peuvent venir à bout ; enfin ils la lient sur le dos d'un homme qui voulant monter à l'eschelle, deux eschelons rompirent. Cependant le tocsin sonne... (99) ». Scène ordinaire, ou presque : les hommes de main de ces opérations en ont tellement l'habitude qu'ils prennent leurs précautions contre les coups de couteau possibles : « Elle donna des coups de couteau aux ravisseurs, qui avaient bons collets de buffle (100). »

Passion non moins féroce, et proche parente de cette rage d'aimer malgré l'autre, la jalousie, qui fait aussi beaucoup de victimes : le crime passionnel — s'il n'est pas monté en épingle comme aujourd'hui (les premières gazettes, au début du XVIIe siècle, se soucient beaucoup plus d'information politique que de tout autre chose) — est donc fort courant ; il est puni plus sévèrement sans doute que de nos jours où tant de circonstances atténuantes interviennent pour modérer les jugements, mais cette répression est d'une efficacité médiocre.

Peut-on aller plus loin, et soutenir que ces formes de passions impossibles à réfréner sont plus fréquentes que la simple paillardise ; il faudrait une enquête systématique à travers les témoignages les plus divers pour en décider fermement. Ronsard et quelques autres poètes plaident dans les deux sens (101). Cependant tel grand voyageur, qui admire les naturels de la Nouvelle France, apporte une lourde pièce au dossier du libertinage : « Mais aujourd'hui la pluspart [des femmes] veulent que leurs mamelles servent d'attraits de paillardise ; et se voulans donner du bon temps, envoyent leurs enfans aux champs, là où ils sont par aventure chargés ou donnés à des nourrices vicieuses, desquelles ils succent avec le lait la corruption et mauvaise nature... ([102]) » Au demeurant ce siècle et demi de la France moderne paraît plutôt placé sous le signe de l'exaspération des passions que sous celui des plaisirs raffinés.

La même outrance se retrouverait-elle dans d'autres domaines ? S'il est permis de dire passions religieuses pour désigner les Ligueurs et les Réformés des guerres civiles à la fin du XVIe siècle, point de doute. De même, l'honneur nobiliaire et l'ardeur avec laquelle les gens d'épée défendent leurs positions sociales menacées, relèvent-ils de semblables définitions. Il n'est pas question, ici, de faire un catalogue des passions ayant cours à l'époque : honneur, amour, amitié... Les quatrains de Pibrac, ces mises en garde prudhommesques, platement rimaillées, et recopiées dans dix et vingt livres de raison sous le titre de « conseils aux enfants », en fourniraient sans doute un bon répertoire. En utilisant le meilleur critère qui se puisse trouver, les passions de l'amour, nous venons de montrer du doigt cette exaspération : elle porte témoignage à son tour pour une prédominance de l'affectif sur l'intelligence. Au demeurant, nul doute que notre compréhension en ce domaine souffre d'une insuffisante information : les sources existent pourtant, qui permettraient de reconstituer à la fois les normes imposées par la haute société et les transgressions ; ce sont les archives judiciaires des tribunaux, subalternes ou supérieurs, qui conservent jugements, interrogatoires et enquêtes. Les dépouillements réalisés ici et là pour des siècles ultérieurs, sont révélateurs : vol alimentaire, vol à la tire, vol de linge tout comme la criminalité crapuleuse sont immédiatement accessibles, et permettraient une meilleure approximation de cette dominante affective.

Chapitre IV

L'homme psychique : outillage mental et attitudes fondamentales

L'expression d'outillage mental est maintenant passée dans le patrimoine commun des historiens ; voilà trente ans qu'elle a été proposée par Lucien Febvre ([103]) dans son *Problème de l'incroyance*, et elle a été adoptée pour désigner cet équipement de base qui devrait être reconstitué pour chaque époque, pour chaque culture, avant toute tentative de saisir les efforts conceptuels, la vie des idées et les mouvements de l'esprit public. De la même façon qu'on ne saurait concevoir l'étude de l'architecture ou de l'art du tissage sans définir d'abord les techniques dont disposaient les artisans d'une époque lointaine, de même est-il nécessaire de restituer les ressources mentales dont disposaient intellectuels de profession et hommes du commun pour analyser, décrire, expliquer le monde, et les hommes, et Dieu. Ce qui est la reconstitution d'abord d'un vocabulaire et de son maniement, l'étude d'une langue qui porte pensées et sentiments ; ce qui représente aussi la reconstruction de l'encadrement, tel qu'il apparaît à l'homme moderne. Questions complexes à une époque où les langues nationales conquièrent leur place au soleil, contre le latin et les patois, au moment où les conceptions courantes du monde se trouvent bouleversées par les découvertes maritimes, et par celles de Copernic et Galilée.

1. LANGUES PARLÉES ET ÉCRITES

Dans son *Rabelais*, Lucien Febvre s'attache à montrer que le vocabulaire, dépourvu des termes philosophiques abstraits, et la syntaxe cahotante des Français du XVIe siècle ne pouvaient constituer l'instrument nécessaire à la formulation d'une pensée incroyante ([104]). Ces remarques souvent subtiles n'épuisent évidemment pas le problème de l'outillage linguistique de l'époque : elles sont un éclairage, une démonstration portant sur un problème parfaitement délimité dès le début du livre.

Il est sûr que cette question du langage est, à cette époque, d'une singulière complexité. A bien compter, les Français du XVIe siècle se trouvent disposer non pas d'une, mais de quatre langues. Abondance de biens qui n'est pas signe de richesse, mais d'une mutation de grande envergure ; ce qui, dans la période envisagée, constitue un handicap terrible pour les hommes, embarrassés dans leurs parlers concurrents, encombrés des néologismes de l'un ou de l'autre. Double gêne en fait, puisqu'il y a deux langues recherchées, le latin et le français littéraire, et en même temps deux séries de parlers vulgaires, du Nord et du Midi. Le latin idiome des clercs et des savants est en recul, malgré sa commodité, en tant que mode d'expression international, au moment où les différentes nations d'Europe codifient et fortifient leurs langues respectives. Il a déjà été noté avec finesse par Brunot combien l'action des humanistes en faveur d'un latin cicéronien, aussi châtié que possible, a contribué à figer le latin « classique » dans sa raideur de langue morte. Les autres formes vivantes de latin, celui de l'Église, des médecins et autres savants ([105]), se sont trouvées ainsi séparées de leurs sources de renouvellement — et condamnées indirectement, à leur tour, par le progrès du parler national. D'Ambroise Paré à Descartes, le mouvement est continu dans le même sens : et malgré toutes les protestations — celles de la Faculté de Médecine pour le premier, celles d'autres savants pour le second — le latin est abandonné au profit de la belle langue française ; seule l'Église catholique (et l'Université qui en fait partie) s'est obstinée dans la fidélité au latin; en partie par réaction contre les Réformateurs qui, dans tous les pays, se sont souciés de mettre la Parole à la disposition des fidèles, et ont traduit la Bible, Luther parmi les premiers, comme chacun sait.

Mais dans la vie de tous les jours, il y a longtemps — dès le haut moyen âge — que les parlers couramment usités ont pris la place du latin abâtardi ; les patois d'oïl et d'oc continuent au début des temps modernes une carrière d'autant plus rayonnante que la langue littéraire ne peut s'imposer dans les classes populaires — paysannes surtout — que par le truchement de l'imprimé. Langages tout concrets, plus encore s'il est possible que le français, langages quasi professionnels d'hommes de la terre, à qui suffit la disposition du vocabulaire imagé de leurs outils et des fruits de la nature.

Les progrès de la langue littéraire sont cependant certains, fruit de tout un enchaînement de causes diverses : aussi bien les *Défenses et illustrations* que l'ordonnance royale de François Ier, prescrivant l'utilisation du français en justice, codifiant à son heure la pratique des officiers royaux, mais qui ne s'est point imposée sans heurts ni lenteurs ; et surtout le développement de l'imprimerie elle-même ([106]) ; l'édition d'ouvrages écrits en français, de traductions ([107]), a entraîné des recherches pour la codification de l'orthographe comme pour la syntaxe, qui étaient inévitables. Aux fantaisies du langage parlé fait place peu à peu — très lentement assurément, puisque la fixation de la langue littéraire se poursuit jusqu'au XIXe siècle — une réglementation qui, acceptée par les typographes et les éditeurs, suscitée par eux souvent (notamment Geoffroy Tory et Robert Estienne), est finalement prise en main au siècle suivant, au temps de Malherbe, par Ménage et Vaugelas, et l'Académie française dès sa fondation. « Contre les fautes grossières, qui se commettent dans les Provinces, ou dans la lie du peuple de Paris », les *Remarques* de Vaugelas codifient le bon usage (la Cour et les bons auteurs), et la langue littéraire, qui n'a plus rien à envier au latin, prend la place de celui-ci, en 1648, dans la diplomatie.

Cette langue se répand maintenant ([108]) au rythme même où progresse la lecture, instrument de communication et d'auto-éducation. Nul doute sur ce point : les hommes de l'époque moderne se sont jetés sur l'imprimé, qui leur révèle pensers et mondes nouveaux ; dès le XVe siècle, ils ont appris à le lire, à reconnaître à la place du manuscrit ses caractères fixés rapidement. Et, même dans d'humbles maisons d'artisans — tout comme chez les personnes cultivées — une place a été faite dans la salle commune, près du dressoir ou de la cheminée, pour la Sainte Bible, les quatre fils Aymon, Oger le Danois, Mélusine, le Calendrier des Bergers, la Légende dorée, ou le Roman de la Rose. Il est malheureusement difficile de délimiter l'extension de la lecture ; opposer, une fois encore, villes et campagnes paraît s'imposer. Les villes comme Rouen ont dès le XVe siècle une bibliothèque municipale, où les livres sont exposés à la disposition des habitants ; les échevins, lors de leur prise en charge, prêtent serment de n'en distraire aucun ([109]), et en 1619 encore, les ouvrages sont enchaînés sur les tables où ils sont mis en lecture. Maints inventaires après décès permettent également de constater que commerçants et juristes, médecins et artisans, possèdent des bibliothèques privées, souvent bien garnies. Mais en dehors de ces villes, où les passions religieuses ne peuvent manquer d'attiser le goût de lire — et de fortifier l'expansion de la langue, — il est bien difficile de se prononcer...

Nous savons, bien sûr, avec Brunot, que l'équipement routier du XVIIIe siècle, ferroviaire du suivant, et enfin l'école primaire obligatoire ont été nécessaires pour achever cette conquête de la France par la langue française. Les débuts de l'époque moderne représentent une étape essentielle dans cette progression ; une étape où une langue, encore fort déficiente, au vocabulaire uniquement concret, et redondant, à la syntaxe incertaine, mêlant les plans et les perspectives, s'impose à peine à ses utilisateurs. Inutile de revenir longuement sur ces déficiences ([110]) : elles se mesurent négativement par les apports des siècles suivants ;

la langue philosophique et la langue scientifique se constituent peu à peu, de Descartes et Fermat à Condillac et Lavoisier. Dans ces domaines, le seul capital est le langage scolastique, hérité de l'École médiévale, avec toutes ses limites — et son emploi étroitement réservé aux clercs. Autant dire un instrument de logique formelle, sans autre valeur.

Un point encore : ce progrès des langues nationales, général en Europe, est sensible aux voyageurs, aux commerçants, qui recommandent à tout venant l'étude des langues étrangères ; le latin est mourant, dit-on partout, et il est nécessaire d'apprendre le parler des voisins. Montaigne et Rabelais recommandent en particulier l'italien; et Savary, le parfait négociant, au milieu du XVIIe siècle, veut que l'on enseigne aux jeunes gens destinés au commerce, après l'arithmétique et la tenue des livres, « les langues italienne, espagnole et allemande, qui sont très nécessaires à ceux qui veulent négocier dans les pays étrangers ». Commercer, ici ; se frotter aux mœurs ou coutumes des autres pays, pour Montaigne. Les langues étrangères n'apparaissent pas encore comme des langues de culture, évidemment. Il s'agit tout au plus de se faire comprendre, pour vivre commodément à table d'hôte, et faire ses affaires. L'allemand philosophique, pas plus que l'anglais commercial d'ailleurs, n'ont encore vu le jour. Savants et lettrés n'ont à leur disposition, hors de France comme chez eux, que des langages ouverts aux vocables concrets de la vie quotidienne.

D'autre part, toute pensée se développe dans des cadres qui ont été, pendant de longs siècles, des données sans variations importantes. S'il est vrai qu'au XXe siècle chaque grande découverte physique entraîne l'élaboration d'un cadre spatial, d'une géométrie nouvelle, c'est là une des grandes innovations de notre époque, qui est riche en bouleversements de cet ordre. Mais autrefois, espace, temps, milieu naturel ne présentaient pas semblable mobilité et leur permanence impose à tous des cadres apparemment immuables.

Cependant, avec les temps modernes, commence un

élargissement des horizons : c'est, nous le savons, la découverte de la terre, puis celle du ciel. En 1460, Nicolas de Cus spéculait déjà doctement sur le domaine antique qui n'est pas l'univers : Si l'Empereur des Romains est appelé maître du monde... c'est par un abus de langage. Encore faut-il être prudent : l'Amérique, l'Océan Pacifique, et la flore et la faune des pays nouveaux ne sont pas immédiatement présents en chaque esprit. Sans doute l'homme dont la vie entière continue à se dérouler dans un paysage au cadre étroit, canton montagneux ou village de plaine, sans avoir jamais de vues étendues sur une partie de l'univers, sur la mer aux horizons sans fin, n'a pas la même possibilité de concevoir les espaces nouveaux que le voyageur, le marchand, journellement assiégés par le monde entier, et dont les conceptions de l'espace se sont progressivement élargies jusqu'aux limites de la planète.

Ces grands cadres : espace, temps, milieu naturel, présentent donc d'évidentes disparités ; s'il est vrai que les voyages de découverte, en permettant de déduire que la terre est ronde, ont bouleversé une conception du monde, encore faut-il essayer de rendre compte de ce bouleversement : voir se juxtaposer jusqu'à la contradiction des notions incompatibles, peut-être ; mais voir aussi quelle est la perception immédiate, quotidienne de l'espace ([111]).

2. L'ESPACE ET LE TEMPS

L'un et l'autre sont une construction de l'esprit : un effort de l'homme, à partir de ses mouvements. Mémoire des lieux, l'espace est d'abord le domaine familier à l'intérieur duquel se situent les activités humaines. Ce qui n'est plus aussi sensible aujourd'hui, où la lecture de la carte et les voyages sont chose si commune, mais qui représente une réalité profonde d'autrefois. La mesure de l'espace est toujours tirée du corps humain : pied, pas, coudée ; puis du déplacement : une forêt a trois journées de marche de profondeur, un champ a trois jours de charruage de superficie, trois journaux... Tout ceci à la mesure de la vie rurale, traditionnelle, dans le cadre d'un terroir.

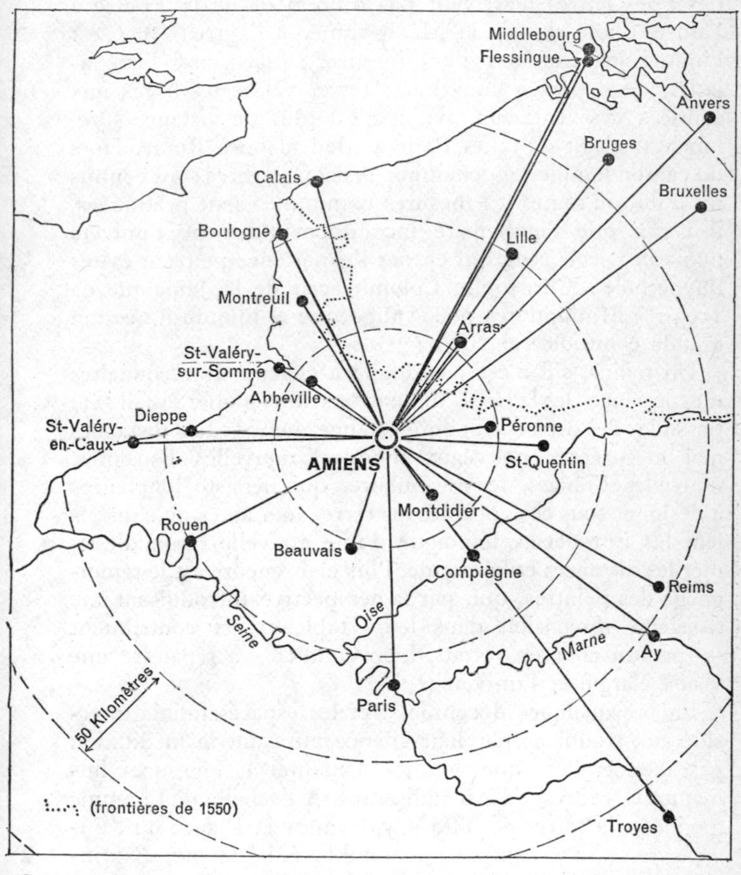

Carte n° 4. Perception quotidienne de l'espace : les relations commerciales d'un petit marchand de tissu amiénois (fin du XVIe siècle).

Mais il faut bien voir qu'au-delà, la part de l'inconnu est si grande qu'il n'y a plus place pour des mesures moyennes : les lettres n'arrivent pas d'un bout de la France à l'autre, d'une rive de la Méditerranée à l'autre ([112]). C'est l'immensité, trop difficile à mesurer ; mais aussi l'irrégularité : courriers à cheval sur terre, vaisseaux livrés aux caprices des vents sur mer, il n'est plus de distance sûre, lorsqu'il s'agit de relier Paris à Madrid ou à Rome. Hors du canton familier, où chemins, maisons, arbres sont connus un à un, où toutes les mesures communes sont pratiquées, il n'y a que l'immensité incommensurable de l'univers nouveau : seuls ceux qui en ont l'expérience peuvent éviter l'hyperbole ; Christophe Colomb écrit de la Jamaïque en 1503 : « El mundo es poco ; digo que el mundo no es tan grande come dice el vulgo ([113]). »

Du moins, s'il n'est pas donné à chacun de reconnaître d'expérience les vraies dimensions du globe, a-t-il été possible de pressentir l'importance neuve des distances mal mesurées : nouveaux mondes, nouvelles Espagnes, nouvelles Frances, le vocabulaire, qui persiste longtemps à désigner sous ces vocables les terres lointaines où s'installent les Européens, témoigne d'une nouvelle façon d'estimer les distances et le monde. Plus clair encore est le témoignage des peintres, qui, par la perspective, introduisent une troisième dimension dans leurs tableaux, et contribuent — par un choc en retour, bien connu — à répandre une vision élargie de l'univers ([114]).

Encore quelques décennies : et les espaces infinis intersidéraux troublent par leur silence effrayant la méditation pascalienne. Plus question ici d'adapter les mesures humaines terrestres, déjà insuffisantes. A l'échelle de l'homme moderne, la traversée d'un pays comme la France ou l'Europe reste une équipée mémorable (Montaigne, Esprinchard en consignent les étapes) ; et le tour du monde en 80 jours sera une belle performance du XIXe siècle... Rien ne paraît bien délimité, au delà d'une lieue à la ronde.

*

La conquête du temps, si elle n'a pas subi aux XVIe et XVIIe siècles le handicap de cet élargissement infini des espaces, n'en est pas moins difficile. Dans les villes, horloges et guetteurs donnent l'heure ; à la campagne, les cloches de l'église, du monastère, résonnent à travers champs... Pourtant, chacun garde des expressions de ruraux habitués à suivre les mouvements du soleil ; le sire de Gouberville, qui a pourtant une horloge chez lui, dit sans cesse : environ soleil levant, à soleil couchant ; ou bien évoque le vol des « vitecoqs » et le chant des coqs ([115]). Il compte aussi la durée, non pas en heures ou subdivisions mathématiques de l'heure, mais en prières : le temps d'un *Ave*, d'un *Miserere*, de deux *patenôtres* ([116]). Lointain héritage, sans doute, de la vie monastique rythmée par les exercices de piété, sont les « Heures », qui divisent la journée en huit parties égales. La précision dans l'évaluation du temps passé à un travail, et dans l'évaluation du moment de la journée n'est pas encore une exigence de l'esprit et de la vie quotidienne. Gargantua dit tout naturellement « Jamais je ne me assujettis à l'heure. »

Horloges médiévales et clepsydres, employées depuis des siècles, sont des instruments délicats, prompts à se détraquer : la grosse horloge urbaine doit avoir perpétuellement un servant « orlogeur » auprès d'elle, pour remonter les poids, surveiller le mouvement et les sonneries (quand il ne faut pas sonner à la main). Toutes ces belles mécaniques médiévales, dont s'enorgueillissent villes, beffrois et cathédrales, se contentent d'ailleurs de donner les heures. Montaigne traversant la Bavière signale comme une curiosité celle de Landsberg qui sonne les quarts d'heure « et dict on que celui de Nuremberg sonne les minutes ». Les clepsydres à eau ou à sable sont peu sûres : « Ceux d'eau, dit Scaliger, sont moins durables et plus seurs, car le sable s'amoncelle quelquefois, ou il s'humecte si bien qu'il ne coule pas toujours ; l'eau coule perpétuellement où il y a le moindre trou, mais elle se consume ; il y en faut plus mettre... L'esmail bien brisé est meilleur que le sable. » L'horlogerie de précision naît au milieu du XVIIe siècle seulement, lorsque Huygens présente (le 16 juin 1657) aux États de Hollande la première pendule, mesurant le temps par les oscillations toujours égales du pendule. Les premières pendules apparaissent en France dans les années 1660-1665.

Au delà des quarts d'heure et des heures, qui divisent la journée, et qui font l'objet d'une mise au point quotidienne, puisque les horloges sont mises à l'heure du soleil, chaque jour à midi — vérification facile et nécessaire en l'état de la technique — l'imprécision est non moins grande. Sans nul doute le rythme des années pour les populations rurales est un défilé de semaines, grâce au repos dominical — et de saisons avec leurs travaux toujours recommencés : jours courts du charruage, de la Saint-Rémi aux Brandons, jours plus longs de Carême ([117])... Les dimanches, désignés par les premiers mots de l'introït qui leur est propre, ne sont pas une date, mais un nom : c'est Quasimodo, Cantate Domino, Reminiscere ; les dimanches des grandes fêtes ont aussi un nom commun, traduit du latin parfois : Pentecôte, Pâques des roses, *pascha rosata* ; les Rameaux, Pâques fleuries ; le second dimanche après Pâques est le « dimanche des blanches nappes »... Seuls les couvents, les échevinages possèdent des calendriers perpétuels, grâce auxquels, chaque année, on calcule la date de Pâques et on établit le calendrier nouveau, annoncé en chaire de dimanche en dimanche, de mois en mois, au fil d'années qui commençaient, au gré des uns ou des autres, aussi bien le 1er janvier que le 25 décembre, ou le 25 mars... Sans doute la réforme du calendrier par Grégoire XIII en 1582 attira-t-elle l'attention des esprits curieux sur les difficultés du calendrier solaire, auquel la réforme ajustait avec minutie le calendrier officiel de l'Église romaine ; les polémiques suscitées par l'application de la mesure qui récupérait dix jours d'un coup (en France, par ordonnance du 3 novembre 1582, il est décidé de passer du 9 au 20 décembre) ont sans doute répandu dans l'opinion informée une idée plus précise du calendrier : il est frappant de voir le premier échevin de Rouen commencer un discours à ses collègues, le 3 janvier 1643, par cette évocation très mathématique : « Messieurs, encore que nous voyons toutes choses rouler à leur ordinaire, que la nuit succède au jour et le jour à la nuit, et que le soleil dans la révolution de son arc illumine notre hémisphère l'espace de 182 jours 15 heures et une minute, et qu'il parcoure l'autre hémisphère autant de temps... ([118]). » Le souci de précision est touchant et révèle un savoir tout neuf, une préoccupation récente.

Le temps n'est pas chose précieuse comme de nos jours, où la vie humaine est pourtant beaucoup plus longue... Le paradoxe apparent, que nous découvrons ainsi, n'est pas réductible, comme on l'a cru, à une différence de conceptions religieuses : l'éternité promise à l'homme moderne l'est encore à nombre de nos contemporains. Le progrès des mathématiques ([119]), de l'horlogerie, et surtout des moyens de transport en rendent beaucoup mieux compte. Mais il importe de souligner qu'indifférence et imprécision vont de pair : l'à peu près est ici encore la loi commune.

3. LE MILIEU NATUREL

Plongé dans la nature, le Français du XVIe et XVIIe siècle l'est beaucoup plus que nous, et de façon quotidienne. Point n'est besoin d'envisager ici, dès l'abord, une cosmogonie dont il serait très difficile de préciser les contours, car il ne s'agit pas d'un milieu scientifiquement perçu, et techniquement dominé. Des deux termes qui caractérisent le contact de la nature du XXe siècle, c'est encore le second qui serait le plus acceptable pour l'époque moderne, bien qu'il n'y ait pas de commune mesure technique. Le milieu naturel, secourable et redouté à la fois, est à dominer, dans une conquête de chaque jour par un homme sans armes, pour comprendre et connaître d'abord : c'est pourquoi au moyen âge déjà, certains se sont attachés si longuement à rechercher les significations cachées des créatures, en de nombreux Bestiaires et Lapidaires ; faute de classifications même sommaires, l'homme de la Renaissance est comme perdu, sans guide. « J'imagine l'homme, écrit Montaigne, regardant autour de luy le nombre infiny des choses, plantes, animaulx, métaulx ; je ne scais par où luy faire commencer son essay ([120]). »

Aussi bien ce milieu les assiège et les presse de toutes parts ; l'abondante faune de l'époque donne à la campagne des allures de paradis terrestre, tant la vie animale est grouillante : partout, en Provence comme en Normandie, des battues (des « huées ») sont nécessaires pour protéger le bétail contre les sangliers, les loups, les renards qui vont en troupes. Loups et sangliers viennent dans les villages, les sangliers « baugent » près des maisons, jouent avec les porcs domestiques, mangent les pommes dans les jardins. Le sire de Gouberville en tue plusieurs dans le sien. De même, il capture le soir des dizaines d'étourneaux dans son colombier, où ils viennent manger le grain des pigeons : « Après soupper nous couvrismes le colombier avec des toiles et y prismes trois boisseaux d'estourneaulx. » Sauvages ou domestiques, les bêtes sont volontiers considérées comme des parents des hommes, et toute une sentimentalité complexe naît de cette présence obsédante : ils se plaisent à imiter les animaux, et à retrouver en eux-mêmes des traits caractéristiques, physiques ou moraux, des bêtes et plantes qui les entourent. C'est assurément l'origine des noms de famille, si nombreux, empruntés aux règnes végétal et animal : Loiseau, Mouton, Lelièvre, Lehoux, Duchesne, Durosier... De la familiarité amicale accordée aux chiens jusqu'au crime de « bestialité », si fréquemment mentionné dans les annales judiciaires, la gamme de la promiscuité domestique est celle d'une fraternité.

Mais la nature qu'ils ont sous les yeux ne leur suffit pas ; déformée par leur imagination, ils la complètent d'un monde déréglé de monstres ahurissants. Ambroise Paré décrit d'un même mouvement des animaux rares — disons exotiques, comme le crocodile ramené du Caire via Venise à Paris par M. de la Vernade en 1517 ([121]), et des monstres de terre et de mer, complaisamment évoqués et dessinés avec leurs cornes mystérieuses, leurs mœurs propres : chameaux de mer, serpents à plusieurs têtes, bêtes à forme partiellement humaine : toute une ménagerie dont Brueghel et Callot ont fait leur joie ; c'est le monde fantastique qui hante les rêves — parfois éveillés — des enfants et des adultes.

Ceci implique des attitudes mentales fort diverses : la crainte de l'inconnu, du monstrueux, d'une part ; mais aussi — et là encore l'imprécision des connaissances laisse le champ libre à l'affectif — l'amour naïf de la nature, de la terre maternelle par exemple, et des richesses qu'elle nourrit, ou qu'elle recèle. L'eau des rivières et des lacs, les forêts où se réfugie le gibier traqué, où l'homme s'égare aisément, appartiennent à tous, et sont des biens offerts à tous ; de même les herbes des prairies et des landes, dont les vertus sont bien connues, l'herbe à coupures, la galiet des marais contre la rage, l'herbe du diable qui endort... Le rythme des saisons, — et des surprises même, printemps précoce au cœur de l'hiver, gelée blanche en plein mois de mai, — la vie végétale les enchantent, les premières fleurs tout comme les plus abondantes récoltes : dans une certaine mesure, ils vivent à ce rythme même, et savourent les réussites avec une sorte d'innocente avidité.

Ordonner ce milieu naturel ne tente qu'en partie encore leur ambition : c'est le XVIIe siècle en sa maturité qui se met à créer des jardins, à planter avec passion et méthode ; le siècle précédent est bâtisseur, et se contente de placer ses châteaux au cœur des bois giboyeux. Ainsi Anne de Montmorency, lors de sa retraite. Cent ans plus tard, le grand Condé travaille avec Le Nôtre à mettre ordre et symétrie dans la forêt de Chantilly. Au XVIe siècle, dominer la nature, c'est domestiquer les bêtes ; le goût de la violence animale, à laquelle le cavalier doit chaque jour imposer sa maîtrise, est partie essentielle de leur sens de la vie : les chasses où les chevaux se cabrent devant l'obstacle, devant le gros gibier qui fait front, sont pour eux l'occasion inlassablement renouvelée d'éprouver leurs talents d'écuyers, de déployer leur énergie à dominer leurs montures dans une épreuve particulièrement hardie. La chasse à courre est, pour ceux qui peuvent y prendre part, la passion par excellence, où l'homme brave éprouve la jouissance de sa supériorité.

Ainsi le milieu naturel se trouve être moins un cadre mental — offert à la spéculation intellectuelle, et à la transformation technique — qu'un élément d'action : il est pensé, et senti surtout, comme le point d'application d'activités quotidiennes : monde hostile et fraternel à la fois, monde dur pour l'homme — et mystérieux. Quelques progrès qu'aient pu réaliser les sciences de la nature à cette époque, où la nomenclature se fait plus précise, il n'est pas douteux que, moins encore que l'espace et le temps, le cosmos n'est encore pour l'homme moderne un cadre de pensée.

Conclusion à la première partie

Nous ne nous dissimulerons pas tout ce qu'il y a d'artificiel dans la première démarche que nous venons de tenter : saisir les mesures de l'homme comme individu isolé, c'est toujours le mutiler, l'abstraire de réalités humaines plus complexes ; la précarité de l'existence matérielle, la sous-alimentation chronique ne se comprennent pas sans référence aux techniques de la production agricole et aux systèmes de répartition des revenus de la terre. De même la prédominance de l'affectif, la dispersion des langages sont des faits de civilisation qui mettent en cause toute une hiérarchie sociale, toute l'organisation des rapports humains : Vaugelas et Ménage en sont de très bons témoins.

De cette insuffisance de ce premier montage dans notre tentative pour reconstruire le Français du début des temps modernes, nous pouvons fournir une dernière preuve, et comme le bilan : c'est la difficulté qu'il faut reconnaître à fournir une description simple des modèles d'éducation de l'époque, qui serait assurément le meilleur miroir de ces mesures humaines explorées jusqu'ici : la manière dont sont élevés les petits d'homme — dont sont équipées les intelligences, formés les caractères et les corps ([122]).

Il est sans nul doute assez facile de glaner maints traits d'éducation dans nos livres de raison si souvent destinés à édifier les générations à venir, de reconstituer avec l'aide de Montaigne et Rabelais, maîtres pédagogues consacrés par l'histoire littéraire, avec l'expérience des collèges des Jésuites, des Oratoriens, plus d'une méthode d'éducation, et surtout d'instruction. Qui ne sait au demeurant que les collèges du XVIe siècle, ceux que fréquentèrent précisément Montaigne et Rabelais, étaient d'infâmes geôles, où les belles-lettres s'enseignaient à force de férules ? Qui ne connaît l'opposition tête bien faite — tête bien pleine, et le programme très modeste (!) dont le jeune Gargantua s'est diligemment nourri, lorsqu'il est allé étudier loin des collèges, selon le plan établi par son créateur, Maître François Rabelais ? Tout aussi célèbre est la discipline humaniste des collèges jésuites, où l'art de se bien tenir à table et à cheval avait sa place à côté des exercices intellectuels, à côté du latin, des mathématiques et de la géographie.

Assurément il n'est pas sans intérêt de voir l'enseignement scolastique des collèges médiévaux édifiés à l'ombre des grandes Facultés de Droit, de Théologie et de Médecine, reculer, à la fin du XVIe siècle, devant des formes nouvelles d'enseignement, plus libérales et plus ouvertes sur les sciences nouvelles à la fois ([123]) ; il n'est pas dépourvu d'importance de voir les Oratoriens, dès l'ouverture de leurs établissements au début du XVIIe siècle, choisir d'enseigner en français, d'apprendre à lire aux enfants en français, et non plus en latin comme avaient coutume de faire tous leurs prédécesseurs.

Mais toutes ces pédagogies ne peuvent nous fournir des éléments suffisants de reconstitution : à la fois parce qu'elles concernent les seuls adolescents (ou enfants déjà grands), de sept à huit ans jusqu'à vingt au moins, et touchent essentiellement l'instruction, alors que psychologues et pédiâtres nous ont appris depuis un demi-siècle l'importance de la première éducation, du berceau à ce premier âge de raison où l'on entrait au collège ([124]), et parce que ces collèges et précepteurs sont destinés à former une petite minorité de la jeunesse : les enfants de la noblesse et de la bourgeoisie tout au plus.

Sur la première éducation, il est bien certain que nous sommes fort démunis : les livres de médecine consacrent quelques lignes — au plus quelques pages — à l'alimentation du nouveau-né, au choix d'une nourrice « gaye, joyeuse, sobre, chaste, propre, douce, diligente, point triste, ni ivrogne », parfois aussi à la façon d'emmailloter les bébés. C'est peu de chose.

Mais à l'âge où interviennent nos collèges, se pose la question du recrutement de ces établissements. Assurément les enfants de paysans, journaliers comme laboureurs, ne connaissent pas d'autre école que le catéchisme paroissial, où le curé du village leur fait ânnoner les vérités d'Évangile, réciter et chanter de mémoire quelques chants d'Église jusqu'au moment où ils vont aux champs : apprentissage précoce. Dans les villes par contre, nous voyons mieux les communautés avides de créer les collèges nécessaires à l'éducation des fils de robins, de marchands pour qui les arts libéraux sont une initiation nécessaire au métier paternel : aux environs de 1640, il n'y a pas de ville française qui n'ait au moins un collège ; les plus importantes en possèdent plusieurs, qui rivalisent d'émulation pour attirer la clientèle bien-payante des riches bourgeois et des grandes familles nobles. Parfois les échevins prennent en charge les frais d'études des enfants pauvres — fils d'artisans, de petits métiers urbains — assurent eux-mêmes la rémunération des régents — qui veulent être bien payés, sinon plantent là ville et collège ; mais d'une façon générale, cet enseignement — qui couvre en partie à la fois notre Primaire et notre Secondaire — est réservé aux classes supérieures pour lesquelles il constitue, soit une nécessité professionnelle, soit une obligation sociale ([125]). Ainsi, selon les ressources et les besoins des parents, l'instruction et l'éducation se dispensent inégalement, de la lecture moralisante du catéchisme à l'enseignement humaniste des Jésuites et des Académies protestantes, et jusqu'aux études supérieures des Facultés.

Sans nul doute, c'est là essentiellement problème social : s'il est vrai qu'écoles et universités médiévales sont en pleine transformation, s'il est vrai que l'apprentissage, ce mode de formation presque universel au moyen âge est en régression ([126]), il reste que les modes nouveaux d'éducation doivent être saisis dans le contexte social, où ils sont en train de se former ; il est temps de faire place, dans un second temps de notre recherche, aux groupes sociaux, de différencier, selon l'encadrement humain, cet homme moyen évoqué jusqu'ici.

DEUXIÈME PARTIE

Les milieux sociaux

Il a été si souvent dit et répété que le XVIe siècle a vu s'affirmer l'individualisme, qu'il est sans doute bon de mettre l'accent sur la solidité des traditions, c'est-à-dire des contraintes et des solidarités ; le plus individualiste des hommes modernes, le réformé qui abandonne son village et sa patrie pour rompre sans retour avec la tradition catholique, reste l'homme d'un groupe : réfugié français à Genève ou à Strasbourg, il a troqué sa ville natale pour une autre, qui n'est pas fondamentalement différente de celle qu'il a quittée ; il reste aussi l'homme d'un métier, voire d'une classe ; né roturier ou noble, il le demeure, même sur une terre étrangère...

Contrainte et solidarité à la fois, le milieu social est senti beaucoup plus sous son second aspect, même au XVIe siècle. D'abord en raison de l'insécurité : la précarité de l'existence matérielle est le lot du plus grand nombre, nous venons de le voir ; en outre le climat social reste partout commandé par la guerre, les troubles intérieurs sporadiques, les luttes contre l'étranger, qui ravagent des provinces entières. Le XVIe siècle, dont les réussites artistiques font oublier les misères, a été, comme ses prédécesseurs, une période de longues agitations intérieures et extérieures, au cœur desquelles la solidarité du groupe, du petit hameau rural à l'ensemble urbain plus vaste, est indispensable. Mais toute tradition est faite aussi de refus, plus ou moins violents ; cependant la négation systématique n'est pas encore née, même au temps de Luther et de Montaigne. La coutume continue de s'imposer fortement, conservant et transmettant les innombrables expériences des ancêtres en un système clos, d'où toute initiative étrangère, toute innovation se trouve obligatoirement refoulée : jusqu'à ce qu'une autorité supérieure l'impose. Et s'il est vrai que la Réforme calvinienne, plus encore que le catholicisme, pourtant déjà soucieux du salut de chacun, place l'homme seul devant Dieu, responsable de ses actes en même temps que prédestiné, il n'en reste pas moins que les conversions collectives paraissent bien préférables aux individuelles : c'est le sens du *cujus regio, ejus religio*, au pays de Luther.

Semblable contrainte, que nous dirions aujourd'hui totalitaire, semblable conformisme se retrouve sur bien d'autres plans, à l'échelle du village ; la belle moisson du voisin, la prospérité de son cheptel sont des signes dangereux de succès, qui peuvent révéler des pratiques magiques ; nul ne doit être beaucoup plus riche — en dehors du seigneur et de son représentant — que les autres membres de la communauté. Sur ce plan, la chasse aux sorcières a certainement été, comme au moyen âge, un instrument d'une redoutable efficacité entre les mains des communautés paysannes.

En même temps qu'ils continuent à lourdement s'imposer à l'individu, les milieux sociaux révèlent une certaine instabilité. Non pas que le nomadisme latent puisse être considéré comme le trait majeur de cette société mal équilibrée : il n'est pas douteux que la grande majorité de la population française est, aux XVIe et XVIIe siècles, fixée, attachée à la terre, ou à la ville ; les « errants » sont exceptionnellement voués à parcourir les routes leur vie durant : à la première occasion — village incendié par la soldatesque et vidé de ses habitants, hospitalité d'un couvent ou d'un hospice — ils se fixent volontiers. Mais le goût des migrations n'est point tout à fait perdu : les pays de montagne, où l'activité agricole dure moins longtemps que dans les plaines, et retient moins les hommes, constituent des réserves de migrants saisonniers : vendangeurs des Cévennes et de Provence, Cantalous qui vont jusqu'en Espagne faire la moisson ; des réserves de mercenaires aussi pour les puissances voisines, tels les Suisses, les Corses et les Sardes. C'est le fait des paysans, mais aussi de gens des villes : les bandes de comédiens qui, au début du XVIIe siècle, s'en vont de ville en ville, et vivent le *Roman Comique*, entraînent dans leurs groupes, non pas des artistes patentés, mais des jeunes gens qu'attire le voyage pour lui-même ; c'est le cas du jeune Théophile de Viau, fils d'un respectable avocat du Parlement de Toulouse, qui s'attache comme poète à une troupe sans célébrité. Courtes tribulations d'adolescents inquiets, migrations annuelles de groupes ruraux en quête de ressources complémentaires, ces déplacements sont, dans une large mesure, une évasion hors de ces cadres sociaux si contraignants, qui enserrent les activités humaines de tous les jours dans le tissu serré de leurs traditions ([127]).

*

Délimiter les différentes solidarités, leur emprise sur la vie quotidienne, et sur les mentalités, c'est donc prendre la mesure de cette progression de l'individualisme, si couremment admise ; c'est reconnaître la présence et la prégnance des divers groupes, depuis la famille jusqu'à la nation, dans l'information des consciences individuelles ; c'est, en même temps, se mettre en présence de réalités à la consistance très inégale, et dans l'optique propre à l'époque.

Il n'est d'abord pas question de faire une place quelconque à la race ; bien que le problème racial commence à se poser pour les Espagnols, Portugais et Hollandais, pendant ce même temps, dans leurs colonies lointaines, il demeure étranger au monde français, à une seule exception, plus religieuse que raciale, celle des Juifs ; comme l'expose bien un criminaliste du temps, Lebrun de la Rochette, proscrivant les mariages et passades entre chrétiens et infidèles : « la punition ne doit pas estre moindre de ceux qui ont accointance charnelle avec les Juifves, Turques, Payennes, et autres Infidèles, que ceux qui commettent sodomie : veu la haine estrange que telles gens ont à la Religion Chrestienne ; et qu'ils sont par nous réputez comme bestes, non

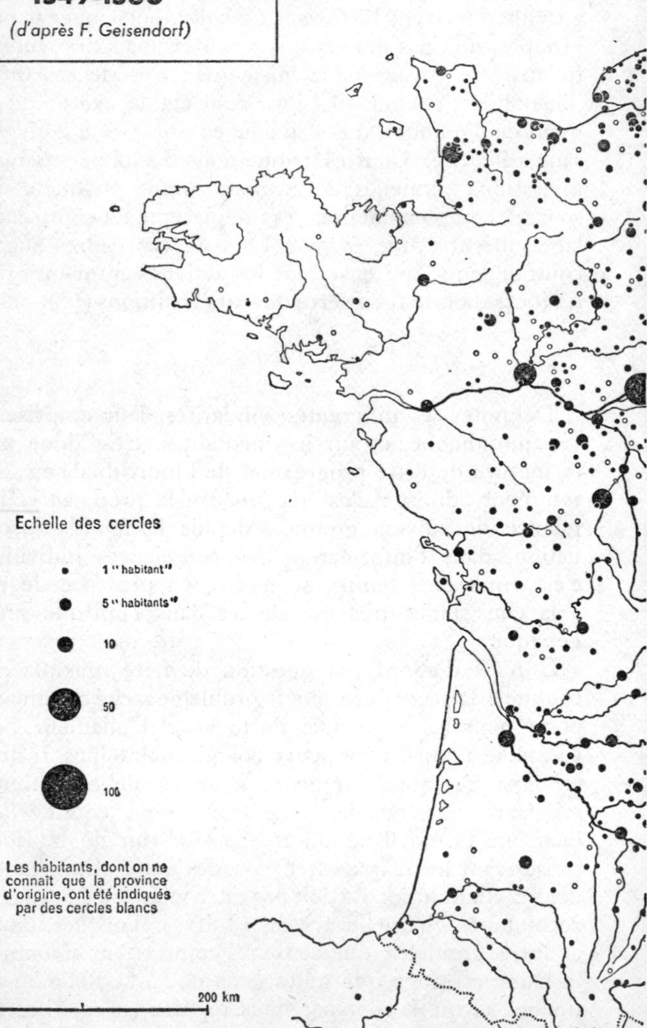
LES PROTESTANTS
RÉFUGIÉS A GENÈVE
1549-1560
(d'après F. Geisendorf)
Echelle des cercles
1 " habitant"
5 " habitants"
10
50
100
Les habitants, dont on ne connaît que la province d'origine, ont été indiqués par des cercles blancs
0
200 km

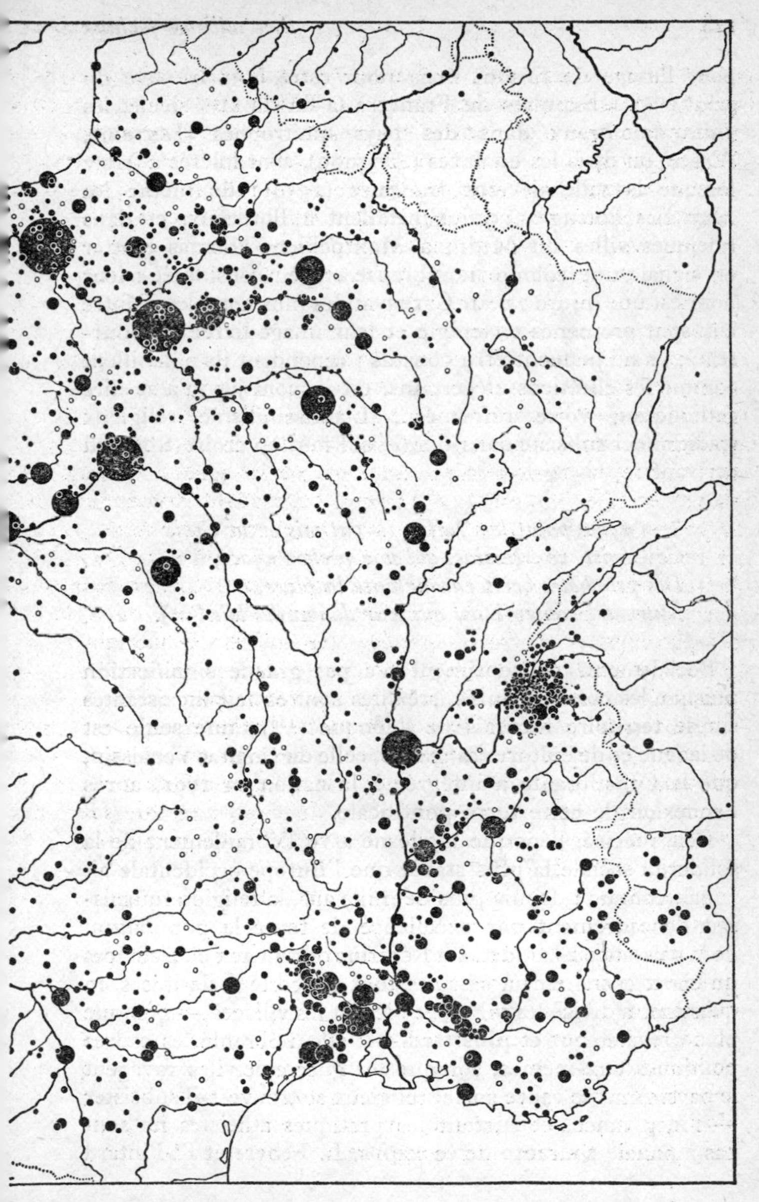

pour l'usage de raison, mais pour estre hors la voye du salut ([128]). » Expulsés de France à la fin du XIVe siècle, les Juifs, nombreux dans des pays limitrophes (Lorraine, Alsace) ou dans les enclaves (Avignon), sont tolérés à Metz lorsque la ville devient française (1559) ; de même les Marranes Portugais, qui s'installent à Bordeaux, et dans quelques villes du Midi ; à Montpellier, Thomas Platter en signale une colonie nombreuse et peu considérée : leur nom est une injure ; pour Carnaval, les plus notables d'entre eux sont promenés en effigie et leur image livrée au bourreau ; ils ne peuvent être consuls ; cependant ils s'habillent comme les chrétiens et certains, dit-il, vont jusqu'à se dire catholiques, voire réformés... L'antisémitisme religieux traditionnel subsiste sans doute, s'il faut en croire Ronsard écrivant :

> *Je n'ayme point les Juifs : ils ont mis en la Croix*
> *Ce Christ, ce Messias, qui noz pèchez efface,*
> *Des prophètes occis ensanglanté la place,*
> *Murmuré contre Dieu qui leur donna des lois* ([129]).

Socialement, ce sentiment n'a pas grande signification puisque les communautés isréalites sont en fait inexistantes sur le territoire français de l'époque ([130]) ; une seule est de langue et de culture françaises, celle du Comtat Venaissin, que la Constituante a intégrée à la nation en 1791, après l'annexion de cette terre pontificale.

Celà précisé, l'époque moderne a vu l'ébranlement de la solidarité sociale la plus stable que l'Europe occidentale ait jamais connue : depuis plus de mille ans, la religion fournissait l'encadrement par excellence de toute la population, de la naissance à la mort. La Réforme offrant aux consciences un choix entraînant à sa suite tout un cortège de mises en question, a divisé les villes, et bientôt les villages — quoique plus difficilement et plus tard — ; elle a ébranlé les cadres politiques eux-mêmes, lorsque les guerres civiles ravagent le pays. Ainsi le cadre social religieux se trouve-t-il subsister — l'incroyance, et surtout les pratiques athéistes ne sont pas monnaie courante de ce temps, L. Febvre et R. Pintard l'ont bien montré : tous demeurent chrétiens, catholiques ou réformés, selon leurs vœux. Mais beaucoup de Français n'ont pas hésité, à l'heure des persécutions, à quitter biens, foyers et famille pour assurer leur salut : la mobilité sociale se mesure ici aux réactions provoquées par une crise religieuse ([131]). Enfin cet encadrement cesse d'être solidement contraignant, et passe au rang des solidarités instables ; au même titre que l'encadrement politique, qui suit une évolution inverse, encore lâche à la fin du moyen âge, malmené, après les efforts « absolutistes » de François Ier et de Henri II, par les guerres qui ensanglantent la fin du XVIe siècle, et les rébellions qui les prolongent au début du siècle suivant.

Si bien que les solidarités fondamentales se trouvent réduites à trois : le couple et la famille, par laquelle est assurée la continuité de l'espèce ; le cadre de l'habitat, paroisse de village ou de ville, qui est souvent la limite de l'horizon humain des sédentaires, trop bien enracinés ; enfin, les groupes qui constituent dès ce temps-là des classes sociales, à la fois par leur genre de vie, leur organisation et surtout leur conscience collective.

[illegible]

[illegible] que les [illegible] conjointement à [illegible] du [illegible] de [illegible] rébellions qui se prolongent au dehors du [illegible].

Si bien que les tensions fondamentales se trouvent centrées à la fois sur le couple et la famille, par laquelle se assure la continuité de [illegible] de [illegible] parents, de lignage ou de ville, qui est souvent [illegible], le milieu des [illegible] trop [illegible] caractère que les groupes qui [illegible] sociale à la fois [illegible] [illegible].

Chapitre premier

Solidarités fondamentales : le couple, la famille

Cellule première de la vie sociale (puisqu'elle accueille l'homme à sa naissance), la famille n'est pas au XVIe siècle définie avec la même netteté qu'aujourd'hui, où elle s'affirme société conjugale au premier chef, où de plus elle est l'objet d'une définition légale, au demeurant assez large. Au contraire, à l'époque de Calvin ou de Descartes, la famille est encore à la fois une société domestique qui comprend une large parenté, par le sang et par les alliances (sans parler des parrainages) — et la société conjugale réduite aux époux et à leurs enfants : grande famille et famille restreinte, où la solidité des liens consanguins est toujours affirmée — en particulier en justice, y compris la pratique de la *vendetta*, cette justice privée exercée par solidarité familiale un peu partout en France, et non pas seulement dans certaines îles méditerranéennes.

Cette société conjugale, qui se trouve donc encore solidement encadrée dans un lignage plus large, est à la fois consacrée par l'Église catholique, qui fait du mariage un de ses sacrements, et protégée par le pouvoir laïc, qui poursuit en justice criminelle l'adultère, l'inceste et la débauche : autant de « maux » que la morale commune de l'époque réprouve sans doute tout autant que la justice les pénalise lourdement, mais qui n'en sévissent pas moins, malgré règlements et répressions ; à côté de la famille légitime, qui constitue le cadre ordinaire, il faut essayer de se représenter ces activités marginales qui en fournissent comme la contrepartie, le contrepoids, et ne sauraient être considérées comme négligeables.

I. LE MARIAGE ET LA FAMILLE LÉGITIME

A lire les récits que consacrent les livres de raison aux événements familiaux : baptêmes, où sont conviés les proches et moins proches, enterrements, qui rassemblent aussi parents, alliés, souvent les échevins en grande tenue, mariages enfin et surtout, qui sont toujours l'occasion de réjouissances importantes — à lire tous ces récits, qui ne manquent pas de pittoresque, il est tentant de faire de la vie familiale un tableau assez idyllique ; les mariages en particulier font toujours l'objet de grandes ripailles bruyantes, surtout ceux des veuves qui finissent en charivari : libations, cris et plaisanteries d'un goût qui nous paraîtrait déplacé (exemple, la « garçonnade » de Bourgogne), grosses farces même, rien ne manque à ces célébrations ; certaines finissent parfois en justice... « au banquet de nopces de l'enfant de Michel Dael, en la paroisse d'Halluin, y serait aussy esté appelé Guillebert Dumortier, lequel voïant la table couverte et la plus part des convives assis, se serait ingéré de vouloir faire ung présent à la compagnie avec quelque peu de vau mis sur deux plats dans lesquelles il avait enclos deux grenouilles vulgairement appelées raines ; lesquelles, à l'ouverture d'iceux plats, ont sauté sur la table et viandes, ce qui aurait causé ung tumulte et que le tout aurait été culbuté, ce qu'aurait despleu fort audict remonstrant » ([132]). Ces grandes fêtes familiales ne peuvent cependant faire illusion sur le caractère réel de l'« association de mariage ».

Ce n'est sans doute pas forcer la réalité que d'affirmer la prédominance de la société domestique sur la société conjugale ([133]). Maints traits permettent d'aller dans ce sens, qui concernent le mariage lui-même, l'autorité du père, et le rôle des veuves dans les successions.

Les qualités exigées de l'épouse sont essentiellement celles qui font la ménagère ; la beauté, le caractère affectueux comptent moins que la vertu conjugale espérée, la bonté et l'esprit pratique. Henri de Campion note par exemple d'une fille qui possède les qualités souhaitables dans le mariage : « sa beauté est très passable, sa taille belle et noble, sa douceur merveilleuse, sa bonté non pareille, sa conduite bonne, sa vertu entière, et son esprit judicieux. Elle n'avait ni dans le visage, ni dans le caractère cette vivacité qui charme la plupart des hommes... » ([134]). D'ailleurs les fortes différences d'âge, si fréquentes et presque recherchées par les familles pour la réussite de l'opération — sur le plan domestique précisément — ne pouvaient que favoriser cette orientation : André Tiraqueau, avocat à Fontenay-le-Comte, épouse à 24 ans une fillette de 12 ans ; Guillaume Budé, à 38 ans, une de quinze. Et jusque dans les familles princières, le mariage est une opération calculée : une femme à la sensibilité aussi vive que Marguerite de Navarre a épousé un mari qu'elle n'aime assurément pas ; mais elle le sert loyalement.

Le mariage tend donc d'abord à faire prospérer — au moins à maintenir un patrimoine ; preuve en sont aussi les règlements de successions, et les efforts faits, dans tous les milieux, pour maintenir les héritages fonciers, pour compenser les privilèges ainsi accordés aux aînés, afin d'éviter toute contestation et tout émiettement. La Provence, toute pénétrée de droit romain, a connu au moyen âge des institutions très remarquables, les contrats d'*affrairamentum*, qui permettaient d'associer à une exploitation agricole, non seulement des gendres, mais même des étrangers, pour maintenir l'unité du domaine ([135]) ; les contrats d'affrèrement ont disparu par la suite, mais le souci s'en est maintenu, par d'autres biais : domaine mal connu, sinon en droit, au moins dans la pratique qui permettrait de mesurer son efficacité. Sans doute ces préoccupations de patrimoine paraissent-elles tout à fait légitimes dans la noblesse, pour des raisons politiques et sociales, et dans la classe paysanne où il n'est pas possible de laisser l'exploitation s'effriter en dessous d'une superficie minima. Mais il ne paraît pas douteux que cette conception « foncière » du patrimoine anime aussi les citadins dont la fortune est en grande partie mobilière : sans même parler des *fonds* de commerce, des échoppes d'artisans, il est bien sûr que le patrimoine urbain ne se conçoit guère sans quelque bien au soleil dans la ville et hors les murs. Seules, sans doute, les classes populaires urbaines, faites de compagnons des corporations, de gagne-petit de tout poil, pourraient ignorer de telles préoccupations.

De même signification paraît le maintien de l'autorité du père, véritable *pater familias*. Étienne Pasquier s'est longuement expliqué sur ce point dans ses lettres ; il n'admet pas, par exemple, les mariages des enfants sans le consentement des parents, que certains moines se mêlent de légitimer : « Je ne m'ose persuader quand une jeunesse éventée n'a autre guide qu'une démesurée passion, que Dieu se mette de la partie... je désire que sans replastrer, on ordonnast par une bonne et stable loy que le mariage des enfans fust nul, auquel les pères et mères n'auraient interposé leur authorité ([136]). » De même, ne peut-il être question de choisir une carrière sans l'avis paternel — fût-ce une vocation religieuse : « L'enfant ne peut se vouer en religion sans l'exprès consentement de ses père et mère. » Contre une vocation de cette espèce, il faut poursuivre en justice : « Un seigneur a droit de suite contre son homme de corps, voire jusques au bout du monde, et nous ne l'aurions pas sur nos enfans au milieu de nous ([137]). »

Encore Pasquier défend-il ici les droits des parents ; mais il dit ailleurs : « Par droit de nature, la femme doit ployer sous le mari » ; et la voix prépondérante du père, en ces domaines comme en bien d'autres, ne fait pas de doute ; elle est directement issue du droit romain. En fait, la femme ne prend figure de chef de famille qu'au moment de son veuvage : cas fréquent, en cette époque de troubles et de guerres incessantes ; et du fait aussi de la forte différence d'âge. La jeune veuve, fût-elle joyeuse, possède alors une véritable délégation de la puissance paternelle ; elle administre la fortune de son mari, gère ses affaires, régente ses enfants avec toute l'autorité du père disparu. Sur ce point, nul doute que le droit romain est dépassé. Mais il est clair que cette coutume s'est établie dans l'intention de sauvegarder un patrimoine menacé par la disparition prématurée du chef de famille. La même explication vaut à l'inverse lorsque, la mère disparue dans la maturité de son âge, le père ne se remarie point et se met en ménage, sans autre forme de cérémonie, avec sa fille aînée : cette pratique, plus rurale que citadine, permet également d'assurer la stabilité du patrimoine.

Ces préoccupations domestiques suffisent-elles à expliquer l'insistance des bons mémorialistes à évoquer l'amitié conjugale, telle que Montaigne aime à la décrire : « Ung bon mariage, s'il en est, refuse la compaignie et conditions de l'amour. Il tache à représenter celles de l'amitié. C'est une douce société de vie, pleine de constance, de fiance et d'un nombre infiny d'utiles et solides offices et obligations mutuelles ([138]). » Un bon mariage, *s'il en est* : Montaigne n'y croit guère, lui qui, parlant de l'amitié dans un autre chapitre, assure que la femme est incapable de parvenir à la stable fermeté de ce sentiment. En fait, du mariage, nul ne semble attendre plus que cette association où l'épouse « sage, polie, obstinée dans sa fidélité », comme dit Antoine Héroët, est dans la dépendance du mari.

Dépendance étroite, assurément, de l'inférieure : retirée dans la maison, tout occupée de la basse-cour ou des enfants, repliée sur son petit univers familial, la femme a pu sans nul doute trouver dans le mouvement religieux du siècle, réforme et contre réforme catholique, une libération ([139]). Tant de femmes mariées, qui n'auraient pu faire autrement que ronger leur frein, leur vie durant, ont su ainsi, par la lecture des Évangiles, la pratique de l'oraison, les fondations d'œuvres, sortir de leur sujétion domestique : au début du XVIIe siècle, le renouveau catholique est en grande partie une œuvre de femmes, tout comme la première flambée de calvinisme des années 1540 à 1560. Mais, à côté de celles qui ont pu ainsi trouver dans une vie religieuse plus intense compensation à leur situation inférieure, combien d'autres qui se contentent de malmener leur ménage. Tel mémorialiste du milieu du XVIIe siècle le note à sa manière : « il ne se trouve plus de Socrate au temps où nous sommes pour souffrir la mauvaise humeur de Xantippe ; et de cent hommes, à peine en trouverait-on deux qui supportent patiemment le caprice de leurs femmes. Cette contrariété des volontés est la source de tant de mauvais mariages, de séparations, de divorces, d'empoisonnements et de meurtres qui martyrisent dans ce monde ces misérables mal mariés pour leur faire souffrir les peines de l'enfer en l'autre » (140).

C'est que la femme légitime n'est pas seulement tenue en lisière de la vie active, enfermée dans le milieu domestique et traitée comme la première des servantes, à telle enseigne que, selon le même Pasquier, il est bon de passer de temps à autre un caprice à son épouse pour qu'elle ne se croie pas ravalée au rang de celles-ci. Elle est aussi et surtout l'amie, et non l'amante, la ménagère, la femme du foyer, mais non point l'aimée : à croire le mot de Luther valable pour toute l'Europe occidentale : « On peut aimer une fille, oui. Mais sa femme légitime, ach! »

2. LE COUPLE OCCASIONNEL : « LES CONJONCTIONS PASSAGÈRES »

L'expression de ce sous-titre est de Pasquier, qui fait leur place aux « amourettes » à côté du mariage. Car, dit-il, « il n'y a femme, si belle soit-elle, qui ne soit indifférente à un homme quand ils ont couché ensemble un an » (141).

A côté de la société légale, promise à la durée et à la perpétuation de l'espèce, la morale commune, sinon la justice de l'époque, admet donc largement les amours de rencontre ; mais avec une certaine dissymétrie : indulgente à l'homme, qui tend à être polygame de fait, plus sévère à la femme mariée, dont l'adultère est puni de mort — sauf si elle est enceinte! — ; sans pitié même pour la fille mère à qui la justice ne pardonne pas toute tentative de « celer » et plus encore de « détruire son fruit » (142).

Pour le sens commun, il n'est point douteux que la passade n'est point signe de trahison conjugale. Antoine Heroët, décrivant l'amour platonique de la *Parfaite Amye*, cette amitié idéalisée qui est parcourue d'un souffle divin, le déclare avec une pudique simplicité :

Or s'il advient quelquefois en la vie
Que l'âme étant en tel état ravie,
Les corps voisins comme morts délaissés

D'amour et non d'autre chose pressés,
Sans y penser se mettent à leur aise
Que la main touche et que la bouche baise,
Cela n'est pas pour déshonneur compté ;
C'est un instinct de naïve bonté...

Et d'ajouter encore :

... *Pris le plaisir, plus ne les en souvient* ([143]).

Mais l'aventure extra-conjugale n'a pas tous les jours cet aspect éthéré : dans la plus petite ville du royaume, le mari volage trouve à sa disposition des « filles de mauvaise vie », qui font scandale et dont les défenseurs de la bonne morale ne peuvent purger les cités, malgré toutes les mesures d'internement. Voici au Puy, en 1644, « Messire Claude Spert de Volhac, habbé de Sainct Pierre la Tour, esmeu de pitié et obvier au désordre et escandale et malheurs qui se commettent de jour et de nuict dans la dicte ville et faulxbourgtz d'icelle par des putains publicques et secrettes, a esté la cause qu'il a acquis une maison et jardin où il a faict fère un grand encloz bien fermé... et faict enfermer les dictes publicques ([144]). » C'est là toute une population féminine fort nombreuse — sans doute moins organisée, moins encadrée que de nos jours — mais proliférante, au point de comporter une véritable hiérarchie. Henri Estienne l'indique fort bien à l'article *cortisana* de son dictionnaire français-italien : « Nous ne pouvons pas nous passer de ce mot italien, quand il nous faut parler d'une putain à réputation... Et plusieurs s'abusent qui pensent que courtisane proprement se die de toute putain, quelque maraude qu'elle soit. Telle différence y a entre la courtisane et la simple putain qu'il y a entre un petit mercerot et un gros marchand. »

Nul doute que, dans leur effort pour protéger l'institution du mariage, l'Église et les pouvoirs publics ne soient désarmés en fait : la répression de l'adultère, sévère assurément, n'a pas plus d'efficacité que toute peur du gendarme. Les mesures collectives prises contre les filles, et ceux qui les hébergent, emprisonnements ou expulsions hors des villes, ne sont pas de meilleur rendement : il n'est que de voir le renouvellement régulier des ordonnances qui les concernent ([145]). Dans les campagnes, les occasions ne sont peut-être pas aussi fréquentes ; mais les prédicateurs se plaignent, les uns dénoncent les veillées organisées par des jeunes hors du village dans des cabanes forestières de charbonniers (en Champagne), d'autres stigmatisent les mariages « qui se font sous la cheminée ».

De ces commerces hors mariage, réguliers ou occasionnels, pouvaient naître quantité d'enfants en situation illégale. Si nous savons comment les grands de ce monde ([146]) réglaient le problème, faisant place dans leur famille légitime aux enfants adultérins, bâtards bientôt dotés de fiefs et de rentes, il est difficile de se prononcer sur la pratique courante : la fréquence des infanticides réprimés par les cours criminelles indique une des solutions ; de même des adoptions, que ne manquent pas de mentionner les livres de raison : enfants trouvés au porche d'une église, recueillis par quelque sacristain, et portés au plus vite chez une nourrice. Mais les abandons d'enfants ne sont pas nécessairement, en ces temps où les classes populaires sont si proches de l'indigence, le fait des seules filles mères. Des couples légitimes peuvent parfaitement abandonner les derniers nés d'une nombreuse famille : les cas mentionnés dans les archives judiciaires n'en sont pas rares. C'est Vincent de Paul qui s'est soucié le premier d'offrir aux filles et femmes parisiennes dans l'embarras ou dans la misère, la ressource d'un hospice pour les enfants trouvés, où, dès la création, il en est recueilli au moins un par jour, et bientôt beaucoup plus ([147]).

La famille est donc au début de l'époque moderne un cadre social en cours de transformation : plus proche de la société conjugale d'aujourd'hui dans les villes, plus attardé à la forme domestique dans les campagnes. Mais ce cadre social en voie de mutation est aussi — et beaucoup plus que ne le pensent les *laudatores temporis acti*, abusés par les méfaits longtemps dénoncés de la législation récente, Code civil et divorce — un cadre très menacé : le mariage représente pour les hommes de ce temps bien plus un établissement — au sens économique du mot — qu'une création d'affection : vie conjugale, vie sexuelle, vie affective ne s'équilibrent guère dans une société où les impératifs religieux et civils pèsent lourdement sur la vie quotidienne, pour faire respecter le primat de la vie familiale. Ainsi la famille est-elle uniquement l'instrument d'une double continuité : celle du patrimoine et celle de l'espèce ; elle est une association non égalitaire, puisqu'elle institue la primauté masculine, l'idéal d'une société hiérarchisée se reproduisant jusque dans la cellule sociale de base : non sans risques, nous l'avons vu.

Chapitre II

Solidarités fondamentales : la paroisse

Au dela de la famille, du foyer, ce cadre matériel et moral à la fois de la vie quotidienne, se situe le groupe social de la paroisse, réalité beaucoup plus vivante — c'est bien évident — que celle du XXe siècle.

Du foyer à la paroisse, les liens ne manquent d'ailleurs pas, puisque le curé intervient à chaque moment important de l'existence, naissance, baptême, mariage, mort. A ce titre, la paroisse serait déjà la garante de la stabilité familiale. Mais elle possède aussi une réalité juridique — et non pas seulement religieuse — ; son rôle est sanctionné par la loi, qui dote les paroissiens, ses membres, de prérogatives et d'obligations ; elle constitue un cadre électoral (pour la désignation des municipalités), administratif et fiscal.

Cette vie — civile et religieuse — de la paroisse n'est sans doute pas des mieux connues : les curés du XVIe et même du XVIIe siècle n'ont pas laissé de longs témoignages sur leur existence difficile au milieu de leurs paroissiens ; l'agence générale du clergé, qui fournit, pour le XVIIIe siècle surtout, tant de documents sur l'intense vie paroissiale de l'époque, va être créée en 1579 ; l'habitude de correspondre avec elle a été prise dans le courant du siècle suivant seulement ; d'autre part, les actes du concile de Trente, qui décident la participation des laïques à la fabrique, à la gestion des biens de la communauté paroissiale ([148]), ont été généralisés tard dans le XVIIe siècle, et c'est encore le XVIIIe siècle qui en tire le plus grand profit. Sans doute, les laïques n'ont-ils pas attendu l'autorisation tridentine pour participer à l'administration des paroisses. Dès le XIIIe siècle, ils jouent leur rôle dans l'entretien, dans la vie quotidienne de l'église, malgré les interdictions du concile du Latran, qui réservaient au curé toutes les choses sacrées. Aussi bien, en dépit du paradoxe apparent, il est permis d'affirmer que la vie paroissiale — proprement religieuse, — est plus intense au siècle des philosophes qu'à l'aube des temps modernes.

Mais le cadre paroissial ne s'en impose pas moins à l'une et à l'autre époque. La paroisse compte automatiquement autant de paroissiens qu'il y a d'individus vivant sur son territoire, du seul fait de leur résidence ; s'il est vrai que leur assemblée n'est pas encore cette direction collective de la vie spirituelle communautaire qu'elle est devenue à la fin du XVIIe siècle, la paroisse n'en existe pas moins sous la forme de l'assemblée dominicale à la messe, où pendant longtemps le prêtre — ou le desservant — a dialogué avec ses ouailles ; et il est bon de se rappeler ici que, par son recrutement même, le bas clergé — au moins celui des campagnes — très proche des paysans, puisqu'il est souvent recruté dans ce groupe, n'a pu manquer de faire participer les fidèles à sa vie religieuse ; à plus forte raison, lorsque le desservant est un simple laïc, suppléant le curé qui ne réside pas. Simples « vicaires » ou curés en titre sont donc à la tête de la communauté ; à la fin du moyen âge, ils ne sauraient la régir en despotes : auprès d'eux, sacristains, marguilliers sont, depuis longtemps, l'oreille et la voix de ce petit monde paroissial où chacun connaît son voisin et où la vie commune est une réalité de chaque semaine.

Cependant, il n'est pas douteux que villes et campagnes se différencient, dans ce cadre, de la façon la plus nette : non pas seulement dans les pratiques — dont il n'est pas question pour le moment — mais dans la solidité de l'encadrement. La paroisse rurale, c'est l'unité de peuplement et de travail perpétuée à travers les siècles sous son titre ecclésiastique ; c'est aussi le bout du monde, pour les plus sédentarisés des paysans, ceux qui ont des biens au soleil ; alors que la paroisse urbaine est une communauté de quartier, parmi d'autres qui constituent, ensemble, la ville :

communauté plus large, qui englobe la petite paroisse, n'en diminue pas l'importance religieuse, mais amenuise certainement l'encadrement civil ([149]).

1. LA PAROISSE RURALE ET LE VILLAGE

Le schéma traditionnel, suivant lequel la commune d'aujourd'hui a été calquée sur la paroisse d'autrefois, n'est pas tout à fait exact : le tissu serré des communes actuelles ([150]) représente en réalité — au moins pour certaines régions — un regroupement qui n'a pas toujours respecté les limites du terroir paroissial tel qu'il avait été établi au moyen âge ; Vauban à la fin du XVIIe dénombrait approximativement, sur un territoire plus petit, 36 000 paroisses — soit un cinquième de plus que de nos jours. La paroisse rurale de cette époque reste en partie ce qu'elle a été à l'origine, une unité de travail, de défrichement. Que le clocher auprès duquel se rassemble la communauté soit celui d'un village, d'une chapelle seigneuriale, d'un couvent, voire d'un hospice au bord d'une route, la cellule reste la même. Le plus souvent, et réserve faite de regroupements dus à la guerre de Cent Ans notamment, la paroisse se confond avec la communauté paysanne : c'est le groupe de paysans qui exploitent un terroir en commun et mènent une vie étroitement solidaire ([151]).

Au premier rang de cet encadrement paroissial, allant de pair avec la pratique religieuse commune, il convient donc de placer les habitudes communautaires du travail rural : les techniques du labour (l'araire), de la moisson (faucille), celles qui supposent des instruments compliqués, de prix élevé (moulin, pressoir, four même) imposent toutes sortes d'activités communes. L'entraide, l'utilisation de l'outillage banal s'ajoutent donc aux impératifs dus à la distribution des terres sur des sols libres de clôtures dans une bonne partie du pays (la moitié nord au moins), et surtout au maintien de vastes territoires indivis, propriété commune gérée par l'assemblée des chefs de famille ; l'individualisme agraire n'est pas encore une réalité, même dans les pays d'habitat relativement dispersé, où les écarts, les hameaux ne vivent pas dans l'isolement que le XIXe siècle a rendu si fréquent. Parfois dans l'église même, après la messe (ou le dimanche après-midi), parfois au moulin, dont les vastes dépendances permettent toujours de rassembler les hommes d'un village, au cabaret enfin, se tiennent ainsi des réunions où se décident, en présence du curé, du représentant du seigneur, les dates des vendanges et de la moisson, la répartition des eaux d'irrigation, les prières pour obtenir la pluie ou la fin des gelées ; mais aussi les prêts de bêtes de trait pour les labours ou les transports : décisions générales, accords de bon voisinage à moindres effectifs de participants, c'est tout le travail quotidien qui se règle ainsi au rythme des saisons. Mais aussi le sort des impositions, seigneuriales, ecclésiastiques et royales, dont l'assiette et le taux n'ont pas la belle rigueur de nos pourcentages et de nos classifications d'aujourd'hui : dîme le plus souvent prélevée sur le champ, la moisson en javelles encore à terre, charges seigneuriales en nature au moulin, au pressoir, charges en espèces réglées plus difficilement encore par la collectivité solidaire devant l'intendant du seigneur et les fermiers de la taille royale. Souvent un paysan, simple laïc, portant le titre de syndic représente la communauté ; c'est le premier personnage du village, investi de la confiance de tous. Enfin, que beaucoup de ces actes collectifs de la vie rurale s'accompagnent de cérémonies religieuses — dont subsistent des souvenirs aujourd'hui même dans nos campagnes (messes des vendanges par exemple) —, c'est accentuer encore dans ces paroisses l'emprise collective ; l'intervention du sacré sanctifie les moments les plus solennels de cette vie commune, par la voix d'un prêtre qui est à la fois représentant de Dieu et paysan parmi d'autres paysans, fils de la même communauté bien souvent, compagnon fidèle de tous les jours auquel est impartie une autorité indéniable.

Mais la paroisse est également un cadre de défense contre toutes les menaces qui pèsent sur la collectivité paysanne : et d'abord les menaces extérieures, que constituent les brigands, les soldats ; rouleurs de grands chemins, embusqués dans les forêts et délogeant lorsque la faim les pousse, gens de guerre parcourant les provinces frontières, cantonnant pendant de longs hivers de quartiers en quartiers, pillards de toutes espèces — contre tous ces ennemis, les paroissiens se protègent de leur mieux. C'est une tradition héritée du moyen âge que d'essayer de fortifier le village lui-même ou, à défaut de la bourgade, un refuge qui peut être le vieux château fort encore debout (jusqu'à l'application des édits de Richelieu) ; qui peut être aussi l'église elle-même. Aux XIVe et XVe siècles, pendant la guerre de Cent Ans, plus d'un château ancien, plus d'une église ont été ainsi « restaurés » par les communautés paysannes ; dès l'alerte donnée, chacun s'y transporte avec quelque coffre et son bétail — quitte à brûler avec tout son bien dans l'église incendiée par les soudards. Mais — quelle que soit l'efficacité de cette lutte défensive — les perpétuelles alertes de ces temps troublés (l'Est de la France ne cesse guère de vivre sous la menace, depuis les opérations sporadiques de Charles Quint jusqu'aux destructions massives de la guerre de Trente ans) constituent un élément fondamental de la solidarité paroissiale. A défaut de protection seigneuriale tombée en désuétude depuis bien longtemps, à défaut de protection royale, puisque les troupes nécessaires chargées de la défense contre l'étranger sont, à peu près, aussi dangereuses que les envahisseurs, les communautés paysannes n'ont à compter que sur elles-mêmes pour limiter les dégâts en assurant le salut de quelques meubles et de leur cheptel. Le guetteur du donjon médiéval est maintenant remplacé par un paysan perché sur le clocher et surveillant les chemins, prêt à sonner le tocsin. Le besoin de sécurité est demeuré le même ; seule la collectivité peut y répondre.

A quoi s'ajoutent les combats contre l'oppression seigneuriale. Dans la lutte multiséculaire que les paysans ont menée, de génération en génération, pour alléger leurs charges, la forme la moins visible n'est pas la moins efficace : de moratoires « météorologiques » en remises de petites dettes et en désuétudes, une érosion lente des droits seigneuriaux a été poursuivie avec un certain succès. L'endettement paysan lui-même dans sa permanence témoigne également de cette persévérance paysanne obscure et sans gloire. Mais les grandes jacqueries ont été évidemment plus spectaculaires ;

dans l'un et l'autre cas, la solidarité paysanne s'exerce au détriment du maître de la terre, et de ses agents.

Sans doute, les désastres des XIVe et XVe siècles ont-ils permis aux survivants des pestes, des guerres et des jacqueries d'obtenir de leurs seigneurs une condition améliorée. Cependant la poussée des prix tout au long du XVIe siècle, et la pression qu'elle entraîne de la part des nobles soucieux de soutenir leur train face à la montée bourgeoise, ont fait renaître assez vite une tension — qui va s'accentuant au XVIIe siècle lorsque le ralentissement des affaires américaines vient accroître le mordant de cette crise sociale. Sans doute les révoltes paysannes qui s'insèrent dans les guerres de religion pendant la seconde moitié du XVIe siècle, et surtout les mouvements comme celui des Nu-Pieds normands de 1639, ne sont-ils pas la simple reproduction des jacqueries du XIVe siècle. Mais tous relèvent d'un même climat de révoltes endémiques pendant tout l'Ancien Régime. Au cœur de cette rébellion perpétuelle, nous pouvons retrouver à la fois une coloration religieuse et le sens de la solidarité collective. C'est un trait permanent de la mentalité paysanne que le sens d'un certain communisme rural exprimé et par le maintien de biens communaux indivis (eaux, forêts, landes), et par les dictons d'un évangélisme naïf ; qui ne connaît le plus fameux : « Quand Adam bêchait et quand Ève filait, où donc était le gentilhomme ? »

Il est assuré que ces révoltes sporadiques interviennent au terme de longues ruminations d'oppression et de haine, qui engendrent le ressentiment et le désir de vengeance. Mais cet état d'esprit garde une tonalité religieuse, une sorte de christianisme des pauvres, transmis de bouche à oreille au cours des veillées, au cours des assemblées paroissiales, où l'intendant du seigneur vient parler en maître, ou bien quelque gros laboureur, chargé de lever une part de taille, et qui donne des ordres sans ménagement. Contre ces personnages souvent détestés, c'est toute la paroisse liguée qui fait front, un beau jour.

Enfin, cette solidarité villageoise s'exprime aussi en ces circonstances plus agréables que sont les fêtes solennelles : grandes ripailles de la moisson ou des vendanges, réjouissances avec les villages voisins pour les fêtes de paroisses, au nom du patron de chaque église — ou encore ces rudes rencontres où les luttes individuelles ou collectives constituent à la fois une évocation, sinon une imitation, des tournois nobles, et un jeu sportif dont la brutalité paraît sans limites. Ainsi des combats de Basse Bretagne que le comte de Souvigny observe en 1626 et décrit longuement : « Le peuple de cinq ou six paroisses, qui était assemblé chacun en son particulier, ayant à leur tête celui qui était préparé pour lutter. Celui-là, qui en avait un autre en tête vis-à-vis de lui, s'avançait à mi-chemin et, étant proches, se faisaient civilités l'un à l'autre en disant que c'était beaucoup d'honneur à lui d'avoir affaire à un homme qui fût en si bonne estime. L'autre répondait à propos, et promettaient tous deux, touchant à la main l'un de l'autre de ne point user de supercherie et de ne se prendre point par aucune partie du corps qui fût défendue... Ils s'éloignaient l'un de l'autre d'environ 10 ou 12 pas, et demi courbés, s'avançaient peu à peu pour venir aux prises, et faire faire le saut que l'on appelle le saut de breton, qui réussissait à quelques-uns. Et quand cela était, que le vainqueur pouvait jeter le vaincu tombant sur le dos, tous ceux de son village allaient au-devant de lui avec des hautbois pour le couronner en signe de victoire. D'autres fois, le combat était si opiniâtre que les champions perdaient l'haleine et ruisselaient de sang... (152) »

Les Français des campagnes pouvaient enfin faire l'épreuve de leur solidarité face aux gens des villes. Ce sentiment existe sans doute, en particulier dans les communautés qui se trouvent proches d'une agglomération urbaine ; de vilain à citadin, les relations sont plus ou moins fréquentes, varient selon la distance et la topographie ; seul s'est exprimé à cette époque le dédain des gens de la ville pour les hommes des champs (153).

Malgré l'attirance exercée par les villes sur les campagnards, malgré l'osmose constante et les fortes ponctions rurales qui suivent les épidémies urbaines, malgré les échanges alimentaires, il n'est pas douteux que la vie urbaine, que la paroisse urbaine représentent un autre monde, et d'autres solidarités.

2. LA PAROISSE URBAINE

Sans doute les villes du XVIe siècle ne sont-elles pas de grandes villes : Paris, capitale du royaume, fait déjà figure de corps monstrueux, alors qu'elle compte simplement 300 000 habitants (chiffre rond, car il n'est guère possible de rechercher la précision dans ce domaine) ([154]) ; Lyon a rang de seconde capitale et de très grande cité avec moins de 100 000 habitants ; et des villes moyennes comme Reims ou Bourges sont des agglomérations de 10 000 personnes. Cependant, si petites soient-elles, ces cités sont divisées en plusieurs paroisses : au hasard des donations et des fondations, chaque quartier a son église, sa chapelle et constitue une subdivision à l'intérieur d'un ensemble beaucoup plus important. Et ce premier trait suffirait à donner à l'encadrement paroissial urbain une allure originale ; même si l'effectif de certaines paroisses n'est pas beaucoup plus élevé que celui des communautés rurales, le citadin a sans peine le sentiment d'appartenir à la fois à sa paroisse et à cette grande cité qui lui est familière et qui présente des visages humains d'une multiplicité, d'une diversité inimaginables dans le cadre rural. Cette double appartenance commande donc des relations humaines et une conception du monde entièrement différentes.

La paroisse urbaine est, en effet, elle-même un monde beaucoup plus disparate : tandis que la communauté rurale ne met alors en présence que des paysans entre eux ([155]) — réserve faite du châtelain et de son personnel — dans les villes la même rue, la même maison souvent, placent en contact quotidien le grand bourgeois, banquier ou négociant, et le compagnon charpentier, l'artisan cordonnier. Tous sont plongés dans le même milieu urbain, mais l'un ne quitte pas son échoppe, alors que l'autre a des correspondants à travers toute l'Europe, voyage et visite des pays étrangers... Dans la même nef d'église se côtoient aussi des groupes sociaux très disparates, très dissemblables, jusque dans leurs costumes, et surtout dans leurs genres de vie.

En même temps, chaque citadin, par l'intermédiaire de sa corporation de métier — et de sa confrérie, cette paroisse professionnelle — est directement lié à d'autres habitants de sa ville, fixés dans d'autres quartiers, parfois très éloignés du sien ; et lorsque, enfin, il se promène le dimanche sur les remparts avec ses amis, regardant du haut des murailles le plat pays, livré sans défense au brigandage, les hameaux lointains si souvent incendiés, il ne manque pas de ressentir la sécurité de l'homme à l'abri derrière une enceinte fortifiée solide, bien entretenue et surveillée. Au sein de la petite communauté de quartier, se superpose donc plus d'une solidarité, ce qui constitue autant d'élargissements de ce groupe social territorial de base qu'est, à la ville comme à la campagne, la paroisse.

Les fêtes de quartier — dont nos fêtes foraines sont le lointain héritage — attestent cependant la solidité des liens paroissiaux. Claude Haton dans ses *Mémoires* raconte longuement comment à Provins, chaque été, la Fête-Dieu était célébrée, dans l'octave, paroisse par paroisse : les rues tapissées, les maisons ornées, les jeux et récréations par groupes de douze à vingt, les hommes jouant à la soulle, aux dames, les femmes aux quilles, puis tous soupent ensemble ; et il termine : « si le temps est beau et serein, dressent les tables par les rues... à la veue de tous les passans qui les veullent regarder — et par ce moien entretiennent pais, concorde et amytié les uns avec les aultres — chose de vray moult à louer, car ausd. assemblées y sont receus aussi bien les pauvres que les riches, si leur plaïst de s'y trouver » ([156]). Ainsi se retrouve l'atmosphère du village, où tous se connaissent, à l'intérieur de la cité la plus vaste.

Mais la paroisse est partie d'un organisme politique qui possède une certaine autonomie : l'esprit de clocher existe ainsi à la fois au niveau de la paroisse, et à celui de la ville ; le maïeur d'Amiens est fier de l'acquisition faite en 1575 de deux cygnes qu'il installe dans les fossés de la ville. Et lorsqu'en 1625, la même ville d'Amiens reçoit en grande pompe la reine mère, qui accompagne la reine d'Angleterre, elle demande en grâce « que la préface de l'édict de restablissement de cette ville soit corrigée ou révoquée comme préjudiciable à l'honneur des habitans ; que M. le premier échevin soit à l'advenir appelé du nom de maïeur... ([157]) » Le soin avec lequel le costume des échevins est décrit, discuté dans les délibérations, la générosité avec laquelle les villes paient leur personnel, du médecin aux greffiers, attestent la vigueur des sentiments de fierté citadine : à Rouen, en 1516, le « grenetier » du sel touche 85 livres, l'horloger 30, le concierge 12 ; à Amiens, chaque fois qu'un échevin accompagne un enterrement, il est traité au retour chez le meilleur « pâtissier » de la ville. Les rivalités de cité à cité témoignent dans le même sens : les gens de Rouen prétendent que les emprunts royaux ne leur sont pas remboursés, alors que ceux de Paris le sont ; or « quand Rouen et Normandie serait perdue, Paris le serait... » Les villes royales ont acquis depuis longtemps une telle autonomie municipale qu'elles attirent les populations voisines, et leur prestige est celui de tous les habitants.

Mais le citadin participe surtout d'un autre sentiment collectif : celui de sécurité. La ville est une place forte ; et derrière ses murailles, une oasis de paix, au milieu de pays toujours menacés. Sans doute ces remparts ne sont-ils pas tout à fait infranchissables : foyers de culture et lieux de vie plus douce, les villes attirent les armées, et le sac d'une grande agglomération est un coup d'éclat autant que la défaite d'une armée adverse. Mais les « bourgeois » savent se défendre, prendre les armes, tirer le canon. Amiens a eu ses corps d'archers au XIVe siècle ; elle a ses « hacquebusiers » au XVIe en plus des archers ; et tous s'entraînent le dimanche, ici par paroisses, là par groupes mêlés ; le jeu des armes se fait par petits corps de trente ou cinquante, sous la direction de maîtres de la hache, maîtres de l'épée. Les riches bourgeois possèdent à la maison tout un équipement entretenu avec soin... Enfin, c'est la ville elle-même qui se charge de l'artillerie, équipement lourd qui vient parfois d'assez loin : Amiens envoie « aux forges de fer en Beauvaisis pour faire faire des boulletz de fer », en 1536 ; en 1577, le roi emprunte vingt mille livres de poudre à canon à la ville d'Amiens pour faire le siège de La Charité. Villes bien gardées, bourgeois soldats entraînés et capables de défendre leur cité contre quiconque, cette sécurité, qui est d'un grand prix, explique le patriotisme de clocher parfois agressif dans certaines villes au temps des guerres de religion.

C'est au delà de la paroisse urbaine encore qu'il faut situer les avantages économiques et sociaux dont bénéficie le citadin : chaque quartier n'a pas encore l'équipement d'une rue actuelle ([158]) ; mais chaque ville entretient, aux frais de la communauté, chirurgien, médecin, hôpital, sage-femme ; puis tout un matériel, balances, moulins, qu'utilisent tous les métiers ; l'horloge elle-même, qui au beffroi donne les heures, fait partie d'un patrimoine commun, auquel le citadin est encore très attaché, et non sans fierté ; les villes rivalisent entre elles pour les plus belles horloges comme les beffrois les plus décorés, depuis les siècles médiévaux. Ainsi le citadin participe-t-il d'un double encadrement, également solide : celui de la paroisse et celui de la cité tout entière.

Mais il est aussi l'homme qui, au delà de son quartier, au delà de ses remparts, connaît du pays, voyage souvent ; de toute façon, a les yeux ouverts sur un monde vaste. Les plus casaniers de leurs marchands ont des facteurs ; ceux d'Amiens sont représentés à Brême, Anvers, Middlebourg, en Espagne ; ils achètent et réexpédient d'un marché sur un autre, sans que les marchandises finissent d'arriver à l'intérieur des terres : transbordées à Saint-Valéry, à Caen ou à Rouen, elles repartent vers leur dernier acheteur. Mais les négociants ne sont pas seuls en cause ; voici deux apothicaires d'Amiens, Ant. Accard et J. de Haudicourt, qui font leurs preuves en 1582 ; ils déclarent avoir étudié et fait leur apprentissage à Paris, Bordeaux, Rouen, Lyon, Orléans, Tours et Mantes... Sans parler enfin des vagabonds, mercerots et autres, qui se glissent dans une ville, et y séjournent tant bien que mal dans des maisons mal famées : un édit de 1609 signale à Amiens la présence permanente de fainéants et vagabonds « tant de ce royaume que de pays étrangers, comme Hollandais, Hirlandais ou Écossais ».

L'homme de la ville se sent privilégié ; surtout les jours de fête, où à l'annonce d'une paix, à l'occasion d'une entrée, les fûts sont mis en perce sur chaque place, la ville entière est décorée d'arcs de triomphe, de « théâtres », tous les habitants sont dehors à ripailler et danser, autour des feux de joie. Mais ce sont là fêtes exceptionnelles ; au courant des jours, les citadins fréquentent les cabarets et auberges, en principe réservés aux voyageurs faisant étape dans la ville et qui sont, en fait, accueillants à toute clientèle ([159]) ; ils peuvent aussi à l'occasion s'esbaudir devant quelques tréteaux où les comédiens du voyage leur donnent spectacle en fin de journée ; ou bien, très solennellement, une ou deux fois par an, le collège — surtout le collège jésuite à partir des années 1580 — présente une grande machine de théâtre, martyre chrétien ou mythologie antique, dont il sera parlé longtemps à travers la cité. Une certaine urbanité distingue ainsi la vie des villes, qui n'est pas sans faire une large place à la débauche — s'il faut en croire mille plaintes de dévots, mille décisions des baillis qui ont à maintenir le bon ordre. Voici à Mâcon, en 1625, une troupe de bons vivants qui a pris le titre de Troupe joïeuse, s'est donné une tête surnommée le prince, une livrée « et commettent infinis desbauches indignes, le jour et la nuict, es cabaretz, tavernes et maisons particulières, où ilz mènent et vont trouver des filles de joye et femmes impudiques, passent les nuictz avec elles, dont pourrait arriver quelques meurtres et accidens... ([160]) »

Ainsi, de sa paroisse à sa cité, l'homme des villes au XVIe siècle se trouve incorporé à un ensemble qui est, de toute façon, un foyer de culture : monuments comme le beffroi et les cathédrales, fêtes et réjouissances de toutes sortes, relations extérieures donnent à chaque cité un cachet marqué et une originalité accusée, que le campagnard ne peut soupçonner. Depuis des siècles déjà, Nord et Midi français s'opposent par leurs villes, plus encombrées, plus remuantes aux abords de la Méditerranée que dans les plaines du Bassin Parisien. Déjà, Paris, Lyon possèdent dans leur population un groupe important d'artistes, qui vivent au milieu de leurs concitoyens, animent les fêtes, participent à l'embellissement de ce cadre.

Enfin les villes constituent un monde agité, sans cesse troublé, dans un climat de difficultés financières et sociales, qui contribue largement à informer la conscience collective. Administrées par leurs échevins, elles doivent des comptes au roi, et à ses représentants, officiers difficiles à vivre, et qu'il faut amadouer par d'incessants cadeaux : petits pots de vin ([161]). Les exigences royales sont plus lourdes : une entrée royale est une catastrophe financière, dont la ville souffre ensuite pendant de longs mois ; les besoins d'argent frais du roi coûtent encore plus cher, car ces emprunts forcés sont toujours très lentement et difficilement remboursés ; même les États Généraux, si souvent réunis au XVIe siècle, coûtent cher aux communautés urbaines qui doivent payer le voyage et assurer l'entretien de leur délégué tant que dure la session. Enfin, pour se protéger, les villes entretiennent à grands frais auprès du souverain des envoyés qui assurent leur défense, leur épargnent une imposition supplémentaire, les dispensent de telle ou telle taxe qui serait particulièrement nuisible à leur commerce. Une ville comme Rouen est saignée à blanc au début du règne de François Ier : le 9 mai 1515, celui-ci demande aux États de Normandie 127 609 livres tournois — dont la ville a sa part ; plus un don de 10 000 livres de la ville même ; nouvelle demande en août (717 000 livres aux États) ; puis encore un don de 10 000 livres en mai 1516 ; en août, joyeuse entrée du duc d'Alençon, et nouvelle imposition aux États (720 000 livres). En 1519, 1520, le « don » de 10 000 livres est renouvelé... Lorsque Henri II vient à Rouen en octobre 1550, les caisses sont vides : mais si le roi « n'estait receu en grand honneur et triomphe, pourrait advenir injure ausd. habitans et mal contentement du Roy...» car « ès villes de Paris, Lyon, Troyes et autres... le dit seigneur roi a esté receu, faisant ses entrées, en fort grand honneur ». Rouen ne peut faire moins, cotise les 140 plus riches et notoirement solvables de la ville, dont 74 seront contraints de participer à l'entrée comme « enfants d'honneur » — et contraints « par la prinse de leurs biens » s'il le faut. Et le 5 octobre 1550, échevins et enfants d'honneur viennent au-devant du roi, sourire aux lèvres, lui présentant « une figure d'or en forme de Mynerve, tenant en sa main ung rameau d'olive » — ce qui signifie force, repos et prudence — et à la Reine, ils offrent « une figure d'or en forme de la vierge Astrée, pesant 13 marcs » ; le connétable reçoit deux grands vases d'argent doré, la duchesse de Valentinois deux grands bassins et deux grandes aiguières d'argent doré... Et il en va de même au temps de Henri IV et de Louis XIII. Pressurées, malmenées par l'autorité royale qui voit en elles une réserve financière inépuisable, les villes ne cessent donc de s'endetter, de se saigner pour faire face à ces exigences... Jusqu'au jour où souffle le vent de la révolte : qu'une échauffourée se produise dans un quartier, qu'un agent du roi, receveur de tailles ou de gabelles, soit malmené par la foule furieuse, il n'est pas rare de voir le Parlement lui-même prendre le parti des émeutiers ; à tout le moins s'abstenir de poursuites ; voire passer à la révolte, comme à Rouen en 1639. Les émeutes urbaines ne sont pas toutes de cette espèce, nous le verrons dans un instant. Cependant ce cas est assez fréquent, et au XVIe, et au XVIIe siècle. Ainsi la ville, fondée au cœur du moyen âge au bénéfice de privilèges collectifs importants, garde encore en partie ces privilèges et prolonge sa résistance à la subordination à l'État, qui n'a pas les moyens encore de la suppléer dans l'administration et surtout dans l'organisation de la vie économique, du grand commerce. Cette pression de la royauté s'accroît sans cesse au temps de François Ier, de Henri II et de Richelieu...

Nous disons aujourd'hui que la vie urbaine est trépidante : vitesse et transports cahotants nous paraissent l'essentiel. Dans les villes médiévales et modernes, c'est de vie ardente qu'il faut parler : contacts humains, larges affrontements à des problèmes d'ordre national, en constituent la donnée quotidienne. Et il faut ajouter — ce qui est séparé ici pour la commodité de l'exposition — les multiples contrastes sociaux d'où naissent les solidarités de classes.

Chapitre III

Solidarités fondamentales : ordres et classes sociales

Liens personnels et territoriaux du haut moyen âge ceux de la vassalité et ceux de la seigneurie, liens territoriaux de la paroisse, avaient été les ciments les plus solides de la société médiévale. Ils font une place de plus en plus large, dès le moyen âge, aux rapports qui se nouent, non entre les ordres, mais entre groupes sociaux. Aux XVIe et XVIIe siècles, l'évolution s'accélère, au point de faire passer à l'arrière-plan ces liens plus anciens, qu'il est permis de considérer comme des survivances, alors que les liens de groupes deviennent peu à peu les éléments constitutifs des relations sociales les plus fermes : nobles, bourgeois, paysans, petites gens des villes se sentent étroitement solidaires entre eux, et, très vite, contre d'autres groupes, ce qui suffirait à légitimer l'emploi de l'expression classes sociales.

Sans nul doute, ce vocable prête à contestation : toute une tradition historique, vieille d'un demi-siècle, et qui n'ose avouer combien son pseudo-positivisme reflète un conservatisme politique solide, prétend interdire l'emploi de ce vocabulaire « marxiste » — et de son corollaire, la lutte des classes — aux périodes antérieures au XIXe siècle ; idéalisant l'image de l'Ancien Régime, comme un refuge et une consolation face aux misères du monde contemporain, elle prétend délimiter les rapports sociaux dans le double cadre de définitions juridiques pleinement satisfaisantes, celles des ordres, et d'un paternalisme qu'elle déclare parfaitement légitime dans une société hiérarchisée : le seigneur protège ses paysans, le roi protège ses bonnes villes, et ses bons bourgeois, le maître de corporation ses compagnons... [162].

Pas plus qu'un schéma paramarxiste, qui voudrait faire des compagnons des corporations et des journaliers des villages, les homologues du prolétariat industriel et rural du XIXe siècle, ce schéma juridique et paternaliste ne rend compte des solidarités sociales réelles de cette époque. Pour deux raisons : d'abord, parce que les ordres n'ont plus, dès ce temps-là, l'importance sociale que lui prêtaient les juristes les plus rigoureux ; ensuite, parce que les principaux groupes sociaux, noblesse traditionnelle, bourgeoisie marchande, paysans, présentent presque tous les traits distinctifs de la classe, au sens historique le plus précis du mot : y compris, ou non, la conscience de classe.

Que les ordres, les « états » n'aient plus au XVIe siècle la valeur sociale qui a pu être la leur au XIIe ou au XIIIe siècle, ce n'est pas douteux. Depuis bien longtemps, les rois de France ne s'y trompent pas, même s'ils convoquent régulièrement les États Généraux et s'adressent selon le cérémonial rituel au clergé, à la noblesse et au tiers État. Ce troisième ordre trop lourd est subdivisé en groupes : bourgeois, marchands, laboureurs, pour le moins. Et tel juriste qui s'efforce de définir les ordres, au début du XVIIe siècle, déclare [163] : « quant au peuple qui obéit (au roi), on le divise par ordres, états ou vacations particulières. Les uns sont dédiés particulièrement au service de Dieu, les autres à conserver l'État par les armes, les autres à le nourrir et maintenir par les exercices de la paix. Ce sont nos trois ordres ou états généraux de France, le clergé, la noblesse et le tiers État. Mais chacun de ces ordres est encore subdivisé en degrés subordonnés ou ordres subalternes : au tiers état qui est le plus ample, il y a plusieurs ordres, à savoir des gens de lettres, de finance, de marchandise, de métier, de labour et de bras, dont toutefois la plupart sont plutôt simples vacations qu'ordres formés ». C'est bien là, en une simple phrase, rappeler l'ancienne tripartition sociale, et reconnaître qu'elle n'a plus parfaitement cours.

La subdivision du tiers en groupes importants et fort distincts — voire opposés — est trop évidente ; les diversités bourgeoises, à elles seules, s'étendent depuis les petits usuriers des faubourgs jusqu'au monde ambitieux et encombrant des offices, qui va devenir au XVIIe siècle la robe. Mais la noblesse n'est pas moins hétérogène : les nobles d'ancienne extraction, qui prétendent descendre des Croisés, ne considèrent pas comme vrais nobles ceux qui, par la grâce d'une lettre royale, par l'octroi d'une charge, se trouvent du jour au lendemain rangés dans leur groupe. Le clergé lui-même qui, par son recrutement, ses assemblées régulières, sa hiérarchie en constant contact, constitue véritablement un corps, n'est pas non plus un ordre ; il y a longtemps d'ailleurs qu'il n'a donné le spectacle d'« un fils de pâtre élevé au-dessus des rois » ; la division en bas et haut clergé reflète en son sein l'antagonisme social le plus solide de l'époque : la noblesse accapare les bénéfices, les hautes charges ecclésiastiques, même si les nominations abusives font encore crier ; les cures de campagne — et même celles des petites villes — sont pourvues au hasard des vocations locales et des dotations espérées ici et là par les clercs de second rang ; le clergé de cette Église égalitaire en ses définitions premières, subit le clivage social dominant ; ne nous étonnons pas de rencontrer parfois, des curés dirigeant une émeute rurale : ainsi à Blanzac, près d'Angoulême, en 1636 ([164]).

Le schéma social médiéval, du reste passablement idéalisé, d'une juxtaposition hiérarchique d'états, bien cloisonnés, où le paysan ne se compare pas au seigneur, ni l'artisan au chevalier, chacun restant où Dieu l'a placé, « revêtu de la dignité de son état », ce schéma n'a plus grande signification. Assurément, il a fallu un long temps pour que les individus et les groupes prennent conscience de leurs intérêts communs, de leur solidarité face à d'autres individus et groupes. Suivre l'histoire des premiers regroupements à l'intérieur des ordres, voire d'un ordre à l'autre — dans le cas du clergé — supposerait un retour en arrière jusqu'au cœur du moyen âge, jusqu'aux XIe et XIIe siècles.

Et d'autre part, la prise de conscience des différents

groupes n'est pas parfaitement claire à l'époque qui nous intéresse : ne serait-ce qu'en raison de la longue survie — entretenue par les juristes — des anciennes distinctions. Au XVIe siècle, le bourgeois est encore l'homme de la ville médiévale, déterminé par sa place dans la cité ; mais il est déjà également l'homme qui s'enrichit dans le trafic ou le commerce de l'argent, par opposition aux petites gens des corporations, aux boutiquiers que n'engraisse pas leur échoppe. De même, le noble est encore l'homme d'épée, le descendant d'un compagnon de saint Louis ou de Louis XII ; et il est aussi le propriétaire foncier, petit propriétaire vivant difficilement de son maigre bien, ou maître d'un grand domaine.. Les définitions économiques, sur lesquelles nous fondons les distinctions sociales contemporaines, n'ont donc pas, ici, le même pouvoir déterminant.

Cependant c'est bien le mouvement économique de longue durée des XVIe et XVIIe siècles qui a fait largement éclater antagonismes et solidarités, méritant la qualification de sentiments de classe ; l'essor du grand commerce, l'impulsion donnée à l'économie monétaire par l'afflux des métaux précieux américains ont accéléré une évolution déjà sensible pendant les trois derniers siècles du moyen âge : enrichissement de la bourgeoisie marchande et surtout financière, progrès urbains, et moindre progression de la noblesse rurale, puis ruines de la guerre et replis des fortunes bourgeoises sur les patrimoines fonciers à l'encan, faciles anoblissements, toute cette histoire économique et sociale du long XVIe siècle constitue la trame d'une transformation décisive ; à cette époque, s'affrontent, quotidiennement, deux idéaux de vie, l'un nourri d'une littérature ancienne, « gavée d'honneur » et bien représentée par les chansons de geste qui figurent en bonne place dans toutes les bibliothèques nobiliaires ; l'autre, qui trouve jusque dans la Renaissance de l'Antiquité, l'aliment d'une conception toute différente du monde, des hommes et de leurs activités ; cependant que les ravages des guerres et les difficultés économiques des années 1620 à 1640 expliquent, à leur façon, la lente prise de conscience des classes populaires elles-mêmes, fréquemment entraînées d'émotions en rébellions, bien au delà d'une opposition simpliste entre riches et pauvres.

L'évolution économique intervient ici comme un réacteur psychologique ; il suffit d'évoquer à cet égard la misère de tant de nobles, ruinés, et parfois blessés, pendant les guerres de religion, que Henri IV a dû secourir durant tout son règne en les plaçant dans des abbayes, en leur octroyant des pensions sur les revenus d'hospices ([165]) — pour comprendre leur amertume face à l'insolente réussite bourgeoise. La prise de conscience — sans laquelle il n'y a pas de classe — est non moins évidente que les différences de niveaux et de genres de vie, sur quoi se fondent ces solidarités sociales ; à telle enseigne qu'un mémorialiste peut écrire au milieu du XVIIe siècle : « Le Bourgeois, le Laboureur, le Soldat et le Marchand ont tous des idées différentes de la même chose ; et ce que l'un fait sans scrupule, l'autre pour quoi que ce pût être, ne voudrait y avoir pensé ([166]). »

Avec l'époque moderne, une classe, dominante depuis cinq siècles, menacée depuis trois, voit s'affaiser sans recours cette domination. Ébranlée dans ses prérogatives sociales — mais non matérielles — elle combat, fait front de tous côtés, lutte contre l'invasion sournoise des anoblis de fraîche date, contre l'assimilation abusive des robins, s'accroche désespérément à ses privilèges, dernier vestige du régime seigneurial, combat la royauté tout en affirmant sa loyauté et en réclamant son aide. Ainsi l'époque moderne est celle d'une crise sociale d'une ampleur sans précédent — et qui s'est prolongée jusqu'à la Révolution.

1. LA NOBLESSE TRADITIONNELLE

En idéalisant gaillardement le passé noble de la chevalerie, les contemporains ont pu sans peine décrire l'évolution qui s'achève sous leurs yeux. En 1576 — au cœur des guerres religieuses, il est vrai — Cl. Haton écrit : « Jadis les nobles de France ont acquis ce tiltre de noblesse et leurs privilèges des roys et princes pour leurs vertus et les bons services qu'ilz faisaient auxd. roys et princes et à leur patrie la France... Ils étaient religieux, fidelles, catholiques, ecclesiastiques, sages, prudens, doux, benings, clemens à leurs subjects et aultres... Les nobles, qui jadis estaient gentilshommes de vertu sont maintenant gens pille-et-tue hommes, héréticques, infidelles, irreverens, idolastres, folz, cruels, fiers, arrogans, ravisseurs du bien d'aultruy, saqrilèges, oppresseurs du peuple... ([167]). » Cette lamentation hyperbolique exprime, malgré ses outrances, la déception des roturiers.

De la définition juridique ancienne de la noblesse, grâce à laquelle l'ordre pouvait au XIVe siècle être délimité avec assez de netteté, il ne reste pas grand-chose : le droit de recevoir la chevalerie, et la pratique, sont tombés en désuétude ; le droit de posséder des fiefs militaires francs, ou nobles, sans autorisation spéciale, subsiste, mais il est en fait battu en brèche par la pratique de l'anoblissement discret, par achat des terres nobles. Sans nul doute, le souvenir subsiste de la chevalerie guerrière : les nobles sont des soldats, les premiers du royaume ; mais s'ils ne répondent plus à l'appel du roi convoquant le ban et l'arrière-ban — ce qui s'est vérifié maintes fois, et notamment en 1575 et en 1635 — c'est qu'ils ont perdu le sens de leur devoir militaire. C'est aussi que la royauté a pris l'habitude de lever des armées de métier, dont les cadres peuvent être nobles, mais ne constituent plus une armée féodale comme autrefois. De ce rôle militaire sont donc conservés d'abord les souvenirs : trophées des châteaux, récits et légendes de batailles ancestrales, généalogies glorieuses, voire encore le sens de l'honneur personnel. La pratique des tournois et des duels et le goût persistant de la petite guerre pillarde, de la rébellion contre l'autorité royale relèveraient aussi de la même tradition ; mais ils expriment encore d'autres réalités : économiques dans le second cas, sociales dans le premier.

Cependant il reste de cette fonction militaire les attributions administratives qui y étaient attachées : sur une terre noble, le seigneur rend la justice — par l'intermédiaire d'un juge, son représentant — ; il perçoit des droits féodaux encore importants, dans la mesure où il s'agit toujours de droits en nature : attachés à la terre en quelque sorte et perçus aussi bien par un bourgeois lorsque le domaine se trouve passer entre des mains roturières — comme une rente foncière ordinaire. Ce qui contribue, d'une certaine façon, à brouiller la définition même de l'état nobiliaire.

Enfin restent vivantes, non plus les définitions concernant la fonction militaire et administrative, malmenée par la royauté avec beaucoup de persévérance, mais celles des droits, mineurs au XIIIe siècle, et de premier rang trois cents ans plus tard : ce que d'aucuns nomment déjà les privilèges nobiliaires. Ainsi le droit civil et criminel propre : droit successoral suivant lequel, dans presque toutes les provinces, le patrimoine reste en entier entre les mains des aînés ; droit criminel dispensant le noble de la pendaison... Aussi et surtout, l'exemption de l'impôt royal permanent, c'est-à-dire la taille au premier chef. C'est sans doute le signe extérieur de noblesse le plus voyant, celui qui marque le plus nettement la frontière qui sépare nobles et roturiers ; avec l'interdiction de dérogeance, qui touche aussi bien les métiers rustiques que le commerce — et traduit la notion qu'exprime la formule « vivre noblement ». Ce sont là les plus solides ciments de l'unité de la classe.

La noblesse est donc, et elle veut être, une classe privilégiée et dominante. Cette domination qui s'exprime chaque jour de mille façons, du banc d'église jusqu'au tribunal seigneurial, se nourrit de représentations en partie mythiques ; c'est le cas de la conception raciale ; le noble est au-dessus du roturier, parce qu'il est d'un autre sang : il est bien né ; sans doute au XVIe siècle, l'expression « libres et bien nez » s'emploie-t-elle aussi pour désigner les humanistes, les hommes nourris aux belles lettres, mais l'idée du sang bleu garde encore bonne réputation. La noblesse vit ensuite dans la nostalgie de son rôle militaire ; avec ou sans grands ancêtres, la guerre est le remède aux difficultés matérielles : soldes et pillages ont été longtemps — notamment aux XIVe et XVe siècles, un premier remède à la gêne ; reprendre les armes, pour quelque cause que ce soit, est une ambition toujours vivante, et qui a trouvé maintes occasions de se satisfaire pendant toute notre période. L'institution seigneuriale, plus vigoureuse ici, moins vivante là, constitue la base de cette hégémonie : il est vrai que les documents manquent pour décrire les rapports du château avec la communauté villageoise (et même la place des nobles dans les parages urbains) ; maîtres et vilains se retrouvent chaque dimanche à la messe, où, dans l'église paroissiale, le châtelain a sa place réservée au premier rang, et souvent dans le chœur ; les uns et les autres se côtoient à longueur d'année, ceux-ci nourrissant ceux-là, payant les droits et les banalités, maudissant le gibier et le colombier, maugréant contre l'intendant et le meunier, le juge et le notaire, tous agents encombrants du seigneur auprès de la communauté rurale. En son fondement économique, la puissance sociale nobiliaire reste une puissance foncière.

Or les temps nouveaux s'ouvrent sur une crise générale des revenus seigneuriaux : des revenus, plus que de la seigneurie elle-même, car s'il n'y a pas de bouleversements dans la structure de celle-ci, cette crise touche toutes les ressources de la noblesse. Par exemple, les droits de justice ne rapportent plus ; le seigneur doit payer son juge, non en terres, mais en argent ; même s'il contraint ses tenanciers à l'aider, sous formes d'épices, il ne peut se dispenser d'assurer une part de la charge. De plus, dans beaucoup de seigneuries, le produit des amendes et des confiscations ne suffit plus à assurer l'entretien du petit personnel judiciaire : gardien de prison, bourreau, sans parler de la nourriture des prisonniers. Il faut de grosses affaires, comme les séries de procès de sorcellerie où des villages entiers sont poursuivis, pour que le tribunal seigneurial fasse des bénéfices, mais bien souvent, il ne poursuit pas. D'autant plus que la justice royale lui fait une grande concurrence, gagne de vitesse les officiers locaux, se saisit des causes avant même l'appel qui devient de plus en plus la règle. Sur le plan judiciaire, le noble perd à la fois en argent et en prestige.

D'une façon plus générale, l'époque moderne a placé ces rentiers de la terre dans une situation économique terriblement difficile. D'une part la hausse des prix, si elle a touché également les produits du sol et augmenté leurs revenus, a été bien plus forte sur les produits de l'artisanat urbain, si bien que l'augmentation des recettes a été largement dépassée par celle des dépenses ; d'autre part, le bon demi-siècle de guerres italiennes, de Charles VIII à Henri II, a généralisé dans toute cette classe le goût du luxe, du décor fastueux, de la vie facile, où les jeux, les artistes, les filles tiennent une grande place. Cet appel de consommation sans compensation satisfaisante suffirait déjà à expliquer la crise profonde de ce groupe qui constate, au moment même, l'enrichissement de la bourgeoisie marchande. Rien d'étonnant à voir, six mois après la mort de Henri II, 1 500 soldats et gentilshommes français partir en Sicile au service du roi d'Espagne ; à voir, à la fois les cadets se jeter dans la carrière des armes avec fougue — ils n'ont guère d'autres moyens de se faire une place au soleil — et leurs aînés, héritiers du patrimoine, refuser de servir, lorsqu'est convoqué le ban anachronique, pour rester sur leur bien à en surveiller de près le rendement. Rien d'étonnant encore à voir, en 1614, l'ordre de la noblesse revendiquer si aigrement pour le maintien de ses privilèges et la restauration de sa prééminence contestée.

L'ampleur de cette crise (une classe dominante en voie de dépossession) se mesure aux efforts fournis, dans toutes les directions, pour consolider les fortunes. Depuis des siècles, la commende ecclésiastique cumulative a été utilisée allégrement ([168]) ; institutionnalisée par le concordat de 1516, elle continue à fonctionner au bénéfice presque exclusif de la noblesse ; les mariages avec des héritières bien nanties, filles de « partisans », de « fermiers », sont aussi pratique courante et une consolidation non négligeable ([169]) ; certains nobles se sont faits procéduriers, plaidant comme des usuriers pour quelques livres, pendant des années ([170]) ; les plus habiles se retrouvent auprès du roi, essayant d'obtenir du service de Cour — dès le XIVe siècle, mais surtout au XVIe — pensions, dots, gratifications qui viendront compléter leurs revenus fonciers ; tous se retrouvent enfin, prêts à prendre les armes, lorsque la royauté prétend les soumettre à un impôt d'État : dans la période des grands soulèvements populaires au début du XVIIe siècle, c'est une des plus fréquentes causes de l'agitation nobiliaire. Enfin — la situation des jeunes étant un indice sûr — il est fréquent de voir, au début du XVIIe siècle, les cadets de famille se livrer tout bonnement à l'escroquerie, pour se procurer de l'argent ; la pratique est courante à Paris, où elle fait de nombreuses victimes et provoque maints procès, au point que le Parlement a interdit en 1624 de prêter sur gages, ou sans gages, à ces jeunes nobles qui n'ont pas d'autre moyen de subsister que de faire valoir leur nom : « fait défenses à toutes personnes de quelque état, qualité et condition qu'elles soient, de prêter argent aux enfans de famille, encore qu'ils se disent majeurs, en majorité, et qu'ils mettent l'extrait de leurs baptistaires entre les mains de ceux qui leur prêtent ; à tous marchands, orfèvres, jouaillers et autres... ([171]) »

La diversité des moyens employés par l'aristocratie traditionnelle pour faire face à une situation économique sans cesse empirante, ne doit cependant pas faire illusion : il n'y a pas dispersion, ou contamination. Les nobles qui épousent une fille de financier ne dérogent pas, ne s'embourgeoisent pas pour autant ; ceux qui engagent chez un orfèvre des bijoux de famille ne perdent pas leur qualité dans ces opérations douteuses. Mais il y a plus. Face à la montée bourgeoise, la noblesse d'épée fait front, en luttant contre l'envahissement, en se repliant sur elle-même ; tout au long du XVIIe siècle se déroule ce long processus de défense, qui tend à faire de l'ordre une véritable caste. Lorsque, au début du siècle, un juriste comme Charles Loyseau étudie, dans un détail d'une effarante confusion, les moyens qu'utilisent les roturiers pour devenir nobles, il aide les gentilshommes à prendre conscience d'une menace qui n'a cessé de grandir au cours du XVIe siècle. En principe, dit Loyseau, il ne devrait pas y avoir d'anoblissement sans consentement du prince ; mais les roturiers disposent de mille ressources : acheter une terre noble, un fief, et devenir clandestinement un nouveau maître de village ; ou encore, compagnon d'un seigneur, traîner l'épée près de lui pendant des années, et se targuer un jour de ce service pour prétendre ne plus payer la taille, et c'est l'anoblissement taisible. Les moyens officiels ne sont pas moins importants : la nomination à certaines dignités, connétable, chancelier, surintendant des finances, grand chambellan, grand fauconnier, etc. ; l'attribution par le roi de lettres, dûment enregistrées, moyennant indemnité, sont les deux procédés les plus réguliers. Sans doute ces nouveaux nobles sont-ils depuis toujours considérés comme des parvenus, qui doivent se purger de leur tache roturière pendant quelque temps. G. Budé prétend même qu'un anobli par lettres n'est vraiment tenu pour noble qu'à la troisième génération. Mais, à la fin du XVIe siècle, la réaction nobiliaire va plus loin que cette mise à l'écart : la noblesse traditionnelle demande au roi l'arrêt de ces pratiques, en même temps qu'elle réclame la remise en honneur des vieux ordres de chevalerie, Saint-Michel notamment, pour reconstituer les liens vassaliques de la première noblesse, illusoirement pure de toute contamination roturière.

Sans doute ces revendications, cette réaction de défense nobiliaire, ne recevront satisfaction (partielle) qu'au temps de Colbert. Sous Richelieu, une tentative de contrôle des titres et quartiers de noblesse, entreprise dans les années trente, semble bien avoir tourné court. Au demeurant, la Royauté, malmenée par cette aristocratie rebelle pendant la seconde moitié du XVIe siècle, souvent menacée au début du XVIIe encore, n'épouse pas tous ses points de vue : elle ne renonce jamais à l'anoblissement par lettres, qui lui permet de distribuer des honneurs toujours recherchés, elle continue à encourager la formation d'une nouvelle noblesse, celle de robe, à côté de la noblesse d'épée ; elle impose, enfin et surtout, à cette classe mécontente, turbulente, d'autant plus encombrante qu'elle ne sert plus, la soumission à l'autorité monarchique : l'interdiction des duels, le démantèlement des châteaux forts n'ont pas d'autre but. De plus en plus, et par la volonté royale elle-même, le régime seigneurial seul maintient la domination sociale nobiliaire : autant dire qu'il la maintient péniblement, contestée, menacée, dans cette situation instable, toujours inconfortable, qui s'est prolongée, jusqu'à la fin du XVIIIe siècle.

2. LA BOURGEOISIE, OU LES BOURGEOISIES

Définir la bourgeoisie est fort difficile : en dehors du critère médiéval — l'habitant d'une cité dûment inscrit sur les registres de bourgeoisie, définition certainement dépassée à notre époque ([172]) — il n'y a pas de critère matériel permettant une délimitation très précise. La raison essentielle en est la variété des façons de s'enrichir au siècle de l'Amérique espagnole : finance, marchandise, offices royaux ou urbains, terre même, sont autant de moyens de parvenir, de prendre rang dans la bourgeoisie, même si les nouveaux riches doivent acquérir l'habitude de vivre bourgeoisement, et la mentalité propre au bourgeois. Car être bourgeois, c'est d'abord participer à un genre de vie qui n'est ni celui des classes populaires, ni celui de l'aristocratie de souche ; le trait essentiel en serait, selon nous, une certaine sécurité face aux aléas de l'existence communs à toute vie humaine et, en particulier, à ces époques troublées : sécurité du grenier bien garni, du propriétaire bien installé dans sa maison, sécurité du citadin derrière ses remparts, bien encadré par ses concitoyens... Autre trait de ce genre de vie : le bourgeois travaille peu de ses mains. Même s'il est commerçant, voire manufacturier, il n'est pas un manuel. Être bourgeois, c'est aussi participer à une mentalité, un tour d'esprit, qui comporte ses vertus, la prévoyance, l'économie, le sens du gain et de la dépense, le goût du luxe aussi... Plus tard, en plein épanouissement du capitalisme occidental, genre de vie et mentalité pourront présenter d'autres traits, passablement différents.

Définir la bourgeoisie est difficile pour une autre raison : elle constitue un groupe social non homogène, aux intérêts divergents ; elle présente maints caractères d'une classe dominante et, en particulier, sa puissance économique, qui ne cesse de s'affermir pendant le XVIe siècle ; pourtant une large partie de ce groupe n'aspire qu'à s'échapper de cette condition, à devenir noble : à l'ancienne manière, si possible ; par le service royal, par la robe, qui devient une seconde noblesse, au début du XVIIe siècle. Par là, elle ne constitue pas une caste : cette société lui offre maintes occasions individuelles de déserter, de renier ses origines roturières, au grand mécontentement de la noblesse traditionnelle — à notre époque ; en attendant les protestations des nobles robins, lorsque leur propre groupe sera, à son tour, menacé d'invasions de ce genre. Mais jusqu'aux durcissements et aux grands heurts du XVIIIe siècle, l'osmose sociale est encore la règle au début des temps modernes : ainsi la bourgeoisie, placée entre les classes populaires où elle renouvelle ses propres forces à chaque secousse démographique, à chaque crise sociale — et la noblesse, dans laquelle elle aspire à déboucher, constitue-t-elle la catégorie sociale la moins nettement caractérisée de cette société en mouvement ; il est permis sans doute d'y distinguer prudemment un haut Tiers dominé par la robe et composé de financiers, de grands marchands, de fermiers de l'impôt ; une moyenne et petite bourgeoisie de gagne-petit, d'artisans aisés, de « traitants », de commerçants de second rang, ceux-ci se distinguant des classes populaires urbaines par une aisance de bon aloi, sans véritable richesse. Le trait le plus important n'en reste pas moins cette double évasion, cette double « féodalisation » : l'anoblissement, au sein de la classe dominante traditionnelle ; la création d'une noblesse de second rang, la robe, qui se détache aussitôt du haut Tiers.

*

Au seuil des temps modernes, la bourgeoisie ainsi délimitée est, de tous les groupes de la société française, le plus actif et le plus entreprenant. Au cœur du royaume, elle exerce toutes les activités essentielles ; elle tient en main presque toutes les sources de richesses ; animant tout d'abord les activités de production et d'échanges, elle est à la tête des manufactures que crée la monarchie pour s'assurer certains monopoles : armes, artillerie, fonderies, poudres, constructions navales ; elle prend en charge les premiers transports en commun, les mines de fer, d'or, d'argent ; elle dirige évidemment aussi la masse des entreprises textiles (soie, tapisseries, lainages), les fabriques de cire, de papier, etc. De même la finance est bourgeoise : non seulement la banque, qui soutient le grand commerce à Lyon et à Paris, mais la finance publique par l'intermédiaire des officiers royaux chargés de la gestion directe des deniers du roi — trésoriers généraux, receveurs généraux et particuliers, receveurs des domaines, des tailles — par les « partisans » et traitants qui se substituent à la royauté pour la perception de certains impôts, et qui tirent de ce service d'imposants bénéfices ([173]). Un trésorier de l'épargne amasse en silence des fortunes insolentes, comme le fameux Puget sous Henri IV. Et, sous les ordres de ces grands financiers, une foule grouillante de sous-traitants, de suppôts de toute nature participent avec profit à cette exploitation des deniers publics. Enfin la bourgeoisie détient une part croissante du sol : à mesure que la crise des revenus nobiliaires s'accentue, la relève est prise par les bourgeois des villes, grands acquéreurs de biens fonciers. L'acquisition d'un domaine rural reste l'élément constitutif de la condition noble. Ce qui n'empêche pas d'acheter aussi, avant ou après, un office. Le plus souvent, les familles pénètrent dans le monde parlementaire une fois nanties de l'autorité sociale que confère la propriété foncière. Mais beaucoup — à Dijon notamment — se contentent d'exploiter leurs terres, établissements solides entre tous à partir du moment où le ralentissement des affaires malmène la fortune mobilière. Les bourgeois, de plus, ne considèrent pas ces propriétés foncières comme des biens inertes : ils y maintiennent ou rétablissent les droits féodaux, notamment les redevances en nature, ces rentes dont la valeur s'accroît avec la hausse des prix ; au lendemain des guerres civiles, ils animent la restauration des terres, demandée par Henri IV et Sully, prônée par Olivier de Serres : en Bourgogne ([174]), autour de Dijon, ils achètent des vignes, et s'avisent de la qualité des crus, de Chambertin, Chenove... Lent travail de classification, d'amélioration aussi, qui aboutira, au XVIIIe siècle, à la reconnaissance des grands crus tels que nous les pratiquons encore.

Dans ce monde français, traversé par des courants d'échanges plus puissants qu'aucun moment médiéval n'en a connu, où la poussée de l'argent se fait fortement sentir — comme Jean Bodin et tant d'autres l'ont enregistré — la bourgeoisie détient donc, dans la vie matérielle du pays, une place considérable. Mais du même coup, parce qu'elle détient les sources de richesse, elle occupe les avenues du pouvoir :

elle a dans ses mains les offices, c'est-à-dire l'administration, la justice — des justices locales aux Parlements, de province et de Paris — et même, auprès du roi, quelques-unes des grandes charges, des hautes dignités. Or toutes ces charges achetées au roi deviennent, au début du XVIIe siècle, héréditaires; terme d'une longue évolution, l'édit de Henri IV (1604), sous la forme temporaire et révocable d'un bail de 9 ans, achève de constituer en France une ploutocratie judiciaire : la paulette consacre la vénalité, ce que Savaron appelait la simonie, des offices. Depuis longtemps, dès le XVe siècle, des prévôts, des greffiers affermaient leurs fonctions. Malgré maintes protestations, notamment des États Généraux, la vénalité est entrée dans les mœurs, elle est devenue légale sous François Ier en prenant place dans les ressources fiscales de la monarchie, au bureau des parties casuelles (créé en 1522). Ces opérations très onéreuses (résignation et agrément royal), expliquent l'ardeur, décrite par Rabelais, des officiers à récupérer sur le dos des justiciables et contribuables.

Mais avec la paulette — officiellement l'*annuel*, le *droit annuel*, qui dispense les propriétaires d'offices de la résignation, supprime la nomination royale, et les brigues des courtisans ([175]) — les officiers ont acquis leur totale indépendance en face du roi ; ils n'ont plus à se préparer sérieusement à leurs fonctions, puisque l'héritage leur assure « ce que par science ils devraient acquérir ». Le prix des offices s'accroît aussitôt, bon signe de la faveur bourgeoise pour l'office héréditaire : une charge de conseiller au Parlement de Bretagne, qui vaut 16 000 livres en 1604, est à 40 000 en 1609. Même les premières présidences, exemptes de paulette et maintenues à la nomination du roi, augmentent dans les mêmes proportions. Et le mouvement se prolonge longtemps, puisqu'une première présidence au Parlement de Rouen, vendue 150 000 livres en 1610, est évaluée par Colbert, en 1665, au double.

Cette ruée sur les offices s'explique sans doute par la nécessité d'employer son argent, en période de difficultés économiques ; mais aussi par désir d'ascension sociale, entretenu par la royauté pour d'évidentes raisons financières.

Plus elle crée d'offices, plus nombreux sont les chalands : « S'il y a jamais roi de France, écrit Loyseau, qui ait dessein de s'approprier les biens de ses sujets..., il ne faut que créer force offices ; chacun à l'envi portera sa bourse au roi ; qui n'aura argent vendra sa terre ; qui n'aura assez de terre, se vendra soi-même... et consentira d'être esclave pour devenir officier ([176]) » Par les offices, la bourgeoisie administre le pays.

Riche et puissante, rompue aux affaires et à l'administration du royaume, la bourgeoisie reste cependant dominée par la noblesse ; elle ne s'empare même pas du pouvoir politique, qu'elle se contente de servir, avec un zèle inégal, il est vrai. Même au temps de la Fronde, la royauté redoute plus les nobles que les parlementaires. La bourgeoisie ne s'attaque pas (encore) à la royauté — si ce n'est de façon sporadique, limitée : les révoltes bourgeoises — emportées dans le flot puissant des guerres de religion, ou mieux individualisées dans les années 1630 — ne sont jamais que des émeutes passagères et sans lendemain, la plupart de ces séditions ayant pour motif les rentes malmenées par un roi à court d'argent. Les rentiers, acquéreurs de titres royaux sur l'Hôtel de ville, deviennent furieux lorsqu'une amputation quelconque de leurs titres les prive brutalement d'une part de leurs ressources ([177]). Souvent, dans les villes de province, bourgeois et classes populaires pactisent un instant, mus par la même haine fiscale contre un agent royal ; mais le mouvement, telle une mauvaise humeur, retombe en quelques jours. A Troyes en 1627, à Dijon (les Lanturlu) en 1630, à Aix-en-Provence en 1631, à Toulouse en 1632, à Bordeaux et Agen en 1635, à Rouen en 1639, jamais l'émeute ne se prolonge, ne se coordonne avec d'autres villes, ne prend l'ampleur menaçante d'une rébellion provinciale même ([178]). Et pendant la Fronde elle-même, les Parlementaires qui donnent le ton et parlent au nom de cette bourgeoisie dont ils estiment ne plus faire partie, reculent devant les soulèvements prolongés qui mettraient en question le régime monarchique — et non pas simplement le problème des rentes, ou celui des intendants. Mais trente cinq ans plus tôt, lorsqu'en 1615 le Parlement de Paris est aux prises avec Marie de Médicis, le scénario est déjà celui-là : remontrances très fermes, ébauche de rébellion et retour en grâce.

L'explication majeure de cette impuissance politique est d'ordre psychologique : cette opposition stérile, et sans vertu, vient de ce que la bourgeoisie a moins que toute autre classe le sens de sa solidarité. La conscience de classe s'éveille chez elle sous la menace de pillage, lorsque les classes populaires urbaines se déchaînent contre ceux qui ont pignon sur rue ([179]). Mais, à l'exemple de la robe, Parlementaires en tête, la bourgeoisie nourrit surtout une mentalité d'évasion vers l'état nobiliaire. Dès qu'un bourgeois est riche, intelligent, actif, il n'accepte pas de rester bourgeois, il veut devenir noble, et renier sa roture d'origine. La bourgeoisie est un assemblage hétérogène de rivalités, d'instabilités, qui place à sa tête ce groupe hybride de « métis sociaux » que sont les robins, grands et petits : ceux qui pensent avoir échappé à cette condition inférieure du roturier, ceux qui, les premiers, ont mis un terme à leur inquiétude en devenant officiers du roi. C'est là un véritable esprit de reniement, s'il est vrai que le bourgeois ([180]) a fondé sa fortune sur le travail, l'épargne, l'art de faire fructifier ses gains, alors que l'idéal noble demeure celui d'une vie oisive et prodigue, puisque vivre noblement revient à considérer le travail comme déshonorant et misérable. Cet esprit de reniement, qui explique la facilité avec laquelle, au XVIe et au XVIIe siècles, la Royauté est toujours venue à bout des « remontrances » des Parlementaires, rend compte aussi de la confusion des luttes sociales, de ces séditions si fréquentes où les Parlementaires laissent faire les populaires, comme à Rouen en 1639, refusant même de réprimer — tandis qu'un peu plus tard, ils châtient férocement ; où nobles et bourgeois se retrouvent, tantôt alliés, tantôt adversaires, sans que jamais se maintienne totalement une constante, même pas celle, trop classique, de la lutte des riches contre les pauvres.

3. LES CLASSES POPULAIRES, RURALES ET URBAINES

Le petit peuple des villes et des campagnes constitue la main-d'œuvre de la société française. Le vocable de prolétariat ne sied pas pour le désigner ; il est anachronique d'emploi, et ferait fausse note, tant le mot a acquis au XIXe siècle un sens précis, éloigné de ces réalités-là. Menu peuple est le mot de l'époque, qui ne distingue pas toujours citadins et ruraux : il est vrai qu'il suffit d'une famine pour voir les villes envahies par le flux des paysans se repliant sur les greniers urbains. D'autre part, les échanges sont incessants entre compagnons des métiers urbains, errants des grands chemins, brigands redoutés. Souvent, sous la plume des contemporains, des termes comme : populaires, povres, englobent l'ensemble des éléments les plus déshérités de la société ; classes laborieuses, classes dangereuses, l'équivalence n'est pas vraie du seul XIXe siècle ([181]). Equivalence affirmée par le vocabulaire même, elle ne va pas sans paradoxe, puisque ceux dont la fonction est de nourrir et ravitailler (au sens large du mot) se trouvent réputés les plus dangereux. Sans doute ce paradoxe n'est-il qu'imparfaitement perçu par les principaux intéressés : assez pourtant pour alimenter une revendication diffuse de dignité qui trouve maintes fois à s'exprimer.

Cependant les paysans constituent un groupe social bien défini, à la fois par son encadrement paroissial, sa soumission au régime seigneurial, et ses traditions ; dans le cadre même de la communauté rurale apparaissent des différences certaines de genres de vie. Partout, mais surtout à proximité des centres urbains, où la surveillance des propriétaires est plus facile, le village est dominé par les laboureurs qui se chargent de la perception des droits seigneuriaux, de la gestion des instruments banaux. Souvent même, ces membres hors rang du groupe peuvent être pris pour cible des révoltes si fréquentes, qui visent et les châteaux et les agents royaux. Mais une solidarité plus profonde joue également en leur faveur, dans ces rébellions qui sont la traduction la plus courante de l'oppression subie par les masses paysannes. Croquans, Nu-pieds, les ruraux retrouvent là une très ancienne tradition transmise oralement depuis des siècles ; jacqueries de 1358, effrois du XVe siècle demeurent dans la mémoire collective comme un appel à de nouvelles émeutes qui réapparaissent sans cesse dans les chroniques : perdues dans les guerres civiles au cours de la seconde moitié du XVIe siècle, elles acquièrent une fréquence étonnante dans les cinquante années suivantes ([182]). Attaquant les agents du fisc royal, les châteaux et les armées du roi elles-mêmes, les révoltés — sans s'éloigner beaucoup de leurs paysages familiers — entraînés parfois par leurs curés, et parfois par des nobles, ravagent et détruisent les alentours, rejoignent la ville voisine et s'y enferment quelquefois pour mieux se défendre ; mais pas plus que les mouvements urbains, ces jacqueries des croquants ne mettent en danger l'ordre établi. Lescarbot les décrit en 1612 : « Je puis dire que c'est un étrange animal qu'un menu peuple. Et me souviens à ce propos de la guerre des croquans, entre lesquels je me suis trouvé une fois dans ma vie, estant en Querci. C'était la chose la plus bizarre du monde que cette confusion de porteurs de sabots, d'où ils avaient le nom de croquans, parce que leurs sabots clouez devant et derrière faisaient croc à chaque pas. Cette sorte de gens confuse n'entendait ni rime, ni raison, chacun y estant maître, armés les uns d'une serpe au bout d'un bâton, les autres de quelque épée enrouillée, et ainsi conséquemment... ([183]). » L'étude systématique de ces violentes manifestations paysannes n'est encore qu'à ses débuts, en dépit de l'abondance de la documentation. Bien que les récits des livres de raison, les correspondances des intendants, les jugements et instructions des archives judiciaires donnent rarement la parole aux paysans, l'étude de ces incessantes révoltes doit permettre de préciser leur orientation : déjà le livre de Porchnev sur les soulèvements populaires de 1623 à 1648 permet de constater que les masses paysannes sont souvent aidées, guidées par des hommes appartenant à d'autres groupes sociaux, notamment des nobles qui veulent protéger leurs justiciables contre la fiscalité royale ; mais leur colère se tourne aussi contre les châteaux. Il y a dans ces explosions soudaines, brutales et brèves, la manifestation d'un vieux ressentiment de longue durée qui s'est constitué peu à peu dans une silencieuse soumission au seigneur et à ses représentants, souvent plus détestables que le maître lui-même ; dans une durable haine contre la rude soldatesque si prompte à tout piller et prendre, suivant la coutume, évoquée par Montaigne, « de punir, voire de mort, ceux qui s'opiniastrent a deffendre une place qui, par les règles militaires ne peult estre soutenue. Aultrement soubs l'espérance de l'impunité, il n'y aurait poullier qui n'arrestast une armée ([184]) ». Mais ces révoltes paysannes qui retiennent maintenant l'attention des historiens, ont plus d'une signification : révoltes fiscales dans leur immédiate causalité circonstancielle, elles expriment plus profondément le refus d'un ordre social qui dénie au petit peuple des champs l'existence honorable ; elles expriment son désir de se voir reconnaître par les agents royaux et par la haute société ([185]).

*

Les classes populaires urbaines présentent un visage plus varié, leur comportement évoque moins la classique dialectique du maître et de l'esclave. Petits artisans tenant échoppe à l'ombre de la cathédrale, compagnons et apprentis, qui appartiennent à des corporations et confréries, gagne-petit que sont les porteurs d'eau, les marchands d'oublies, les dresseurs d'étaux, constituent des groupes sociaux encadrés à la fois par leur ville et leur métier ; menu peuple également, mais d'une vie plus ouverte que les paysans. Les hommes des métiers mécaniques sont au premier rang des acteurs de la Réforme dès le milieu du XVIe siècle : lecteurs de la Bible, et des innombrables libelles et placards imprimés, répandus de porte en porte, affichés sur les murs, les artisans participent bien avant le monde rural à ces passions religieuses — qui ont fait passer pour un demi-siècle à l'arrière-plan leurs préoccupations sociales déjà sensibles aux XIIIe-XVe siècles.

Cependant, là encore, les émeutes brutales, contre les agents royaux, contre la justice royale, mais aussi contre les riches bourgeois, nous révèlent un climat urbain de peur sociale assez comparable à la tension rurale : « Piller les maisons des bourgeois » est une éventualité constante dans ces émotions ; d'où la prudence des riches, qui laissent faire parfois, mais non sans inquiétude, tant la révolte est prompte à se retourner contre eux. Le temps de la Ligue a vu tous les désordres se parer du motif religieux ; la période ultérieure fait réapparaître les séditions de la misère et de la fiscalité, telles que les contemporains les évoquent avec terreur : il est si facile de susciter l'émeute, répètent-ils partout : « L'émotion fut excitée par ceux qui fomentèrent le désordre sur deux prétextes spécieux, écrit-on à Marseille en 1640 ; le premier de la disette des bleds et qu'il n'y avait plus de pain chez les boulangers qui estait un moyen facile pour mettre le peuple de mauvaise humeur ; le second que les boulangers et marchands de bleds ne voulaient point prendre de doublons, ce qui a aussi causé plusieurs fois des émotions à Marseille ([186]). »

*

Pour les bourgeois qui écrivent et nous fournissent leurs témoignages sur ces silencieuses classes populaires, pour les officiers de justice même, il n'existe pas, il est vrai, de frontière nette ([187]) entre ce petit peuple de compagnons, d'artisans, et le monde irrégulier des voleurs, des « pôvres » qu'il faut périodiquement chasser des villes, et rejeter sur le plat pays... Aussi bien des institutions comme l'Aumône générale de Lyon ont pour but de venir en aide aux mendiants et de fournir de la main-d'œuvre aux métiers qui en manquent : elles élèvent les orphelins et récupèrent, parmi les gueux arrêtés aux portes des villes et sur les marchés, les jeunes qui peuvent être placés. Pauvres, mendiants, mauvais garçons, cette population flottante des villes constitue un groupe imposant : en 1534, une tentative de recensement des personnes à secourir à Lyon donne 7 000 pauvres honteux et débiles, 675 mendiants et enfants de mendiants ; en 1586, la même ville a ouvert des ateliers pour les faire travailler et les nourrir ; 4 772 hommes et femmes y sont inscrits, et touchent une soupe le matin, quelques deniers en fin de journée.

Cette foule se grossit, en période de famine, de tous les errants, et même des paysans, qui se ruent sur les villes, où ils espèrent trouver bon accueil : tant que celles-ci ont quelques réserves, la charité est faite largement ; mais plus souvent, les échevins préfèrent fermer les portes, et chasser hors des murs ces foules encombrantes et malsaines ([188]). Vagabonds, mendiants, voleurs qui tiennent les grands chemins, les forêts aux abords de Paris, de Rouen, qui sont maîtres des rues dès la nuit tombée et terrorisent les habitants sans défense, se confondent en fait avec le menu peuple aux yeux des bourgeois, au moins les jours d'émeute.

Ces pauvres, que les bureaux créés au cours du XVIe siècle ont grand-peine à secourir, sont plutôt encombrants pour les administrateurs des villes. Cinquante ans avant le grand renfermement de 1656, il est question à Rouen, Lyon et Paris d'enfermer les errants, mendiants et « quaïmans ». Un arrêt du Parlement de Rouen en 1613 ne semble pas suivi d'effet ; un essai parisien utilisant les hôpitaux Saint-Victor et Saint-Germain en 1611 n'a pas été heureux non plus. Lyon semble avoir trouvé la bonne formule en 1614 avec l'hôpital Saint-Laurent (et plus tard à la Charité, construite de 1617 à 1622). L'enfermement lyonnais fait école et ses statuts sont copiés à Tours, à Grenoble ([189]).

Il n'est pourtant pas douteux que les grandes villes — Paris, Lyon, Rouen — comptent dans leurs murs une pègre nombreuse de hors-la-loi, qui tirent parti de l'inefficacité presque totale de la police urbaine. Omer Talon se lamente en 1634 : « La ville de Paris étant toute pleine de voleurs et dedans et dehors, et la sûreté étant bien moindre à présent qu'elle n'était pendant les guerres civiles, pendant lesquelles, quoique la licence des gens de guerre, même les voyes d'hostilité rendissent toutes choses permises, les marchandises arrivaient à Paris avec moins d'appréhension, et les règles de la police étaient mieux entretenues qu'elles ne sont à présent ([190]). » Assurément il n'est pas question de chercher dans ce milieu a-social une quelconque conscience de classe. Il contribue cependant, par les interférences qui le mêlent aux classes populaires paysannes et urbaines, à obscurcir la conscience collective de celles-ci, fort portées par mimétisme, à pratiquer un « honneur » hiérarchique qui les distingue de cette pègre.

Ordres ou classes ? Les deux réalités sont à la fois vivantes, en ce temps ; nous n'avons pas voulu pousser ici leur description, au demeurant assez bien connue, mais souligner seulement les caractères essentiels. La plus consciente des classes, c'est un ordre, le second du royaume, la noblesse. Mais, par plus d'un trait, masses populaires et bourgeoisie, peu à peu mieux structurées et plus conscientes, s'affirment de plus en plus comme classes.

Chapitre IV

Solidarités menacées : État, royauté et religion

Au sommet de l'édifice social, coiffant les cadres subalternes : famille et paroisse, assurant l'encadrement administratif en provinces, bailliages (et sénéchaussées), prévôtés, la royauté constitue le cadre politique à l'échelle du pays.

Autorité suprême et toujours plus respectée, malgré de fréquents heurts, elle bénéficie de la protection de l'Église catholique, son alliée ([191]), qui sacre les rois Très Chrétiens, leur reconnaît une place privilégiée en son sein — plus qu'un prêtre, presque l'égal d'un évêque — et le pouvoir miraculaire de guérir les écrouelles. Depuis les temps lointains où les premiers descendants de Hugues Capet s'imposaient à grand-peine aux petits châtelains de l'Ile-de-France et du Hurepoix, la monarchie n'a cessé d'affermir son pouvoir et de l'étendre : progression continue, qui fait des successeurs de saint Louis et de Philippe le Bel, à la fin du XVe siècle, les maîtres incontestés d'un des plus vastes domaines européens. En leur faveur a joué la naissance lentement affirmée à travers guerres et occupations étrangères du sentiment national — tout comme le savant travail des légistes, qui ont puisé dans le droit romain les principes de la puissance publique : le roi est empereur en son royaume, il apparaît même plus respecté et écouté que l'empereur du Saint-Empire romain germanique.

Au terme de cet affermissement de l'autorité royale patiemment poursuivi pendant cinq siècles, se profilent les perspectives de la royauté absolue, telle que François Ier l'a peut-être rêvée dans les premières années de son règne entre 1515 et 1525 : renforcer les liens entre le gouvernement et l'administration locale, améliorer le rendement de l'impôt royal, mettre sur pied une armée nombreuse, solide et permanente... Au milieu du XVIe siècle déjà, il n'est plus question de ce bel édifice, lentement construit : la savante théorie de la monarchie de droit divin est contestée avec violence au cœur des guerres civiles ; deux rois sont assassinés par des sujets persuadés que les tyrans ne peuvent continuer à régner ; la souveraineté royale est bafouée par les hommes d'Église qui ont le plus contribué à la sanctifier naguère : une foi, une loi, un roi, la vieille formule qui fonde depuis si longtemps cette autorité, n'a plus de sens dans la France déchirée ; à grand-peine, Henri IV a pu rétablir la paix en faisant reconnaître la division religieuse des Français, en imposant l'accord précaire qu'est l'Édit de Nantes. La structure politique la plus fragile ([192]), la plus lente à s'imposer, se trouve ainsi malmenée, menacée, pour de longues décennies de troubles et de révoltes qui ajoutent aux insuffisances chroniques d'un État mal équipé pour assurer l'administration d'un territoire vaste, à l'échelle des communications de l'époque — car la division religieuse n'est évidemment pas la seule cause de la faiblesse de l'autorité royale, comme beaucoup de contemporains l'ont cru et dit.

Le déchirement religieux a certes ébranlé jusqu'en son tréfonds la vie quotidienne ; l'éclatement de la paroisse, partout où la dissidence réformée s'implante, est un événement au retentissement psychologique difficile à mesurer : création de deux groupes rapidement hostiles, en tout cas « concurrents », double prosélytisme... A plus forte raison, lorsque la division s'installe dans les familles, les néophytes de la nouvelle foi créent-ils autour d'eux scandales et rivalités de tous ordres. Réformés et catholiques dans toutes les communautés approfondissent leur foi, à la lumière des contradictions auxquelles ils tiennent à répondre ; parler de discussions morales et théologiques serait beaucoup dire, dans le cas de ces confrontations dominicales sur lesquelles nous manquons malheureusement de documents : les controverses savantes, les tentatives diplomatiques de rapprochement ont laissé des traces nombreuses ; mais elle ne nous éclairent pas sur l'atmosphère des paroisses divisées en deux communautés rapidement ardentes à affirmer la primauté de leur *credo* respectif. Là est cependant une des réalités fondamentales de la Réforme.

1. LE ROI ET LE POUVOIR ROYAL

A cette époque, le roi n'est pas, comme nous sommes tentés de l'imaginer à l'instar des monarques d'aujourd'hui, un chef d'État, rouage d'une Constitution. Il est le souverain, et plus profondément, le garant de la prospérité, le palladium de la nation. C'est lui, c'est la vertu du sang qui coule dans ses veines, qui fait vivre ses sujets, qui assure aux siens les succès de la guerre, les réussites culturelles. La royauté est une conception mystique.

Dans la monarchie française, le roi est le premier ; lorsqu'une bonne ville doit recevoir un prince du sang, les échevins délibèrent longuement sur les honneurs à rendre à ce personnage ; certains doivent être réservés au roi seul ([193]). Le roi est aussi une puissance redoutable, contre laquelle nul ne peut rien — pendant longtemps : tomber à genoux devant lui, subir ses humeurs est le lot commun. Les réactions des villes sont, là encore, significatives : le roi est-il content de la cité ? ou mécontent ? c'est une fatalité. Mais, dès que les bourgeois sont en présence des agents royaux, si haut placés soient-ils, ils résistent, discutent, parlent clair et net en invoquant l'intérêt public — qui est souvent celui de leur ville. Enfin, autre trait, le roi est seul à détenir l'autorité : s'il s'absente du royaume — et à plus forte raison, s'il est fait prisonnier, comme François Ier à Pavie — il y a malaise ; le souverain l'a bien senti, lorsqu'il insiste, en notifiant la passation des pouvoirs à sa mère, sur sa volonté formelle de voir respecter sa décision « et qu'il voulait luy estre obéy ».

En fait, la Constituante de 1791 exprimera avec une rigueur toute juridique ces réalités, lorsqu'elle proclamera la royauté « indivisible » et « héréditaire dans la race régnante de mâle en mâle, par ordre de primogéniture, à l'exclusion perpétuelle des femmes et de leurs descendances ». Car cette hérédité — de fait, avant d'être érigée en droit — a été un des éléments déterminants de la puissance royale. S'il est vrai que les Capétiens ont été à l'origine des élus, il ne reste plus trace de ce choix que dans le rituel du sacre : à Reims, et jusqu'au XVIIIe siècle, deux évêques soulevaient celui qui allait recevoir l'onction et le montraient à tous, demandant au peuple s'il l'acceptait pour roi. Après quoi, l'archevêque de Reims recevait du monarque le serment accoutumé, et récitait la prière suivante : « Multiplie, ô grand Dieu, les dons et les bénédictions sur ton serviteur que par humble dévotion nous élisons par ensemble au royaume. »

L'élection primitive oubliée, les autres règles (primogéniture, exclusion des lignées féminines, et des femmes elles-mêmes, régence en cas de minorité) se sont fixées au cours du moyen âge et sont acquises au début du XVIe siècle ; seule la coutume reste flottante dans le cas de minorité, et le Parlement de Paris en profite pour jouer un rôle déterminant dans ces circonstances difficiles. Mais la régence ne met pas en question la succession elle-même ([194]).

Des origines électives de la royauté, des références tirées des penseurs politiques de l'Antiquité (Aristote notamment), et des contaminations de la théorie conciliaire, est restée cependant, au moins dans les disputes scolastiques et chez les juristes, l'idée de légitimité. C'est une notion familière aux gens de l'École que la distinction entre le roi légitime élu pour l'utilité du peuple, et son opposé, le tyran, qui a pris la couronne contre la volonté du peuple. De même, les casuistes pratiquent la discussion sur l'exhérédation légitime, en distinguant un certain nombre de cas, parmi lesquels l'hérésie : et à leurs yeux, la seule autorité qui ait pouvoir d'écarter du trône l'hétitier légitime — mais hérétique — est le pape. Toutes ces disputes d'école ne sont guère sorties — à la fin du moyen âge — du milieu des juristes et des clercs ([195]). Entre 1560 et 1600, elles passent dans le patrimoine des plus audacieux sujets du roi de France : protestants révoltés contre les persécutions, ligueurs indignés par les accords de Henri III et du futur Henri IV, les uns et les autres ([196]) reprennent à leur compte la distinction du tyran et du roi légitime, et les seconds la complètent par la doctrine du tyrannicide. Un peu plus tard, après l'assassinat de Henri III, les mêmes ligueurs feront appel à Rome pour demander l'expulsion du roi de Navarre hors du trône de France.

A lire théoriciens et prédicateurs de ces années passionnées, il serait tentant de croire que la royauté française a cessé de posséder ces caractères de souveraineté vénérée et sacrée qui sont les siens au début du siècle. Il serait vain, au demeurant, de nier l'ébranlement de l'institution : Henri III et Henri IV ont payé, l'un et l'autre, de leur vie, le succès populaire obtenu par cette doctrine du tyrannicide. Cependant, et malgré tant de publications enflammées, d'excès verbaux, malgré ces deux meurtres, la nature sacrée des rois s'est trouvée — non seulement réaffirmée par quantité de bons auteurs, plus ou moins bien en cour — mais très rapidement restaurée comme une vérité d'évidence, sans cesse remise en lumière par le pouvoir miraculaire des rois. Restés fidèles au catholicisme, les rois de France ont conservé cette marque à demi sacerdotale qui est la leur : « Encore que les roys de France ne soient pas prestres comme les roys des Payens, si est ce qu'ils participent à la prestrise et ne sont pas purs laïques », écrit-on en 1645 ; et ils ont retrouvé très vite le prestige des rois guérisseurs : au XVIIe siècle, le toucher des écrouelles prend définitivement rang parmi les pompes solennelles dont s'entoure le souverain , aux grandes fêtes religieuses. Derrière ces solennités, c'est la réalité du miracle, et le caractère sacré de la personne royale qui se trouvent réaffirmés ([197]). Déjà en pleines guerres civiles, ce parisien loyal qu'est L'Estoile s'emporte contre les prédicateurs qui gaussent sur le Béarnais ; le 22 mars 1592, il s'écrie : « Tous ces caractères n'étaient que les veilles de la production de Dieu sur la personne de son oint, lequel il garantit miraculeusement à cette fois comme à beaucoup d'autres ! » Aussi bien, lorsque, plus tard, Jansenius polémiquant contre le roi de France (en 1636 dans son *Mars Gallicus*), veut s'attaquer au miracle royal, il ne le nie pas (pas plus que ne l'avaient nié les protestants au milieu du XVIe siècle) : il constate que ce don du miracle a été fort répandu, même parmi les païens (comme Pyrrhus ou Vespasien) à qui Dieu l'accordait par compassion pour les misères du genre humain ; il ajoute que ce pouvoir ne prouve ni la sainteté, ni la supériorité : l'ânesse de Balaam a bien prophétisé, ce qui ne lui accordait pas la prééminence sur tous les autres ânes. Raisonnement irrévérencieux et subtil, mais sans véritable poids en face de la réalité, les guérisons reconnues dans l'Europe entière!

2. L'ÉTAT ET LA NATION

Cette autorité royale de si grand prestige s'exprime cependant, aux yeux des Français, de deux autres façons : elle crée à la fois la solidarité subie, et contraignante de l'État, qui administre la justice et la fiscalité, et la solidarité de cœur, voulue, de la nation, de la patrie.

Au nom du roi, agissent à travers les provinces quantité d'officiers, qui assurent l'administration quotidienne du royaume : luttant contre les nobles attachés à ce qui leur reste des droits régaliens, contre les villes abusant de leurs privilèges, ils s'attachent, non sans indépendance propre, à faire respecter l'autorité du souverain. Mais receveurs des finances, conseillers des Parlements, juges des présidiaux ne sont pas des fonctionnaires : officiers maîtres de leurs charges, ils ne se considèrent pas comme de simples agents d'exécution. Bien des provinces ont gardé, lors de leur annexion, le droit de convoquer leurs États pour fixer le montant et l'assiette de l'impôt royal (pays d'États) ; tous les Parlements possèdent le droit d'enregistrer et de faire remontrance au roi, chaque fois que celui-ci sollicite la mise en application d'une nouvelle ordonnance... Tout ceci, qui constitue un chapitre touffu de l'histoire des institutions françaises sous l'Ancien Régime, est bien connu ; et l'indépendance des corps d'officiers également : c'est toute l'histoire de l'avènement de la noblesse de robe, nous l'avons vu. Mais la conséquence la plus nette pour les sujets du roi, c'est le caractère à la fois lointain et tracassier de son autorité. Lointain, parce qu'il n'est pas question d'avoir recours au souverain lui-même, insaisissable, constamment par monts et par vaux, au moins jusqu'au début du XVIIe siècle : François Ier, Henri II, et les rois des guerres civiles délaissent Paris et les services qui y sont installés, et parcourent le val de Loire, d'Amboise à Blois, à Saumur et à Sully — mais aussi la Normandie, la Bretagne ([198]). Faire sa cour, venir solliciter directement le monarque, c'est donc se joindre à cette longue cohorte de compagnons de chasse, de marchands chargés du ravitaillement de cette troupe, de poètes qui ne cessent de se lamenter, tant est grand l'inconfort de cette vie errante ([199]). Lointain encore parce que, à travers tant d'exemptions, d'exceptions que le particularisme provincial a su sauvegarder au long des siècles, le pouvoir royal s'exerce de la façon la plus discontinue qui soit ; Montaigne dit fort bien qu'un petit noble peut tranquillement passer sa vie sans avoir affaire à lui : « il oyt parler de son maistre une fois l'an, comme du roi de Perse, et ne le recognoist que par quelque vieux cousinage que son secrétaire tient en registre. A la vérité, nos loix sont libres assez, et le poids de la souveraineté ne touche un gentilhomme français à peine deux fois dans sa vie ([200]). »

En même temps cette administration est tracassière et lourde, de tout le poids que peuvent peser la complexité et la lenteur judiciaire d'une part, l'oppression fiscale par le mode de perception et par l'assiette d'autre part, et enfin le prestige attaché au service royal devenu héréditaire. Il serait facile de faire un livre des lamentations et récréminations suscitées par le fonctionnement difficile d'une machine administrative empiriquement adaptée à un royaume sans cesse agrandi ; il est tout aussi significatif que les mythes des bons rois — saint Louis, Louis XI — se soient constitués sur ces thèmes, et aient fleuri jusqu'à une époque avancée. Louis XI est le souverain qui a su choisir de bons juges intègres, envoyant dans les provinces des hommes sûrs, qui s'enquéraient des gens capables ; et lorsqu'une vacance se produisait, le roi Louis nommait une de ces personnalités, sans égard aux recommandations et aux criailleries. Bon et saint roi ; mauvais représentants de cette autorité en soi bénéfique, l'opposition peut nous paraître simplette, voire hypocrite. Les Français l'ont acceptée, avalisée pendant des siècles.

*

Elle aide à comprendre comment le patriotisme des Français s'appuie sur l'autorité royale, et en est inséparable. Sans doute le souvenir des invasions, anciennes ou récentes, la crainte de l'étranger jouent-ils un grand rôle : la Normandie ne cesse de redouter le retour des Anglais, et la milice rouennaise est appelée aux remparts dès que le moindre trouble fait craindre une descente anglaise ([201]). Mais la France «, mère fertile », nouvelle patrie des humanistes, qui sont fiers de pouvoir utiliser la langue française de tous les jours pour traduire latin, grec, hébreu ou italien ([202]), la nation au nom de laquelle les politiques implorent la paix à la fin du siècle, constitue aussi une solidarité pleinement acceptée, assumée. Ronsard ne cesse de l'invoquer :

Si j'ai jamais dès mon enfance
Abreuvé de mes vers la France ([203]),

de la chanter avec le sentiment d'une patrie incomparable :

Le Grec vanteur la Grèce vantera
Et l'Espagnol l'Espagne chantera,
L'Italien, les Italies fertiles
Mais moy, Françoys, la France aux belles villes ([204]).

Le champ de formation du sentiment national mérite d'être exploré avec soin : à la veille des guerres de religion, les magistrats férus d'histoire ont constitué, dans l'entourage du Président de Mesmes, autour d'Étienne Pasquier qui invoque avec émotion « ma France » menacée de ruines et malheurs, un groupe fort attaché à définir l'originalité, voire l'excellence du royaume, qu'ils servent de leur mieux, à la fois comme juristes et comme historiens ([205]).

La Satyre Ménippée, à la fin du siècle, est tout entière un long et beau témoignage de ce patriotisme, qui place la nation française au-dessus des ordres, au-dessus des particuliers ([206]) — ce sentiment anime Henri IV lui-même lorsqu'il chasse les Espagnols hors de France, et lorsqu'il signe l'Édit de Nantes...

3. L'ÉDIT DE NANTES

La pacification réalisée en 1598, transaction entre deux parties irréductibles, est d'une telle originalité, et introduit dans les conceptions politiques et religieuses de la France de telles novations, immédiates et lointaines — qu'il est nécessaire de l'examiner ici dans son contexte d'ensemble.

Les effectifs protestants à la fin du XVIe siècle nous sont mal connus ; un manuscrit du XVIIIe siècle nous offre des chiffres qui sont seulement vraisemblables ([207]) ; Henri IV aurait fait faire un dénombrement qui donna : 694 églises publiques, 257 églises de fief, 800 ministres (chiffre rectifié, car le manuscrit donne 2 800!), 274 000 familles (dont 2 468 familles nobles), soit environ 1 250 000 réformés. Un Français sur 10 — ou sur 12 — adhérant à la foi nouvelle, chiffre impressionnant, même s'il masque l'inégale répartition des huguenots à travers le pays, leur plus forte implantation dans l'Aquitaine et le Val de Loire, la basse Normandie, le Dauphiné, et dans le Languedoc ([208]). Cette proportion seule suffit à expliquer l'impossibilité d'un rétablissement de l'unité par la force ; dans les deux groupes, certains peuvent en rêver encore, après trente ans de guerre, c'est un rêve de fanatiques. La solution territoriale, à l'allemande, sur le modèle de la Paix d'Augsbourg, se heurte au principe de l'unité politique, au patriotisme des uns et des autres ; un morcellement en provinces — ou en fiefs plus petits encore — catholiques ici, protestants là, n'est même pas envisagé, peut-être en raison de l'extrême dispersion des forces protestantes, qui ne constituent la majorité de la population que dans un petit nombre de villes : ils n'ont pas converti des régions entières, même pas créé des cantons homogènes. Enfin le régime égalitaire — qui serait l'acte de tolérance — les deux confessions placées sur le même pied, le culte de l'une et l'autre librement exercé partout côte à côte, la participation à la vie publique assurée à tous — cette solution n'est pas plus réalisable, les esprits et les mœurs s'y opposant ; et c'est l'explication majeure des difficultés rencontrées par Henri IV pour rétablir la paix à l'intérieur de son royaume.

En apparence, le chemin parcouru est tout droit : la France restée en majorité catholique a adopté le Bourbon, du jour où il s'est fait catholique : le 25 juillet 1593, il abjure à Saint-Denis ; le 25 février 1594, il est sacré à Chartres ; et le 22 mars suivant, il entre à Paris. L'imagerie d'Épinal nous le montre regardant partir les Espagnols, en murmurant : Paris vaut bien une messe...

Pourtant, il a fallu quatre ans au roi — jusqu'en avril 1598 — pour faire accepter une transaction pacifique qui mécontente tout le monde, et suscite plus que des réserves : des prises d'armes encore, et des négociations diplomatiques secrètes jusqu'à la signature.

Du côté catholique, les villes se soumettent au roi parce qu'il est catholique, mais posent leurs conditions, veulent garder l'autonomie acquise pendant les guerres, et surtout interdire l'exercice du culte réformé dans leur enceinte. Les curés et les moines, animés à la fois d'une colère plébéienne contre les grands (comme Mayenne) qui trahissent la bonne cause, et par le sentiment très fort de l'unité catholique, valeur supérieure, à leurs yeux, aux exigences nationales, prétendent poursuivre la lutte. La Compagnie de Jésus, d'autre part, soutient le point de vue pontifical : seul Clément VIII devrait pouvoir absoudre Henri IV ; et les Jésuites discutent la validité de l'abjuration faite à Saint-Denis entre les mains de l'Église de France. Henri IV sollicite — et obtient — l'absolution romaine, le 17 septembre 1595. La force de ces résistances catholiques, le roi a pu la mesurer aux sermons, à l'agitation entretenue à Paris même, et dans bien d'autres villes, par le clergé, à l'audace des fanatiques : Barrière en septembre 1593, et surtout Chastel en décembre 1594. Pour se rallier ces adversaires, mal convaincus par sa conversion, Henri IV s'appuie sur Rome

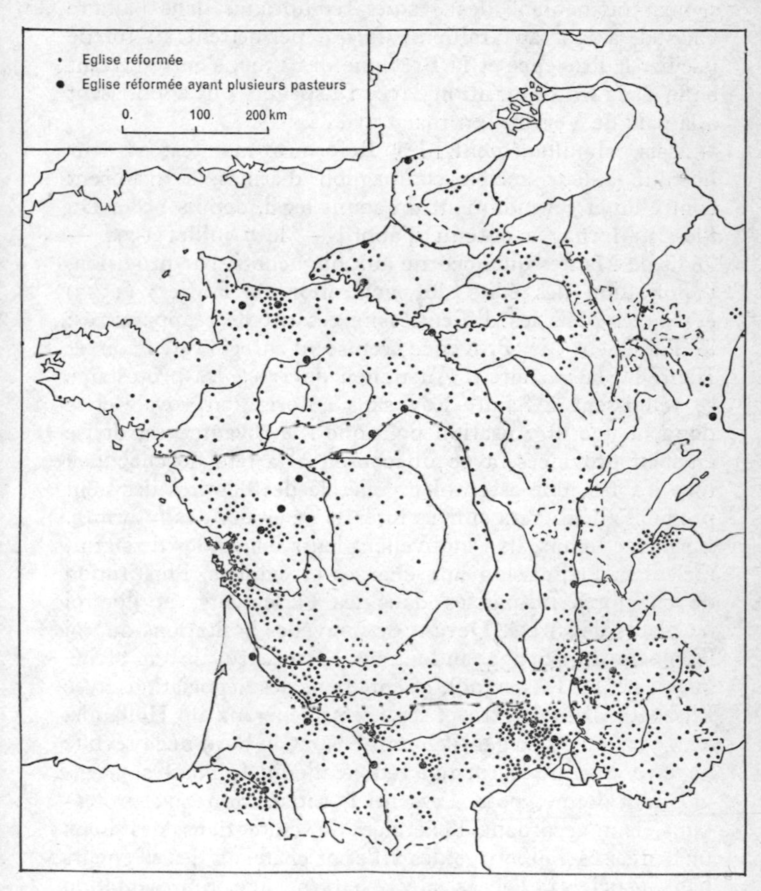

Carte n° 6 : Les églises réformées " dressées " en 1562
(d'après le pasteur Samuel Mours)
A comparer à la carte n° 5, pages 112-113 : les protestants réfugiés à Genève, 1549-1560.

qui ne ménage pas sa confiance : fermant les yeux au bannissement momentané des Jésuites compromis dans l'affaire Chastel, aidant aux ralliements qui permettent au roi de pacifier la Provence et la Bretagne dès 1596, s'entremettant enfin dans les négociations avec l'Espagne, qui aboutissent à la paix de Vervins, en mai 1598.

Mais, simultanément, les Réformés manifestent leur hostilité à leur ancien compagnon d'armes, s'organisent contre lui et revendiquent un statut légal, depuis 1589. Du Plessis Mornay a obtenu d'abord — le 7 juillet 1591 — l'édit de Mantes qui accorde aux huguenots, par provision, l'application des édits de pacification de Poitiers (1577) et Nérac. Mais les difficultés ne cessent de réapparaître : le Parlement de Provence refuse d'enregistrer l'édit et Henri IV laisse faire... Au milieu de 1595, les protestants se réunissent à Sainte-Foy sans autorisation royale et se donnent une organisation politique : le royaume est divisé en neuf provinces, avec un conseil à la tête de chacune ; tous les ans, une assemblée générale des députés des neuf provinces délibérera sur les intérêts généraux des réformés. En même temps, ils renouvellent leurs demandes de statut, réclamant l'admission aux charges et emplois, l'institution de chambres mi-parties dans les Parlements, et l'octroi de places de sûreté. Devant de nouvelles hésitations du roi les chefs du parti abandonnent l'armée royale en pleine guerre contre l'Espagnol, et entament des négociations avec Elisabeth d'Angleterre et les États Généraux de Hollande. En 1597, ces 3 000 gentilshommes sont au bord de la révolte ouverte, lorsque le roi fait rédiger l'édit de Nantes.

L'Édit donne, pour l'essentiel, satisfaction aux protestants, leur accordant l'exercice du culte dans des lieux bien précisés (faubourgs des villes et châteaux des seigneurs haut-justiciers), l'accès aux charges, une représentation dans certains Parlements et l'octroi de places fortes — dont le Trésor royal paie garnisons et gouverneurs. Le synode national de Montpellier, dans sa déclaration du 22 avril, exprime son contentement de cet « édit par lequel, encore qu'il ne soit pourveu entièrement à toutes les nécessitez des Églises, tant y a qu'il semble suffisant pour les mettre en quelque seureté ». Mais la politique d'application suivie par le roi de 1598 à 1610 n'est pas moins significative que le texte lui-même. Sans doute Henri IV a-t-il dû imposer l'enregistrement à plusieurs Parlements hostiles. Mais il a pratiqué une politique de bascule, qui n'a pas désarmé les mécontents des deux partis.

Les huguenots d'abord n'ont pas vu créer au Parlement parisien la chambre spéciale, qui devait comprendre 10 conseillers et le Président catholiques, et 6 conseillers protestants. Les 6 protestants ont été distribués dans toutes les chambres et ne siègent dans la chambre de l'Édit qu'à tour de rôle, un à un. Or cette chambre a pour ressort, non seulement le Parlement de Paris, mais ceux de Rennes et Rouen. Par contre, à Toulouse, Bordeaux et Grenoble (compétent pour Aix et Dijon), les chambres mi-parties ont été régulièrement mises en place. Mais cette première entorse a été durement ressentie par ceux qui restent attachés à l'image dépassée de Henri de Navarre protecteur des huguenots.

En face d'eux, les catholiques, mécontents des privilèges énormes accordés aux réformés, ont escompté un moment la résistance des Parlements, auxquels le roi a imposé l'enregistrement, sans discussion. Ils s'indignent aussi — plus encore peut-être que de cet acte d'autorité — de la liberté du culte accordée aux portes des villes : le temple de Charenton provoque la colère des Parisiens qui réclament sa démolition dès la mort du roi. Ainsi le maintien de la paix entre les deux confessions ne cesse d'être remis en question, dangereusement.

Cet expédient sur lequel est fondée la paix intérieure, Henri IV est donc obligé de le défendre : avec la conviction qu'il est une solution acceptable, comme nous le prouvent ses efforts pour ménager à l'étranger des accords reposant sur les mêmes principes : en Angleterre, entre Élisabeth et les catholiques anglais ; en Hollande, où le Président Jeannin négocie les conditions d'existence des catholiques. Mais en même temps que le roi pratique cette politique de pacification, il ne perd pas de vue une autre entreprise : refaire l'unité religieuse de la nation. De plus en plus, il admet que c'est là le fondement de la monarchie selon les sentiments profonds de ses sujets. Henri IV n'a pas pu ne pas être frappé du fait que les petites gens des villes et des campagnes ont été les derniers à se rallier à lui. Dans un pays resté catholique, tel que le Comminges, où les huguenots se cantonnent dans quelques places fortifiées, la masse des humbles reste défiante face au roi, même après l'abjuration et le sacre. Les États de la province sont ralliés, les consuls de petites villes comme Saint-Girons résistent pendant deux ans et refusent de reconnaître le nouveau roi ; et le Parlement de Toulouse doit intervenir pour mettre fin à cette situation.

Aussi Henri IV ne néglige-t-il rien pour restaurer les traditions royales dans leur intégrité, pour reconstituer la religion monarchique : peu après son sacre, le dimanche de Pâques 10 avril 1594, dix-huit jours après son entrée, Henri IV touche les malades des écrouelles. Depuis 1588, Paris n'avait plus vu cette cérémonie, et encore s'agissait-il de Henri III : or les ligueurs avaient fait courir le bruit que son impiété devait rendre le toucher inopérant. Henri IV renoue avec plein succès cette tradition, qui constitue le témoignage le plus authentique de sa légitimité ; et il fait publier plus tard (en 1609) par son médecin, André de Laurens, un traité sur ce pouvoir merveilleux reconnu aux seuls rois Très Chrétiens.

Mais, en même temps, le roi encourage les controverses avec les protestants les plus intransigeants, avec l'espoir avoué de ramener les « séparez » à l'Église ([209]). Il fait organiser de grandes réunions de plusieurs centaines de personnes, où Jésuites, moines, parlementaires, crocheteurs porteurs de gros in-folio sont rassemblés pour discuter avec les gentilshommes protestants poussés par le roi à ces confrontations. De même, il encourage les publications susceptibles d'aider à « terminer le différend de la Religion » ([210]). Mais ces tentatives, d'ailleurs peu appréciées du clergé et de la Sorbonne, tournent court ; les discussions achoppent toujours sur deux sujets où l'opposition se révèle irréductible : la messe, considérée comme un sacrifice (avec la doctrine de la transsubstantiation), et le pouvoir du pape. Au regard de ces deux points, bien d'autres questions, comme le célibat des prêtres, le culte de la Vierge et des Saints, les Sacrements mêmes, paraissent tout à fait mineures. D'ailleurs le concile de Trente avait précisé et mis en valeur les positions catholiques sur ces points comme sur les autres, consacrant et la transsubstantiation et le pouvoir pontifical. Tant et si bien que, si les deux partis, au cours de ces controverses organisées par le roi, ont appris à mieux connaître les arguments de l'adversaire, au total les conférences ont surtout creusé le fossé, et fait apparaître la réunion plus irréalisable encore en 1610 qu'en 1598 : chaque groupe s'est affermi dans ses convictions et a mesuré l'irréductible division sur les points fondamentaux.

Cette paix précaire de Nantes a donc permis la restauration de l'autorité royale ; elle demeure elle-même très menacée, et, au lendemain même de l'assassinat de Henri IV, se trouve remise en question à la fois par les catholiques et par les protestants.

Seules, la clairvoyance politique de Richelieu — au lendemain du siège de La Rochelle — et celle de Mazarin, plus tard, assurent sa survie pour une cinquantaine d'années. La tolérance provisoire accordée à la minorité protestante après les guerres civiles a maintenu les principes unitaires du royaume par un compromis, qui a duré sans doute plus longtemps que son promoteur ne l'avait pensé.

Chapitre V

Solidarités temporaires : sociétés de jeunesse et fêtes

Encadrements contraignants : la famille, la paroisse, voire le groupe social et la nation, ces quatre milieux constituent le réseau des solidarités essentielles ; sentis, éprouvés d'une façon qui s'éloigne fort de ce que nous connaissons aujourd'hui, ces liens sociaux s'imposent à tous — et à tous les âges. Mais ils n'épuisent évidemment pas l'expérience sociale vivante des hommes, en ces époques inquiètes : le marchand de Rouen et de Marseille a une pratique quotidienne du commerçant étranger, fixé dans sa ville, et de ses correspondants lointains, de ses facteurs dans les grandes places du commerce européen ; à bien des égards, et sur le plan de l'information tout d'abord, il se sent solidaire de ces représentants, de ces voyageurs qui mènent la même vie que lui — bien plus que de ses propres concitoyens.

De même, les E. Pascal, Fermat, Mersenne, Descartes des années 1630 manifestent-ils — au delà des frontières, et grâce à cette langue internationale qu'est le latin — leur étroit attachement à ceux qui, dans toute l'Europe, participent de la même passion qu'eux pour les mathématiques, l'astronomie, la musique. A plus forte raison, le capucin et le jésuite doivent-ils reconnaître, au delà de ces solidarités nécessaires, liées au sang, au sol, à la langue, celle, plus large, de leur ordre à travers la Chrétienté tout entière.

Solidarités de métier, pourrions-nous dire, que nous retrouverons un peu plus tard, en explorant les mentalités liées aux activités ; nous ne faisons que les mentionner, ici, pour ne point mutiler à l'excès les réalités mises en cause.

Mais toutes représentent des solidarités durables : à l'échelle d'une vie, d'une génération, pour ne pas dire dans le cadre de la succession des générations. La vie sociale présente cependant, à côté de ces encadrements stables, des manifestations non négligeables, toutes temporaires, sans lendemain, pour ainsi dire. Mal connues et plus difficiles à saisir que les autres — en raison même de leur caractère éphémère — elles ne peuvent être laissées de côté, ne serait-ce qu'en raison des ruptures et des regroupements qu'elles représentent ; les catégories d'âge (en un temps qui ignore la conscription et le conscrit) se manifestent dans les sociétés de jeunesse, qu i groupent, par villages et par villes, les jeunes gens — et parfois les jeunes filles — sans distinction de classes le plus souvent ; réunions temporaires, pour quelques années — sans qu'il soit facile de préciser quand se font l'admission et la sortie. Partout, en outre, les fêtes — patronales, ou autres —, les réjouissances publiques à date fixe constituent, de façon plus épisodique encore, un rite social d'une exceptionnelle importance : moments de détente, fréquemment exubérante, les fêtes rassemblent souvent des foules venues de paroisses, de villes proches ou éloignées, créant entre leurs participants une familiarité de quelques heures dans une ambiance d'une exceptionnelle liberté de gestes et de verbe ; elles représentent — par ces conditions mêmes — un sommet de la vie sociale, hors des cadres habituels.

1. LES SOCIÉTÉS DE JEUNESSE

L'institution est mal connue, et semble avoir présenté, d'un bout à l'autre de la France, de considérables variantes. Associations libres des jeunes gens d'une ville, ou d'un village, ces sociétés élisent le plus souvent un chef qui prend le titre de lieutenant, de capitaine, ou d'abbé de la jeunesse. Sous ses ordres, toutes sortes d'entreprises peuvent être mises sur pied : aussi bien une course au pain d'épice, ou une brutale bagarre avec les jeunes du village voisin, que la réception solennelle d'une personnalité de passage.

Dans le Midi, l'institution est solidement installée dans les mœurs ; l'abbé de la jeunesse fait partie, pour ainsi dire, des dignitaires de la ville méridionale ; il perçoit directement sur les habitants, des droits lors des mariages et des charivaris. En revanche, il est tenu de donner un bal avec violons à la jeunesse, le 1er mai, le jour de la saint Laurent, et pendant Carnaval ; il doit également un repas aux magistrats et, aux jeunes, des aubades et sérénades, suivant un calendrier bien déterminé. Tant d'obligations laissent entendre que l'abbé de la jeunesse ne peut guère être de petite fortune, car l'honneur d'arborer un mai le jour du 1er mai, et de caracoler à la tête des jeunes gens devant les portes de la ville, semble coûter fort cher ; il peut être noble, dans ces cités où la noblesse est installée depuis longtemps. En Auvergne, au temps des Grands Jours, Fléchier note encore cette coutume de la province : « Lorsqu'il se fait quelque fête solennelle, ou pour quelque réjouissance publique, ou pour l'entrée de quelque personne considérable, toute la jeunesse s'assemble, et s'étant mise sous les armes, fait le tour de la ville en bel ordre pour faire honneur à la fête. Chacun cherche les armes les plus bruyantes, et c'est une gloire parmi eux d'avoir tiré le plus grand mousquet et d'avoir fait le plus grand bruit... ([211]). »

Capitaines et abbés sont aussi présents dans les villes du Nord : à Amiens, en 1574, c'est le capitaine de la jeunesse qui assure la réception du Prince de Condé dans la ville ; mais, à côté de cette institution officielle, nous voyons se constituer des bandes d'une vingtaine de jeunes garçons, qui ont chacune leur chef et se livrent à toutes sortes de jeux et divertissements, pas toujours appréciés de leurs anciens. Les voici, après une course, installés dans une taverne pour s'y récréer, puis partant à la recherche d'une autre troupe. Ces « seigneuries joyeuses » des villes portent le nom d'une paroisse, le surnom de leur chef, font beaucoup de bruit, se provoquant les unes les autres, poussant des cris et multipliant les occasions de faire du désordre. Aussi les magistrats ne sont-ils pas toujours très patients, et interdisent rassemblements et provocations, notamment au moment du Carnaval où, couverts de peaux de bêtes, déguisés en loups et en ours, ils répandent la terreur sur leur passage, envahissant les maisons, troussant les filles et bousculant les femmes, suivant de très rituels scénarios de déchaînement, lointaines survivances de vieilles traditions ; mais ces jeux des adolescents annoncent déjà la fête.

Parmi les sociétés de jeunes, une place à part doit être faite aux groupes d'étudiants : assemblées de joyeux écoliers, héritiers des nations médiévales ou simples réunions de jeunes gens fréquentant le même collège, ou la même pension ; les associations professionnelles, qui mêlent adolescents et jeunes hommes, sont à la fois des institutions de travail et de divertissement : elles jouent assurément un grand rôle dans les villes universitaires, mais assez comparable à celui des sociétés de jeunesse ordinaires.

Cependant ces joyeuses abbayes ne sont pas seulement des réunions de jeunes désireux de s'amuser bruyamment lors des fêtes, des réceptions, et autres solennités ([212]). Dans certaines provinces du moins — en Savoie notamment — elles ont contribué à l'expansion de la Réforme : habileté des premiers protestants, qui se sont glissés dans ces assemblées juvéniles, pour répandre leur foi ? ou bien conflit de générations : pères catholiques et fils protestants ? ils en ont parfois pris la tête avec un tel succès que l'interdiction des sociétés a été prononcée ; ce qu'ordonne François Ier en 1538 : « que doresnavant en ce pays et aultres adjacens... soyt soubz coulleur des abbés que les enfans habitans des villes et villages ont accoustumé de faire ou par rayson d'aulcunes confrairies ne aultrement, l'on ayt à faire aulcunes assemblées, monopolles ou congrégations ; lesquelles abbayes et confrairies... abolissons et extirpons... » ([213]). La tradition des sociétés de jeunes gens ne s'est pas laissé abattre aussi facilement : elle a survécu à toutes les condamnations et interdictions jusqu'à la Révolution où la conscription lui donne avec un nouveau lustre, la précision de la classe d'âge et du conseil de révision. Mais les sociétés de conscrits n'ont pu connaître le rayonnement des abbayes d'antan; comme les fêtes, elles ont perdu pied, peu à peu, jusqu'à nos jours.

2. LES FÊTES

Aux XVIe et XVIIe siècles, les fêtes constituent de fortes manifestations de solidarité et les réunions de la collectivité, qui rythment l'existence paysanne ou urbaine, possèdent une vitalité qu'il est difficile d'imaginer aujourd'hui. Elles sont, en effet, une sorte de libération éphémère, un paroxysme de vie, dans un concours de peuple délivré pour quelques heures, ou quelques jours, du travail et des soucis quotidiens. C'est une exaltation que traduisent cris et gestes, chants et danses, et qui prend fin volontiers dans l'orgie et la violence. Règne licite de l'excès, des gestes et des actes interdits à l'ordinaire, la fête est une révélation d'un monde sans contrainte, où revit, dans la conscience collective sans doute et malgré la christianisation, le mythe de l'âge d'or et du chaos. Or ces festivités, qui ouvrent à chacun les portes d'un autre monde, sont une prise de contact inaccoutumée avec le reste du groupe ; elles laissent des souvenirs durables, souvent rappelés par la suite, dans la vie courante, comme de bons moments qui ne sauraient s'oublier.

Réparties au long de l'année, selon des calendriers très divers, les fêtes sont, dans leur déroulement et leurs thèmes, assez variées : les grandes fêtes, bien connues, des Innocents, de la Saint-Jean, se retrouvent sans doute partout. Mais, suivant patronages et traditions locales, une grande liberté prévaut dans chaque région. Les foires, même les plus modestes, ne s'achèvent pas sans quelque réjouissance, quelque bal, sur la vaste place même où se sont traitées les opérations commerciales. Le patron de la paroisse, le protecteur d'une confrérie, d'une corporation, ajoutent au calendrier leurs propres cérémonies, où la messe d'actions de grâce est suivie des divertissements organisés par les paroissiens ou les confrères ; mais fête de la paroisse ou fête des tisserands, la réjouissance est ouverte aux habitants des villages voisins, aux compagnons d'autres métiers...

L'exubérance de certaines grandes fêtes solennelles est bien connue ; la Fête des Innocents, au mois de janvier, donne lieu à de véritables excentricités dans certaines villes : à Tournai, les enfants de chœur et les vicaires de la cathédrale élisent un évêque des sots, le mènent au cabaret, où il est baptisé avec des seaux d'eau, puis le promènent à travers les rues, accompagné de flambeaux et des vicaires déguisés. La mascarade dure deux ou trois jours. A Dijon comme à Amiens, cette fête est célébrée avec beaucoup de faste. Dans la capitale de la Bourgogne, sous le nom de Mère Folle et de Compagnie des Gaillardons, elle est l'occasion de réjouissances qui ont été collationnées et commentées, au XVIIIe siècle ([214]). Pour la fête de l'âne, le jour de l'adoration des mages, on joue à la soule, on chante et danse dans les nefs des églises. La fête des fous est célébrée jusque dans les communautés religieuses : les Cordeliers d'Antibes, raconte Naudé, n'y manquent pas : « ni les religieux prêtres, ni le gardien ne vont au chœur ce jour-là. Les Frères laïcs, les Frères coupechou, qui vont à la quête, ceux qui travaillent à la cuisine, les marmitons, ceux qui font le jardin, occupent leurs places dans l'église... Ils se revêtent d'ornements sacerdotaux, mais tout déchirez s'ils en trouvent, et tournez à l'envers. Ils tiennent dans leurs mains des livres renversez et à rebours, où ils font semblant de lire avec des lunettes dont ils ont ôté le verre et auxquelles ils ont agencé des écorces d'orange... Dans cet équipage, ils ne chantent ni des hymnes, ni des psaumes, ni des messes à l'ordinaire, mais ils marmotent certains mots confus, et poussent des cris... » ([215]).

Le déguisement, la mascarade est aussi un trait marquant de ces réjouissances ; non seulement au moment du Carnaval, mais en bien d'autres occasions, un ou plusieurs personnages changent de visage grâce aux masques, au plâtre et aux peaux de bête, pour figurer saints ou démons : saint Nicolas en décembre dans son costume sacerdotal, sainte Lucie sous l'apparence d'une chèvre, les loups garous qui reviennent certaines nuits d'hiver, notamment entre la Noël et les Rois ; ces mêmes nuits où le sabbat réunit, loin des villages, sur quelque clairière écartée, sorciers et sorcières autour de Satan...

Sans nul doute enfin, nombre de ces fêtes représentent en partie une survivance de vieilles croyances et pratiques païennes, qui ont réussi à se maintenir sous une apparence de cérémonie chrétienne. Nul doute pour les feux de la

Saint-Jean ; ni même pour la coutume d'*Aguilanneuf* qui se maintient pendant tout le XVIIe siècle, dans le diocèse d'Angers par exemple, malgré les interdictions répétées des synodes. A longue échéance, la christianisation de rites païens est payante : pour le gui l'An neuf, il est surtout reproché, en 1595, aux jeunes gens d'employer l'argent recueilli par les quêtes « en banquets, yvrogneries et autres débauches ». Mais le souvenir des origines lointaines ne se perdant pas, dès la fin du moyen âge les autorités ecclésiastiques se sont souciées d'épurer ces fêtes, de leur interdire l'accès des églises, voire de les supprimer purement et simplement. Dès 1444, l'Université de Paris demande la suppression de la fête des fous : « La fête des Soudiacres, ou des fous, était un reste de paganisme ; une corruption damnable et pernicieuse, qui tendait au mépris visible de Dieu, des offices divins et de la dignité épiscopale ; et que ceux qui le faisaient, imitaient les Païens, violaient les canons des Conciles... » Après les attaques portées par les protestants, le Concile de Trente a accentué cette orientation ; avant même que les décrets du Concile ne soient reçus en France, des statuts synodaux révisés, des conciles provinciaux multiplient les interdictions : contre les mascarades de Carnaval, contre la fête des fous, contre les bals, théâtres et jeux pratiqués les dimanches et jours de fêtes religieuses ([216]).

Cette épuration réalisée par ce qu'il est convenu d'appeler la Contre-Réforme a surtout modifié les festivités qui se déroulaient à l'intérieur des églises, réduit le nombre de ces réjouissances annuelles, leur exubérance. Elle prend place dans cette imposante redéfinition disciplinaire que l'Église romaine s'est imposée pendant toute l'époque moderne, en France en particulier, et qui a été réalisée pour une large part contre la volonté des fidèles attachés aux pratiques traditionnelles, héritées du Moyen Age. Aussi bien, en milieu urbain, comme en milieu rural, les fêtes n'en sont pas moins restées des moments de libération collective et fraternelle nécessaires à la vie des communautés, moments fugitifs de solidarité efficace dans la joie ; aux lendemains desquels la vie quotidienne et ses noirs soucis dominait, à son tour, les esprits et les cœurs.

Conclusion à la deuxième partie

Au terme de cette exploration des encadrements sociaux dans lesquels se trouvent saisis les Français modernes, il nous plaît de souligner encore l'importance des contraintes collectives ; dès l'enfance, le petit Français né en 1510 ou en 1603 ne subit pas seulement l'empreinte de la société conjugale, qui aujourd'hui s'évertue essentiellement à ne pas faire sentir son autorité ; mais il est aussi soumis à un milieu familial large, où l'expérience des grands-parents pèse au moins aussi lourd que celle de ses ascendants immédiats. Plus tard, l'apprentissage — quel que soit le métier, depuis les armes pour le jeune noble, jusqu'à la profession artisanale la plus ordinaire — est une très longue initiation à un mode de vie, à des relations sociales qui vont jouer un rôle décisif dans son existence ; nul doute, cette école de la profession est rude, exigeante : nous connaissons les lamentations des apprentis humanistes, comme Rabelais et Montaigne, parce que ceux-là ont la plume facile ; nous n'avons pas d'aussi bons témoignages sur les apprentissages manuels, bien que la littérature de colportage compte un nombre respectable de lamentations, plaintes et complaintes d'apprentis boulangers, apothicaires, etc ; d'autre part les livres de raison trahissent parfois l'inquiétude de pères, soucieux de trouver pour leurs rejetons un maître qui ne pratique pas de trop rudes méthodes. Chose rare en ce temps. Quelques années plus tard, nous avons affaire à un adulte, membre d'une corporation, d'une communauté villageoise — membre d'une paroisse, homme d'un seigneur, ou bourgeois d'une ville libre, enfin sujet du roi de France. Inutile d'épiloguer longuement sur les contraintes, fiscales ou spirituelles, qu'impliquent ces dépendances multiples.

Il est certain également que, dès l'enfance, par l'intermédiaire du milieu familial, c'est l'ensemble des exigences sociales qui s'impose à l'homme, à travers les idées reçues, les prohibitions et les commandements consacrés par la tradition ; à la veillée, l'enfant somnolent entend d'une aïeule les récits des fantastiques méfaits de Merlin l'Enchanteur, des grandes chevauchées du Prince des Enfers ; dès son plus jeune âge, il a appris le *Benedicite* que son père récite avant de couper le pain et sait reconnaître toutes les valeurs mythiques attachées à cet acte important. L'ordre social s'impose à lui par les mille traits d'une éducation qui n'a pas beaucoup de caractères communs avec celle que nous distribuons aujourd'hui aux enfants du XXe siècle — mais qui n'en possède pas moins ses ordonnances et ses tabous.

La contrepartie d'une telle contrainte tient tout entière dans l'expression de *solidarités*, sous le signe desquelles nous avons placé tout cet encadrement social. Nous sommes certes très sensibles au poids de ces multiples encadrements, et à l'agressivité qu'ils encouragent. Le citoyen d'aujourd'hui, s'il s'insère dans la cité de façon aussi variée — et souvent plus variée qu'en ce temps-là — a l'impression de le faire avec une parfaite liberté, même lorsqu'il se contente de se conformer à une tradition, familiale ou professionnelle. Pour le Français du XVIe siècle, il en va autrement : la vie collective lui est nécessaire à chaque moment de son existence, de façon très quotidienne. La contrainte lui est donc moins lourde que nous pourrions le penser, car il est d'abord sensible à l'entraide que signifie l'appartenance au groupe, corporation, paroisse, ville, ou société de jeunesse. Cette sensibilité tient à des raisons variables, assurément, selon les groupes, et c'est ce point qu'il importe de souligner, à la fin de cette partie de notre démonstration. L'entraide paysanne est un fait de métier, de travaux collectifs ; les réunions de noblesse, à l'occasion d'une chasse, d'un tournoi, relèvent d'un sentiment de classe qui anime aussi bien les hobereaux de villages que les compagnons de Henri III en sa cour ; les assemblées des confréries, réunions corporatives et religieuses à la fois, où, après messe et procession, sont distribués des secours aux compagnons sans travail, constituent encore une autre forme d'entraide, plus complexe qu'une simple société de secours mutuels. Restent encore les solidarités inexprimées, celles qui se devinent entre les lignes d'un texte, et qui ont pesé très lourd. Lorsqu'une lettre d'intendant nous révèle le soin avec lequel des femmes en colère ont après l'émeute pris soin de jeter au fleuve les victimes d'une échauffourée, par exemple.

Stables ou non, les solidarités modernes constituent donc les cadres fondamentaux d'une vie collective intense, dans laquelle chaque personnalité prend forme et s'affirme ; l'homme isolé, au fond de sa tour d'ivoire, n'est pas concevable, à l'heure où chacun se sait entraîné, déterminé par les options de son groupe (Montaigne constitue l'exception qui ne laisse pas d'étonner) ; c'est évident pour les dissidents de toutes espèces, réformés des Cévennes ou de la Brie, robins en rupture de bourgeoisie au temps de Henri IV et de Louis XIII ; c'est vrai aussi partout où règne sans conteste le conformisme de groupe, à la cour et à la ville, au château ou à l'assemblée de village. Les milieux sociaux constituent le cadre essentiel de l'époque ; l'étude des activités va nous le prouver encore — s'il était nécessaire : leurs articulations recouvrent constamment celles que nous a présentées l'étude des groupes sociaux.

TROISIÈME PARTIE

Les types d'activités humaines

Troisième étape dans cette quête systématique des composants majeurs des mentalités modernes : les activités, c'est-à-dire les occupations qui, de jour en jour, absorbent l'essentiel de la vie humaine et impriment leur marque profonde sur les cerveaux et les cœurs. Aussi cette troisième recherche est-elle sans doute la plus importante, la plus complexe également, tant il est nécessaire de tenir le plus grand compte de toutes les formes d'activité, et pour cela de caractériser, de séparer, au moins pour le bon ordre de l'exposition, ce qui marque souvent simultanément les mêmes hommes : tous ont une occupation quotidienne principale — et tous sont, en même temps, pratiquants d'une forme de religion ; tous, le dimanche après-midi, s'adonnent à quelques honnêtes jeux ou divertissements. Le bourgeois qui place au-dessus de son dressoir, dans sa salle, un beau portrait à l'huile de son père, l'artisan qui, au fond de son échoppe, se plaît à regarder une de ces premières images de la Bible que la xylographie a répandues en France dès le XVe siècle, — l'un et l'autre sont des artistes, à leur façon, en usagers. Mettre en question les activités humaines, c'est à la fois tenir compte de ces imbrications inévitables en chaque personnalité et dégager des types dominants, compte tenu de la pratique moyenne (ainsi séparerons-nous, dans le domaine religieux, les prêtres des simples fidèles) ; compte tenu des professions, occupations majeures, préoccupations, auprès desquelles les « hobbies » sont de moindre intérêt. Par exemple il nous faudra distinguer, en ce qui concerne jeux et divertissements, les loisirs dominicaux de la plupart des hommes — et les distractions quotidiennes de ceux qui peuvent seulement se distraire sous peine de déroger...

Cela précisé, trois attitudes mentales semblent commander la classification qui s'impose à nous pour cette période moderne. Un premier domaine d'activités est constitué par les professions et occupations de chaque jour, au niveau de la vie la plus prosaïque : métiers manuels et métiers du commerce, au long cours ou à petit rayon, jeux et loisirs des cabarets, des brelans ou des grandes chasses ; déjà trois types d'hommes entrent en scène, que les humanistes désignent de beaux noms latins : *homo faber*, *homo lucrans*, *homo ludens*. Au delà de ces activités quotidiennes — en fonction même des idées reçues à l'époque — se situe le vaste monde si riche au XVIe siècle, des dépassements : artistes, humanistes, savants, philosophes ne sont certes pas des inconnus dans la France d'avant la Renaissance, mais les siècles médiévaux ne leur ont jamais reconnu l'importance qu'ils acquièrent aux temps modernes. Artistes et humanistes prennent place tout à côté des ecclésiastiques — et sur le même rang — dans l'animation de la vie spirituelle ; car l'espèce intellectuelle croît en nombre et en diversité, en poids social également — ce qui n'est pas sans influence sur cette hiérarchie des activités universellement admise.

Enfin, en dehors de ces créations prosaïques et de ces dépassements, se situent les évasions de ceux qui, d'une manière ou d'une autre, refusent le monde dans lequel ils vivent — et la place qui leur est faite : voyages, réels ou imaginaires, d'hommes obsédés par les nouveaux mondes inconnus et attirants, et de ceux qui hantent les clairières forestières en quête de sabbat, rêveries faciles de l'ivrogne au cabaret, enfin saut dans l'au-delà de ceux qui renoncent à la vie : à la limite de ces refus, la mort volontaire condamnée par Dieu et par les hommes...

Une telle analyse épuise-t-elle le champ des activités humaines ? dans ses types, sans doute. Dans l'infinie variété des métiers, et des caractères que façonnent ceux-ci, certainement pas. Mais une recherche au microscope n'est pas concevable dans ce domaine, pour ces siècles déjà lointains, en l'état de la documentation ([217]).

Chapitre premier

Activités prosaïques : les techniques manuelles

Regrouper sous un même type d'activité tous ceux qui travaillent de leurs mains peut paraître hasardeux : le paysan qui, chaque matin, scrute le ciel, hume l'air, prend contact avec la nature — et l'artisan penché sur son établi au fond de son échoppe empoussiérée semblent très dissemblables. Pourtant le propos se justifie assez bien pour qui considère moins le décor que les conditions du travail lui-même : dans l'un et l'autre cas, il s'agit d'une organisation collective ; dans les champs comme dans les ateliers se réunissent quelques hommes et femmes, qui transmettent « sur le tas » leurs procédés à leurs successeurs, enfants ou apprentis ; dans le même sens, joue le fait que — sauf les exceptions des moulins — l'outillage est essentiellement manuel, prolongeant la main et lui assurant l'efficacité d'un instrument de travail approprié à l'emploi, sans aucune différence de structure entre l'outil paysan : le fléau par exemple, et celui du compagnon : disons, le tailloir du cordonnier. Enfin, la polyvalence de la paysannerie qui fabrique elle-même une bonne partie de son outillage pendant les loisirs d'hiver, s'ajoute à ces deux raisons : tout paysan est maçon, charpentier, menuisier ; tout village possède ses artisans-paysans, tisserands, forgerons, charrons, corroyeurs, qui n'ont pas renoncé à quelques pièces de terre et fournissent — souvent contre paiement en nature — à leurs voisins les produits de leur atelier. C'est l'« industrie agricole », suivant l'expression encore courante au début du XIXe siècle ([218]). Sans doute ces trois raisons compteraient moins à la fin du XVIIe siècle, lorsque l'industrie des manufactures aura regroupé les artisans en ateliers importants, mettant en contact quotidien des dizaines de compagnons, réalisant les chaînes du travail manuel, créant un type ouvrier nouveau. Au début de ce siècle, la manufacture ne compte pratiquement pas.

Cependant le trait commun à tous les métiers manuels, qui légitime le plus fortement notre regroupement, est le caractère empirique du progrès technique : en ce domaine où la stagnation nous paraît la règle, tant les transformations sont de l'ordre du petit perfectionnement de détail, les temps modernes prolongent sans mutations notables le fécond moyen âge. Trois éléments d'explication sont là encore déterminants.

Les conditions de travail reposent sur l'habileté manuelle renforcée par l'esprit d'observation, expérimental, des hommes de métier ; les inventions sont toujours leur fait, en dehors de toute préoccupation scientifique ; les outils les plus compliqués, les mécanismes d'horlogerie des automates qui ont été la passion des villes médiévales, montrent à quel degré de raffinement a pu parvenir cette ingéniosité artisanale. Mais, en fait, il est peu d'outils qui soient une machine, au sens moderne du mot, fonctionnant seule sous le regard de l'ouvrier. Cette prédominance de l'empirisme se traduit de la façon la plus nette dans l'apprentissage : en tous métiers, il est très long, car il requiert la patience d'acquérir, musculairement, mille tours de main. C'est là se rendre maître d'un outillage d'autant plus exigeant qu'il est plus rudimentaire.

Le « métier » de l'artisan voit donc son importance renforcée par l'absence de ressources énergétiques à fort rendement : les moulins à vent captent une force changeante au seul bénéfice de la meunerie ; les moulins à eau, égrenés au long des rivières, et même des ruisseaux peuvent bien faire tourner des meules, actionner des marteaux : le champ d'application reste limité parce que l'eau motrice est mal domestiquée, malgré les canaux de dérivation, les retenues qui compensent à peu près les sécheresses, mais non les gelées. D'autre part, le combustible nécessaire aux forgerons, aux verriers, aux potiers, est fourni par les seules forêts, où s'installent petits fourneaux, fonderies et forges ; ainsi dans le Jura, sur le plateau de Langres et à travers toute la Normandie. Aussi bien, à la fin du XVIe siècle, les lamentations ne cessent, par toute la France, sur le manque de bois ([219]). La métallurgie est donc, bien que perfectionnée dans ses procédés de fabrication, incapable de production massive. C'est sans nul doute la principale raison pour laquelle l'outillage en fer reste d'emploi limité — et le perfectionnement de l'outil jusqu'à la machine, impossible : partout le bois reste le matériau de fabrication par excellence ; pour le matériel paysan, y compris bêches, herses, râteaux durcis au feu, bien sûr. Mais dans bien d'autres domaines on doit se passer de fer : Monconys visitant Londres au milieu du XVIIe siècle, note que toutes les roues de voitures sont en bois, sans jantes de fer.

Enfin les métiers manuels constituent, dans la hiérarchie des activités professionnelles, le corps inférieur ([220]). Malgré l'attention portée aux « métiers mécanicques » et à leur progrès par quelques « maîtres » de différentes corporations, malgré la prédilection de certains ordres religieux comme les Cisterciens pour le travail des mains ([221]), celui-ci n'en reste pas moins relégué dans un mépris humiliant. D'une part, le préjugé nobiliaire implique sans doute l'infériorité de ceux qui ont à œuvrer de leurs mains pour assurer leur existence ; d'autre part, les humanistes ont accueilli avec faveur — influencés assurément par ce lourd préjugé — les écrits de l'Antiquité, Aristote et tant d'autres, affirmant que le travail est chose d'esclave et ravale celui qui s'y adonne au dernier rang de la société ; et aussi les écrits séparant totalement science et technique. Ainsi les emplois manuels ne peuvent attirer l'intérêt, même de ceux comme les nobles qui tirent bénéfice de certains travaux. L'isolement de la gent mécanique, sans contacts avec les savants au siècle où Léonard de Vinci dessine dans ses cahiers des schémas de machines, dont aucune n'est réalisée, est évident.

Toutes ces conditions réunies font que le travail manuel

vit replié sur lui-même, enfermé dans un empirisme qui n'exclut pas de très belles réussites ; un forgeron fabrique aussi bien une bombarde qu'une simple grille ; il est courant de voir les échevins commander leur artillerie aux artisans de la ville, les mêmes ateliers fournissant armes et munitions. Mais le fait important, ici, est que le milieu manuel soit contraint à la progression sporadique des améliorations de détail, des coups de main, dont la diffusion se réalise au hasard des migrations de compagnons, des déplacements saisonniers qui sont la règle de certains métiers. Cette stagnation technique est lourde de signification sur le plan des mentalités ; elle se traduit par une dépendance étroite à l'égard des pratiques transmises de génération en génération, par une contrainte pesante dans l'imitation des styles, des méthodes. Psychologiquement, cette contrainte est facteur de routine indéfiniment perpétuée, constituant un monde fermé de formes et de règles, quelles que soient par ailleurs les joies éprouvées à la réalisation du chef-d'œuvre et à la finition d'un objet patiemment fabriqué.

Cependant, s'il est vrai que, dans l'ensemble, le travail manuel, dominé par la lourde contrainte d'une routine aux mutations courtes et lentes, crée des êtres repliés sur les horizons mêmes du métier, il convient de distinguer le paysan artisan des campagnes, et l'artisan urbain. L'un et l'autre sont asservis à ces traditions de travail ; pourtant l'innovation agricole paraît plus handicapée encore que celle de l'artisan urbain ; pensons à la lenteur avec laquelle se sont adaptées les plantes américaines du XVIe au XVIIIe siècle ; elle passe bien en durée la progression de l'imprimerie du XVe au XVIe siècle.

1. TECHNIQUES PAYSANNES

La « sagesse rustique » nous paraît d'une rigueur contraignante sans pareille, qui fait du « pauvre peuple des champs » — cette grande majorité des Français — une sorte de robot agricole. Cette rigueur tient, à notre gré, à trois causes principales.

Le travail rural est toujours un travail collectif ([222]). Ainsi la soumission à la règle du groupe se trouve totale, et sans recours valable. Cette vie communautaire présente plusieurs formes d'astreinte, qui sont cumulatives : la division des terroirs en soles et la participation obligatoire au plan commun suppriment toute initiative dans le choix des assolements. Seul le jardin derrière la maison peut permettre à cet égard quelque expérimentation individuelle, mais sur un petit espace, et sans moyen de généraliser l'expérience avant d'avoir convaincu toute la communauté. Le faible rendement du matériel de travail — araires, faucilles, fléaux, etc. — en même temps que les effectifs insuffisants du cheptel rendent nécessaire l'entraide d'exploitant à exploitant, que les traditions ont depuis des siècles consacrée ; ainsi toutes les pratiques courantes, des semailles à la moisson et aux vendanges, se trouvent exercées suivant une norme immuable : hauteur des javelles, utilisation des semences, entretien de l'outillage, rien n'y peut échapper. Enfin, parachevant cette contrainte communautaire, la stabilité de la société domestique contribue à renforcer la tradition de tout le prestige familial de l'âge : parents et surtout grands-parents inculquent au jeune paysan le respect des méthodes éprouvées, le maniement de l'outillage, en même temps que la connaissance des hommes. Les pratiques culturales sont donc nécessairement des stéréotypes immuables, établis sur une connaissance empirique ancestrale des sols, des plantes et des bêtes, et transmis de façon fort rigide, de génération en génération.

Le régime seigneurial est, à sa façon, un facteur de stagnation technique. Le grand progrès médiéval que constitue l'utilisation de l'énergie hydraulique a été accaparé, non sans habileté, par les seigneurs ; propriétaires des rivières, ou simplement constructeurs — avec les corvées de leurs paysans — des moulins, foulons, pressoirs, qui représentent des réalisations nettement au-dessus des moyens du petit exploitant, sinon des réalisations communautaires : les châtelains ont « banalisé » cet outillage. La multiplication des banalités, le poids très lourd des redevances en nature attachées à ces services [223], n'ont pas manqué d'encourager la conservation et l'utilisation familiale d'un outillage plus ancien, mais individualisé, et échappant à la taxation seigneuriale : mortiers à écraser les grains, pressoirs à main par exemple.

Enfin, la vie paysanne, aux prises avec les caprices climatiques, hantée par la crainte des calamités variées qui, à longueur d'années, peuvent venir compromettre les récoltes, conjure ces menaces par l'observance de véritables rites agricoles, où se trouvent mêlées une observation empirique très sûre des micro-climats locaux, une masse énorme de superstitions à caractère de prédictions (du type : s'il tonne en avril, prépare tes barils), et des pratiques religieuses de conjuration, avec processions, prières, messes destinées à aider la pluie, le soleil, éloigner le gel ou l'orage, etc. Cette observation inquiète des ciels et cette soumission aux saisons achèvent de donner à la vie quotidienne l'aspect d'une contrainte de chaque instant ([224]). Mal armé pour mettre au point la technique de domination de la nature, la plus difficile qui soit, le paysan de cette époque se trouve ainsi subir les traditions les plus pesantes.

Le témoignage de cette dépendance paysanne se retrouve partout : dans les premiers almanachs ([225]) qui, au XVIIe siècle, à Troyes ou ailleurs, constituent le répertoire mois après mois, de ces prescriptions et obligations ; dans leurs ouvrages, les premiers amateurs éclairés qui, au début du XVIIe siècle, publient leurs « Théâtres d'agriculture », ne peuvent manquer de faire une large part à cet acquis et conservent aussi bien les conseils judicieux (pour faire du bon beurre, utiliser des ustensiles très propres) que des pratiques plus douteuses (si le beurre tarde à prendre dans la baratte, y mettre une pièce d'argent). Marc Bloch, dans sa présentation de l'exposition Olivier de Serres, en 1939, soulignait dès la première page que son auteur ne saurait s'écarter de l'usage : « S'en détourner que le moins qu'on peut et avec de grandes considérations » ; et que toute l'exposition avait pour fonds « les empiriques travaux et les humbles jours de ces rustres qu'il [O. de Serres] n'avait pas dédaignés et dont il a beaucoup appris » ([226]). De même, les mille recettes impératives des livres de raison donnent la même impression de continuité assumée.

Sans doute, pendant les mois d'hiver, les coupes de bois faites et les derniers battages sur l'aire achevés, le paysan se fait menuisier, maçon, tisserand, potier ; mais cette activité d'appoint aux techniques non moins simples, n'atténue pas vraiment la dépendance paysanne, car une bonne part de ces occupations secondaires qui viennent en complément du travail paysan (tout ce qui est entretien de sa maison, de l'outillage), ne vise que la communauté villageoise et constitue une autre routine. Il faut aller à la ville, et trouver l'artisan dans son échoppe, pour rencontrer un autre type de travailleur manuel.

2. MÉTIERS URBAINS

L'artisanat urbain subit moins de contraintes que la vie paysanne : les variations climatiques ne jouent pas de rôle décisif, malgré les entraves dues à la sécheresse, ou aux gels ; seules les jurandes codifiant les carrières des apprentis et compagnons, réglementant la production et sa commercialisation, jouent un rôle assez comparable à celui de la collectivité paysanne. Aussi bien est-il facile de constater la stabilité de l'équipement du forgeron, du tisserand, de la fin du moyen âge au XVIIIe siècle. Mais l'ouverture sur un marché plus vaste, celui du grand commerce, donne à l'artisanat des villes une plus grande initiative. La meilleure illustration en est donnée par les débuts des manufactures au XVIe et au XVIIe siècle.

A la fin du XVe siècle, les artisans des villes travaillent soit en petits ateliers familiaux groupant au plus une dizaine de compagnons et apprentis autour du maître, soit en chambre, sur commande de fabricants qui fournissent parfois une partie de l'outillage ; le travail des métaux, les métiers du feu sont organisés suivent le premier modèle, le textile s'accommode beaucoup mieux du second. Ateliers et chambrelans perpétuent d'ailleurs, avec la même rigidité, les procédés techniques transmis des compagnons aux apprentis, dans les ateliers.

Sans doute cette rigidité n'est-elle pas totale ; les progrès de la commercialisation au XVIe siècle ont stimulé la construction de nouveaux métiers dans le textile surtout, où marchands drapiers et soyeux ont organisé des réseaux de production à leur avantage et contribué à diffuser les procédés techniques, parfois importés de l'étranger, d'Italie notamment. Un marchand de drap fait fortune le jour où il innove un détail de fabrication, une nouvelle largeur de tissage, un procédé de teinture ou de blanchiment : ainsi les Danse de Beauvais au XVIIe siècle ([227]). Même dans ces métiers du textile, où la novation paraît plus aisée, la création d'un nouvel instrument est une initiative qu'il est question de protéger, à la fin du XVIe siècle, par une réglementation qui annonce les brevets d'invention ([228]).

Mais c'est l'imprimerie (sinon les autres industries nouvelles, poudre à canon, etc.), aux XVe-XVIe siècles, qui est venue apporter quelque perturbation dans cette organisation, en introduisant, par nécessité technique, l'atelier où les travaux diversifiés s'enchaînent dans un ordre nécessaire, avec un outillage coûteux, très différencié, de la préparation des caractères à la reliure du livre. Chaque imprimeur dirige ainsi une chaîne, alors que les métiers traditionnels confient au même ouvrier la fabrication d'une brouette, d'une selle ou d'une pièce de drap.

A leur image, les premières manufactures, textiles notamment, constituent le regroupement, par des entrepreneurs audacieux, d'artisans appartenant à des métiers différents (filateurs, tisserands, teinturiers, essentiellement) — en un seul atelier ; c'est une juxtaposition de métiers, qui ne modifient en rien leurs techniques. L'avantage est dans la coordination des travaux, dans la localisation d'opérations successives sur un même lieu ; mais jusqu'à l'emploi de nouvelles sources d'énergie — c'est-à-dire jusqu'au XIXe siècle avec la vapeur — les méthodes de travail ne se trouvent pas fondamentalement modifiées ([229]). La concentration horizontale de l'industrie artisanale n'a pas été un facteur de progrès technique, c'est d'abord une opération de commerçant.

Assurément la transmission de tours de main et de procédés techniques qui se fait depuis le haut moyen âge par les ouvriers migrants, de ville en ville, sans souci de frontières, s'est trouvée limitée, gênée partout où les manufactures se sont imposées ; avec elles naît le secret industriel, qui porte longtemps sur des détails, comme la composition des teintures. Montchrestien qui prône la manufacture y voit aussi l'avantage de former plus efficacement la main-d'œuvre.

Cependant l'artisanat urbain possède une fenêtre ouverte sur le monde des affaires qui donne à ses maîtres et compagnons une participation active au mouvement économique : il est précisément très remarquable que l'ouverture de nouveaux marchés au XVIe siècle, l'accélération des commandes, ne constituent pas le stimulant du progrès technique que l'on pourrait attendre : la demande accrue en toiles et draps signifie la construction de nouveaux métiers, l'embauche de compagnons... et surtout la hausse des prix. Les « lois de l'économie de marché » peuvent jouer d'autant plus aisément que la production artisanale n'a pratiquement pas de mobilité technologique. Renversons la proposition : les hausses de prix du XVIe siècle témoignent, par leur vigueur même, de l'absence de souplesse technique du secteur artisanal ([230]).

Mais dans ces métiers, qui pratiquement travaillent sur commande — la vente courante de l'échoppe est insignifiante, même dans les métiers textiles — le coup de fouet économique du long XVIe siècle est l'occasion de bénéfices substantiels thésaurisés ou dépensés en biens de consommation, plus que réinvestis ; pour les compagnons, la hausse des salaires accompagne, avec quelque retard, la consolidation financière des maîtres et des premiers manufacturiers. Mais nous retrouvons là, précisée sur le plan professionnel, l'opposition si forte en ce temps-là entre villes et campagnes.

La stabilité des techniques reste donc finalement le trait dominant de tous ces métiers manuels : les exercer — quelle que soit finalement la spécialisation — c'est se soumettre à un ensemble de pratiques étroitement codifiées par la coutume corporative, c'est subir une exigeante règle non écrite ; les tours de main enseignés aux apprentis pendant de longues années en sont le meilleur témoignage. Il n'est de bon compagnon, qu'au prix de cette éducation des muscles et des sens, qui s'acquiert par l'imitation des plus anciens. Enfin, pour beaucoup de ces hommes même, cette soumission absolue au métier n'est pas sans évoquer la « macule servile », si nous en croyons le mépris hostile dans lequel sont tenus les manuels dans les villes dès le XIVe siècle.

Chapitre II

Activités prosaïques : l'argent et l'esprit capitaliste

Les hommes qui vivent de l'argent : cette minorité qui prépare et annonce les plus brillantes réussites des XVIIIe et XIXe siècles, et qu'anime une mentalité en grande partie nouvelle, n'est pas facile à saisir ; les contemporains sont encore trop attachés aux centres d'intérêts médiévaux, partant plus attentifs aux fastes nobiliaires et à la vie religieuse qu'à la fortune des banquiers et marchands. Aussi bien le vocabulaire manque et son défaut est trop sensible pour n'être pas souligné : ni capitalisme, ce mot du XXe siècle, ni capitaliste, ce mot du XVIIIe, ne peuvent aider à préciser les notions nouvelles que suscite l'essor de la richesse mobilière ; lentement au long des XVIe et XVIIe siècles, les seuls mots concrets précisent leur sens : en 1595, Henri IV crée les courtiers de change, qui prennent en 1639 le titre d'agents de banque et de change, et en 1723 reçoivent leur nom actuel d'agents de change... De même actions, billets de banque, valeurs, capital apparaissent peu à peu, passant de la langue des usagers, c'est-à-dire des lettres marchandes, dans l'usage commun. Autre signe enfin de cette lenteur d'adaptation de la mentalité courante : la notion de richesse reste, à l'époque, essentiellement attachée à la terre, à la fortune immobilière, sans doute parce qu'elle fournit des rentes ou des produits, mais surtout parce qu'elle donne des droits sur des hommes, et procure par là un rang dans la société. Il n'est pas d'exemple de banquier ou de marchand du XVIe siècle qui ne se soit soucié de convertir, au moins en partie, en biens fonds le pécule amassé dans le grand commerce. Plus même que d'absence d'intérêt, c'est de méfiance qu'il faut parler : tout un lot d'idées reçues, d'hostilité entretenue par une solide tradition religieuse joue encore dans ce sens, à l'heure où les trésors d'Amérique donnent au commerce européen un coup de fouet sans précédent.

C'est donc essentiellement dans les réussites commerciales — et bancaires — de l'époque qu'il faut rechercher les signes de la mentalité nouvelle ; elle n'a pas encore eu le temps de faire école, de modeler à son image, de nourrir de ses concepts, la mentalité commune. Au contraire, elle nous paraît inhibée, contrariée, en quelque sorte, par tous les freins qui, hérités de traditions solides, viennent jouer contre elle : faire fortune en achetant des épices à Lisbonne pour les revendre à Rouen et Paris, est une réussite marchande ordinaire ; investir cet argent dans l'achat d'un château lourdement hypothéqué par son propriétaire noble, c'est subir une de ces tentations anté-capitalistes ; de même un frein joue dans le schéma bien connu, qui voit à une génération d' « entrepreneurs », de grands marchands bien placés à Medina del Campo, à Séville et à Lyon, succéder des fils qui renoncent au commerce et à ses beaux bénéfices, et se contentent de manger les fonds accumulés. Gagner pour thésauriser, collectionner les belles pièces jaunes et blanches, n'est point non plus signe de l'esprit capitaliste : pour celui-ci, amasser n'a de sens que pour réinvestir immédiatement les gains, et les faire produire à nouveau, sans délais, sinon sans risques. La richesse crée de la richesse à nouveau, l'accumulation de capitaux offrant sans cesse des initiatives nouvelles à l'esprit d'entreprise.

Semblables conceptions ne datent assurément pas du XVIe siècle : la « révolution des prix » en a favorisé la diffusion. Remarquable exemple de la lenteur avec laquelle s'opèrent les mutations de mentalité, les freins ont largement contrebalancé l'impulsion donnée à l'initiative capitaliste par l'accélération et la multiplication des échanges : pour un écrit comme le *Discours œconomique* de M. Le Choyselat, « monstrant comme de cinq cents livres pour une foys employés, l'on peult tirer par an quatre mil cinq cents livres de proffict honneste » ([231]), qui exprime un esprit capitaliste parfaitement moderne, mille autres sont des traités de l'économie domaniale traditionnelle, qui vantent les sûrs profits de la rente foncière... Encore faut-il souligner que l'opposition richesse immobilière — mobilière est un bon critère, à condition de bien voir que le profit foncier n'est pas négligeable ; mais le réinvestissement rural, qui signifierait accumulation de profits et capitalisme, est d'autant plus difficile que les structures sociales et techniques s'y opposent, nous venons de le voir.

I. MÉFIANCES ET MALFORMATIONS

Il n'y a pas d'essor du grand commerce sans quelque confiance dans la parole donnée, la lettre, le papier transmis par un facteur. Mentalement, c'est un monde nouveau face auquel les sécurités anciennes de l'économie de suffisance n'ont cessé d'opposer leur supériorité de valeurs reconnues, partout admises ; faire des cadeaux de noces en nature, doter de la même façon demeurant une pratique courante dans toutes les classes. Voici à Toulon, au milieu du XVIe siècle, un noble qui dote son cadet voué à la prêtrise : une planche de jardin, une vigne, un petit verger d'oliviers pour son huile, une maison en ruines que l'aîné devra remettre à neuf ; le testament du père a tout prévu pour faire de son fils un anachorète ([232]). De même la charité : le pauvre est nourri, habillé, entretenu dans la maison même du bourgeois compatissant, parfois jusqu'à sa mort. Ces pratiques expriment négativement la répugnance pour la manipulation fréquente des espèces monétaires, ce *b a, ba* du commerce ([233]).

De même sens paraît l'utilisation du notaire dès qu'un acte économiquement important s'impose ; même le bourgeois qui tient son livre de raison et connaît fort bien le droit et les lois, ne se dispense pas du notaire. Pour son testament bien sûr, mais aussi pour acheter une paire de mulets, pour embaucher un domestique. C'est le reflet d'une certaine timidité prudente devant l'acte commercial, porte d'entrée dans un monde dangereux d'insécurité.

La fréquence avec laquelle les livres de raison s'ébahissent devant les fortes et rapides variations de prix témoigne encore dans ce sens ; les spéculateurs sur les produits alimentaires tirent parti du moindre orage, avec une audace qui est bien propre à inquiéter : « En la semaine sainte (1538), écrit un bourgeois de Paris, la bise courut si froide et impétueuse qu'elle gela entièrement les vignes déjà fort avancées... pourquoy le vin, qui ne valait que 8 francs, fut vendu le lendemain 15 et tôt après 20 francs la queue. »

Assurément, tous ces signes de répulsion face à la vie commerciale pourraient être le fait des seuls groupes restés attachés à des pratiques primitives d'échanges de biens et de services : en gros, les classes paysannes et les rentiers du sol. Qu'ils se retrouvent exprimés par des habitants de la ville et, finalement, par toutes les classes sociales, c'est l'expression d'une réalité autre que la prédominance de fait d'une économie à court rayon d'échanges, qui reçoit très amorties les pulsations de l'économie mondiale.

Mais à la force de l'accoutumance s'ajoutent les préventions d'origine religieuse appliquées à la vie marchande : le riche est condamné par l'Évangile ([234]) ; et surtout, depuis des siècles que la vie commerciale a repris vigueur en Europe, les théologiens persistent à condamner la pratique du prêt à intérêt : *pecunia pecuniam non parit*, la sentence est courante qui recouvre maintes formules plus violentes que cet adage latin ; par exemple : « Non seulement de simples laïques mais des clercs et même des professeurs de théologie se souillent d'un vice si flagrant, et dans leur aveuglement excusent et défendent sans vergogne l'exécrable usure. »

Déjà saint Thomas avait cherché une sorte de conciliation en recommandant de n'user du commerce qu'avec modération, en limitant le bénéfice du marchand aux gains nécessaires pour l'entretien de sa maison et les aumônes, en autorisant le prêt à intérêt dans la mesure où celui-ci se justifie par un tort effectif causé au créancier. Mais les sentences et plaintes des théologiens, semées de citations testamentaires ([235]), n'empêchent pas la pratique courante, du prêt à intérêt à un taux abusif, c'est-à-dire de l'usure ;

c'est une des sources principales de la fortune aux XVIe et XVIIe siècles, enrichissant aussi bien le seigneur qui prête à son paysan un muid de grain après une mauvaise récolte que le bourgeois soucieux de bons placements pour ses capitaux. Ainsi voit-on en 1559-1560 les échevins d'Amiens refuser à deux banquiers piémontais le droit de s'installer dans la ville pour faire « prest et bailler argent et finance moyennant quelque gain honneste et prouffict raisonnable » : concurrence inquiétante qui risquait de diminuer les profits des plus riches bourgeois de la ville.

Le prêt à intérêt n'est donc pas autorisé ([236]), mais il se pratique à grande échelle ([237]) ; le métier de marchand reste entaché d'une mésestime d'origine religieuse, bien que les marchands constituent l'armature économique et sociale de la vie urbaine. En cela, les débuts de l'époque moderne n'innovent guère : ces forces hostiles au capitalisme sont toujours vivaces, assurément. Lorsque l'essor du long XVIe siècle donne à la fortune mobilière une promotion sans précédent, le réveil religieux des années 1580 à 1640 se fait dans une large mesure sous l'impulsion des différentes familles franciscaines, Cordeliers, Capucins, Minimes, Clarisses, qui magnifient le vieil idéal de saint François d'Assise, ce marchand qui abandonna commerce et fortune : la pauvreté. Réveillant les scrupules des riches, encourageant les donations et fondations religieuses, les disciples de saint François maintiennent la tradition idéale d'une Église faite par et pour les pauvres, que satisfait le pain de chaque jour.

2. MÉTHODES CAPITALISTES

Reconstituer la vie du marchand de l'époque, ce voyageur qui aime les déplacements et les risques, offre assurément à la réflexion un contraste solide avec la vie paysanne ; le suivre de place en place, traitant avec un banquier une lettre de change discutée, transportant à grand-peine 1 500 livres dans une charrette pour un paiement urgent, négociant une rente sur l'Hôtel de Ville de sa cité, cela ne manque pas d'intérêt ; mais peut faire illusion ([238]). Car pour qui cherche à délimiter un tour d'esprit, les écueils

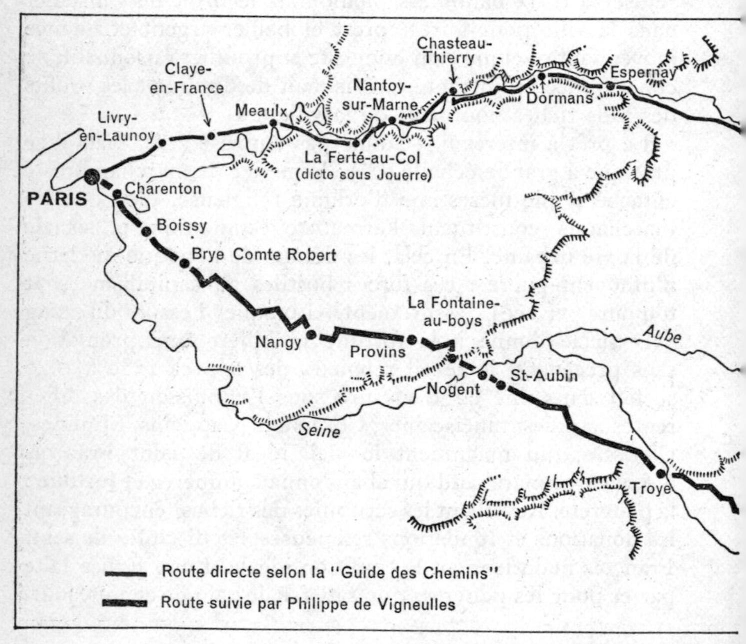

Carte nº 7 : Itinéraire prudent
Le détour de Philippe de Vigneulles, revenant du

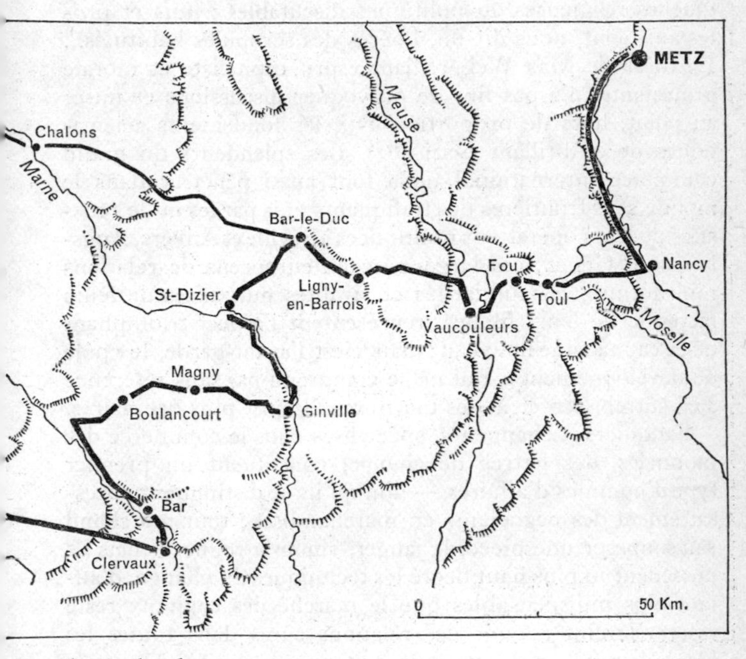

du petit marchand :
Lendit à Metz en 1515, pour éviter les brigands.

sont multiples : ainsi le désir de gagner n'explique rien, car il n'est pas propre à ce temps, où d'énormes gains sont si fréquents. A suivre certaines ordonnances, qui s'en prennent aux manieurs d'argent étrangers, banquiers italiens ou allemands, le tableau risque de se nuancer de touches religieuses ou politiques discutables : juifs et protestants sont, nous dit-on, libérés des scrupules habituels... La thèse de Max Weber, liant esprit capitaliste et morale protestante, n'a pas fini de provoquer discussions et mises au point, hors de proportion avec les fondements scientifiques de ce brillant essai ([239]). Les splendeurs du grand commerce international nous font aussi pénétrer dans le monde sans frontières des trafiquants unis par les mille réussites de leurs opérations multipliées à Séville et Anvers, Augsbourg et Gênes ; ces larges réseaux européens de relations multiformes, les solidarités et rivalités puissantes de leurs facteurs, de leurs filiales, représentent l'aspect triomphant de ce capitalisme nouveau ; mais c'est l'avant-garde, le « pôle de développement », qui ne se comprend pas sans référence aux entreprises et à des tournures d'esprit plus ordinaires.

Banquiers et changeurs, spécialisés dans le commerce des monnaies, des lettres de change, constituent un premier type d'hommes d'affaires — non qu'ils se distinguent nécessairement des négociants en marchandises ; tout marchand sait soupeser une pièce, la jauger, sinon la rogner ; mais ils possèdent au plus haut degré les techniques du change, d'autant plus indispensables que le marché des capitaux reste assez restreint : avoir des relations sûres dans toutes les places européennes est pour eux une nécessité. Manquer d'un correspondant à Constantinople ou Venise, c'est se trouver dans l'embarras avec une lettre de quelques milliers de livres qui doit y être payée. Banque et change sont donc toujours internationaux : les besoins de la Curie romaine, des princes, en ont favorisé l'essor médiéval au moins autant que les nécessités des échanges florentins. Au XVIe siècle, alors que le commerce sévillan, tout comme la politique de Philippe II, crée de nouveaux courants de trafic, les banquiers italiens, florentins et génois, allemands, ne cessent d'étendre leurs relais à travers l'Europe, et la France ;

ainsi la banque de Lyon, dès la fin du XVe siècle, est un réservoir de capitaux et une place d'arbitrage, qui finance les guerres d'Italie. Pour ces maîtres des opérations internationales, il n'est pas de règles fixes de conduite en dehors du respect des signatures ; la variété des monnaies françaises réelles, leurs variations à chaque manipulation royale les gênent-ils ? ils créent une monnaie de compte nouvelle, l'écu de marc, à 65 écus au marc, qui doit servir à calculer le change de Lyon sur les principales places d'Europe, et à régler les arbitrages. Étrangers, ils se font naturaliser suivant leur avantage : l'allemand Kleberger, ancien facteur des Imhof, se fait bernois ; un peu plus tard, si les circonstances y prêtent, ils peuvent aussi bien devenir français... Ce n'est donc pas hasard, si, en 1547, la ville de Rouen demande au roi un « change, estrade ou bourse » avec « semblables privilèges dont ont acoustumé jouyr les marchands fréquentans la ville... de Lyon » ([240]). Même si les manieurs d'argent et de lettres passent le plus clair de leur temps à spéculer sur les « nouvelles », sur les différences de cours entre Anvers et Lyon, leur présence est d'un grand secours pour les simples marchands, et une belle fortune pour la ville qui les héberge. Emprunts, assurances, rentes, voire loteries, il n'est pas de ressources du trafic de papier et de monnaies dont n'usent ces pionniers du capitalisme moderne, qui ont souvent par ailleurs une activité marchande spécialisée, parfois un monopole, tels les Du Peyrat de Lyon. Les doléances des marchands lyonnais présentées aux États généraux de Blois en 1576 méritent d'être citées, tant elles expriment clairement les ambitions et les besoins de ces entrepreneurs : « la vraie mine d'or et d'argent de ce royaume gît principalement au commerce et trafic de marchandise... Les étrangers ont délaissé de peu à peu de trafficquer en cedit royaume se retirant ès villes d'Anvers, Genève, Francfort... parce que le commerce y est franc et libre » ([241]).

*

Mais ils côtoient, dans la ville même, mille pratiques moins audacieuses ; ce contraste a été maintes fois souligné : non seulement de pénibles transferts de fonds en charrettes ou à cheval, mais même le troc, laine contre poisson, vin contre soie. Le marchand, qui va d'une foire à l'autre, achète aussi bien un quartaut de malvoisie qu'une pièce de drap, n'est pas un prince du commerce international, mais c'est un grand voyageur, toujours en chemin, aimant l'aventure, ses beaux profits et ses risques, trafiquant de tout au hasard des rencontres et des bénéfices offerts, passant des peaux, des beurres, des grains raflés dans quelques greniers — aux toiles et aux draps, puis aux épices. Homme de main, le moyen trafiquant est essentiellement un spéculateur : il joue à l'enchérissement des denrées alimentaires après une mauvaise récolte, il tire parti d'un flux de commandes sur une place portuaire, à Rouen ou à Marseille, misant sur l'exportation de ces toiles, du sel, des vins français qui sont très demandés à l'étranger. Enfin, entre deux grosses opérations commerciales, pendant le répit hivernal notamment, il joue sur l'argent, prête à d'autres marchands — notamment aux armateurs qui manquent toujours de fonds — ou à des artisans, des laboureurs ; au roi lui-même, qui ne cesse d'emprunter à des taux élevés. Et sans nul doute les risques sont-ils en tous ces domaines de grande taille : banqueroutes royales, conversions de monnaies, mais aussi naufrages, attaques des bandits ([242]) sur les routes, des corsaires sur mer, procès des créditeurs spoliés par des rentes aux taux très lourds ; le marchand moyen est loin de gagner à coup sûr, il n'a pas la sécurité des grands hommes d'affaires, qui agissent sur trois ou quatre plans à la fois ; il tient son rôle comme une gageure. Savary le dira encore à la fin du XVIIe siècle : le commerçant est un homme robuste qui ne craint pas les voyages, parle plusieurs langues, sait aussi bien faire des ballots que reconnaître poids, mesures, monnaies, sait enfin vendre au juste prix. Car ce *parfait négociant* ([243]) n'est pas sans présenter des traits anté-capitalistes qui survivent largement à côté d'expressions beaucoup plus neuves : Savary affirme, par exemple, que l'exercice régulier d'une profession commerciale doit procurer de quoi vivre selon son état sans plus ([244])...

Après le marchand-négociant, une place peut être faite

au marchand qui met un outillage à la disposition de l'artisan, lui fournit des avances en matières premières, voire en argent, salarie son travail et reçoit les produits fabriqués : il se charge des opérations commerciales, achats et ventes, et laisse à l'artisan la seule mise en œuvre. C'est le fait d'entrepreneurs du textile, à Lyon, à Beauvais, à Rouen, à Paris ([245]) ; le monopole de « traficquer » une production sûre, facilement contrôlée, fait de ces marchands les premiers manufacturiers ; prudents organisateurs du travail artisanal, les marchands-fabricants sont nécessairement attachés à leur ville — à leur petite région de production. Moins itinérants, moins aventuriers, au meilleur sens du mot, ils sont étroitement spécialisés — et voient le trafic à travers les relais des négociants, et en partie dans leur dépendance.

Participent encore à cet état d'esprit d'entreprise, de gains hardiment accumulés, quantité de petites gens de la finance et du commerce, un peu comme aujourd'hui maints employés de banque boursicotent leurs quatre sous d'économies, jouant pétroles ou cuivres. Aux XVIe et XVIIe siècles, ce sont les regrattiers, rabatteurs de marchands, les rogneurs qui liment les pièces trop lourdes, et fondent en lingots l'or et l'argent frauduleusement récupérés, tous les petits métiers à l'ombre des grands, attentifs cependant aux nouvelles du monde : l'arrivée d'un bateau et l'annonce d'une banqueroute. Gagne-petit assurément, mais étroitement liés à la vie commerciale, fort capables au demeurant, au temps des grandes fortunes américaines, de prendre rang, à leur tour, parmi les marchands et, plus tard, parmi les financiers — quitte à finir comme Semblançay. Car c'est un trait propre à la société marchande : confusément au moins, chacun, malgré Savary, peut se sentir capable de tenir un jour le premier rang.

Cependant liberté d'allures, relations internationales, indépendance matérielle, esprit d'entreprise, promotion continue ne suffisent pas à caractériser les milieux précapitalistes. Il s'ajoute à leurs réussites quotidiennes — qui confinent parfois au scandale — le sentiment d'une supériorité nouvelle, que la conjoncture du XVIe siècle exaspère : les Briçonnet, les Du Peyrat, les Assézat, ces très grands noms, ne sont pas là seuls en question ; mais les marchands très ordinaires qui ont amassé quelques 10 000 livres de rentes, sont désormais les égaux des nobles de leur province, ont autant de revenus que le commendataire d'un évêché moyen, ou d'une belle abbaye. Cette promotion sociale leur est évidemment sensible : amateurs de beaux livres, de tableaux, acheteurs de châteaux ruinés ou fondateurs de nouveaux couvents, peu importe ; cette richesse, plus ou moins capitaliste, n'a qu'une façon de s'affirmer : l'insolence. Au XVIIe siècle, les indignations bien connues des familles à forte assise terrienne contre les fortunes financières en constituent comme la contrepartie.

3. CONJONCTURE ET PENSÉE ÉCONOMIQUE

Comment la France a tiré parti des trésors d'Amérique — ou plutôt comment ceux-ci se sont répandus sur toute l'Europe à partir de Séville, ce n'est pas le lieu de le décrire ; les contemporains eux-mêmes, Bodin comme Montchrestien, ont été frappés par ces mécanismes qui inondaient la France de doublons et de réaux : l'Espagne ne peut se passer de nous, répètent-ils à l'envi ; elle nous achète toiles, blés, menuiserie, papier, draps, pastel ; elle nous emprunte chaque année des milliers de paysans qui vont faire la moisson jusqu'en Castille ; et ainsi de suite. Hausse des prix et circulation monétaire accélérée, plus qu'abondante, pendant un bon siècle constituent la note économique dominante. Elles rendent compte dans une large mesure de cet état d'esprit des hommes d'affaires — mais aussi des administrateurs — et qui a reçu le nom de mercantilisme. La prépondérance économique et politique de l'Espagne dans la seconde moitié du XVIe siècle, sinon au delà, a accrédité auprès des observateurs attentifs de cette toute-puissance, cette idée qui va prolonger son rayonnement jusqu'au XVIIIe siècle : la force d'un pays réside dans son stock de métaux précieux, seul moyen au demeurant de pratiquer une politique de grandeur. Colbert dira en 1664 : « Je crois que l'on demeurera facilement d'accord de ce principe qu'il n'y a que l'abondance d'argent dans un Estat qui fasse la différence de sa grandeur et de sa puissance ([246]). »

Si richesse et monnaie se confondent — malgré les voix discordantes de ceux qui restent attachés aux valeurs de la terre — il n'est d'autre moyen de l'acquérir, dans un pays comme la France où les mines ne sont pas florissantes ([247]), que de la prendre chez les voisins : par les contributions et les rançons de guerres, sans doute ; mais aussi par le commerce extérieur, y compris la contrebande, que pratiquent à merveille les corsaires d'Élisabeth Ire d'Angleterre au long des côtes espagnoles. Frappés de la variété des richesses françaises, observateurs et gouvernants voient le pays merveilleusement favorisé pour cette entreprise : ses ressources le dispensent d'acheter à l'extérieur, donc évitent des sorties de métaux précieux — et lui permettent de vendre à l'Espagne et aux autres pays toiles, meubles, draps, vins, vinaigre, eaux-de-vie, fer, quincailleries, papier... « Il n'y a qu'une même quantité d'argent qui roule dans l'Europe, et qui est augmentée de temps en temps par celui qui vient des Indes occidentales. Il est certain que pour augmenter les 150 millions qui roulent dans le public de 20, 30, 50 millions, il faut bien qu'on le prenne aux États voisins... et il n'y a que le commerce seul et tout ce qui en dépend qui puisse produire ce grand effet. »

De là, prohibitions — des produits étrangers — et efforts pour multiplier les ventes à l'extérieur : il faut encore citer les doléances lyonnaises de 1576, qui reprochent aux marchands étrangers d'« adhérer » tout l'or du royaume et demandent « qu'il plaise à Sa Majesté défendre entièrement l'entrée en ce royaulme de toute sorte de marchandises fabricquées hors icelluy, sans en ce comprendre les soyes grèges non encore teintes ny manufacturées » ; de là, l'équipement des flottes nécessaires pour le grand commerce, et les manufactures qui fabriquent les ouvrages « d'artifice et d'industrie » susceptibles de se bien vendre : c'est la politique de Henri IV et Laffemas, de Louis XIII et Richelieu, de Fouquet et de Colbert plus tard. Mais ces mesures, cette politique cohérente, ne constituent pas un système, comparable au libéralisme du XIXe siècle. C'est plutôt une pratique, issue de l'observation et d'essais empiriques, pour capter au bénéfice du pays, et de son souverain, la richesse fluente du siècle américain. A la même époque, Anglais ou Hollandais ne procèdent pas différemment : mais plus efficacement. La pensée économique reste semblable, dominée de la même façon par l'expérience étonnante du siècle de l'or espagnol.

Au terme de cette analyse, faut-il emboîter le pas d'illustres devanciers soucieux de délimiter les débuts, les étapes du capitalisme ? Tel n'était pas notre dessein. Faut-il esquisser une nouvelle définition de l'esprit capitaliste ? A vrai dire, il n'y a pas un esprit, mais des orientations mentales — et des mécanismes — qui varient selon la spécialisation, selon la situation géographique et sociale des hommes d'affaires. Ceux-ci n'incarnent pas un esprit nouveau, mais ils assument toute une gamme d'innovations psychologiques, que nous avons seulement essayé de cerner en une première approche; cette démarche n'a de sens que par référence aux freins, aux habitudes d'esprit héritées des autres genres de vie.

Chapitre III

Activités prosaïques : jeux et divertissements

Outre les travaux des mains et le commerce, restent, au rang des occupations quotidiennes courantes, les jeux : les théologiens, sévères pour ces distractions qui peuvent si facilement « porter au mal », admettent divertissements et jeux comme un repos, un délassement légitime, tant qu'il est pratiqué avec modération, comme une récréation. Sans doute la notion de loisir n'a-t-elle pas encore reçu la consécration qui lui viendra avec Rousseau et le XVIIIe siècle. Ces modestes récréations tiennent pourtant dans la vie des hommes modernes une place grandissante : faut-il établir une corrélation entre les progrès de l'économie d'échanges, ses risques, ses calculs, ses paris — et le goût des jeux de hasard, des loteries, des brelans, qui ne cesse d'inquiéter moralistes et personnel judiciaire aux XVIe et XVIIe siècles ? Il serait vain de l'affirmer aussi simplement, sans bonnes preuves, mais il n'est pas possible de ne pas noter la concordance.

Simples répits au travail — dont il n'est pas permis d'abuser, mais qui courent grand risque de devenir passions — les jeux ne se confondent pas avec les fêtes ; si nombreuses soient-elles, celles-ci ne reviennent pas chaque jour dans la vie des hommes ; elles représentent, nous l'avons vu, tout le contraire d'une récréation quotidienne, une réjouissance collective qui précisément sort de l'ordinaire. Elles peuvent comporter des jeux, voire de grands jeux, pourrions-nous dire, elles sont plus qu'une distraction courante.

Nous ne regrouperons pas non plus sous ce titre toutes les activités « ludiques » des hommes de ce temps : il est trop évident que le travail peut tourner au jeu, que l'artisan et l'artiste parfaitement maîtres de leur matière peuvent se jouer en œuvrant quelque belle pièce ; de même que Rabelais, faisant cascader les mots, exerce sa fantaisie verbale comme un bateleur : il joue. Du passe-temps, qui est une détente, un changement d'activité momentané, à l'expression artistique, la frontière est aussi facile à établir qu'entre jeu et fête. Mais si les passages ne manquent pas des uns aux autres, ils ne justifient pas une confusion qui placerait toutes les entreprises humaines sous le signe du jeu.

Strictement délimité, comme nous venons de l'indiquer, le domaine reste encore singulièrement vaste et les moralistes classent à grand-peine toutes ces distractions en jeux de paroles, d'adresse, de hasard, à quoi s'ajoutent ceux, plus compliqués, qui mêlent hasard et adresse... La variété et le nombre de ces amusements expriment sans nul doute leur attrait sur les hommes des XVIe et XVIIe siècles et l'âpreté avec laquelle sont dénoncées les passions qui en découlent, en particulier chez ceux qui s'adonnent aux divertissements à longueur de journée, révèle l'importance de ces activités dans la vie quotidienne. Longtemps avant Pascal, assurément, le divertissement a été une manière d'oublier les rigueurs de la condition humaine.

Des mille moyens en usage pour se récréer, nous ne donnerons, ni une énumération, ni une nouvelle classification. Compte tenu de la pratique, de la fréquence pour ainsi dire, nous irons aux plus importants, laissant de côté les longues listes destinées aux confesseurs ; il ne serait certes pas sans intérêt d'élucider pourquoi la « soule », ce jeu de ballon collectif, paraît en recul au cours du XVIe siècle ([248]) ; pourquoi les quilles et la paume, qui nous semblent fort innocentes, sont interdites à plusieurs reprises, et perdent la faveur. Assurément tous ces jeux ne sont, ni socialement, ni psychologiquement, interchangeables : mais le domaine est trop neuf encore pour que l'on puisse s'avancer loin dans cette voie. Aussi faut-il se borner à l'essentiel : la chasse, la danse et les jeux de hasard ([249]).

1. UN JEU RÉSERVÉ AUX NOBLES : LA CHASSE

Passion de la classe dominante, la chasse est sans doute plus qu'un jeu : rares sont les nobles qui, écoutant prédicateurs et théologiens, veulent bien n'en faire qu'un passe-temps très épisodique ; à cela, trop de raisons concourent, puisque la chasse est le monopole de leur groupe ([250]), puisque leur vie oisive ne leur offre guère d'autres possibilités d'activité ; sans parler du rang à tenir, dans la mise sur pied de ces grandes expéditions que sont les chasses aux oiseaux et à courre.

Aussi bien voyons-nous, grands et moins grands, princes et barons, sans cesse préoccupés de telles entreprises, souvent plus que de leur propre situation. La vallée de la Loire s'est parsemée de châteaux pour plusieurs raisons, dont celle-ci : chacune de ces grandes demeures est d'abord un rendez-vous de chasseurs. Mais, de l'aveu même des participants, cette passion est le meilleur remède à leurs soucis : le roi leur fait-il grise mine, ils quittent la cour et vont chasser sur leurs terres ; leurs fils s'endettent, et ils partent oublier ces chagrins en compagnie de leurs chiens et de leurs chevaux ; sont-il ruinés eux-mêmes, ils sauvent le minimum nécessaire — deux chevaux et une petite meute — pour garder la ressource d'aller chasser chez des voisins plus fortunés.

Que le jeu vaille ces sacrifices, nul ne saurait en douter : le galop des cavaliers enrubannés à travers la forêt, les haies et les fossés franchis au galop, les villages traversés en trombe, les hurlements de la meute, les fanfares répercutées à tous les échos, le hallali et la curée, cette longue course réglée comme une cérémonie jusque dans le détail ([251]), c'est une distraction royale... Et qui coûte cher : veneurs fameux dont la vie semble un perpétuel hallali, vieux piqueurs en rapports familiers avec leurs maîtres, tous ces équipages, et les gardes-chasse, représentent une immobilisation considérable de capitaux, et peu de nobles peuvent se la permettre en réalité : les grandes meutes à 90 chiens sont le fait d'une minorité. Mais le moindre gentilhomme, qui manque d'argent pour doter ses filles, conserve quelques bois, où son garde lui parle chapeau bas.

Dans une France encore très forestière, la chasse reste donc le passe-temps noble par excellence ; plutôt qu'une distraction, c'est une véritable passion, tout comme les tournois qui constituent le morceau de choix des fêtes de la noblesse. L'une et l'autre activité exaltent le courage, rappellent par plus d'un côté les plaisirs enivrants de la guerre et les vertus traditionnelles des hommes d'épée, endurance et bravoure ([252]).

2. UN JEU PRATIQUÉ PAR TOUS : LA DANSE

Universellement appréciés, la danse et les bals n'ont pas cessé de constituer une des distractions les plus répandues qui soient, malgré maintes condamnations ; lorsque Fléchier vient en Auvergne pour les Grands Jours, au milieu du XVIIe siècle, il note sans étonnement la pratique de la bourrée : « Dès que le printemps est arrivé, tout le petit peuple passe tous les soirs dans cet exercice, et l'on ne voit pas une rue ni une place publique qui ne soit pleine de danseurs ([253]). »

Depuis des siècles — à tel point qu'il serait difficile de prétendre fixer une date de naissance — cette distraction a occupé les loisirs et inquiété les hommes d'Église ; la danse n'est pas mauvaise en soi, disent déjà les prédicateurs médiévaux, puisqu'elle se pratique en public, mais elle peut éveiller des tentations... François de Sales, dans l'*Introduction à la vie dévote*, recommande la plus grande prudence à sa protégée, « les bals et danses sont choses indifférentes de leur nature ; mais selon l'ordinaire façon avec laquelle cet exercice se fait, il est fort penchant et incliné du côté du mal... » Si bien qu'il l'autorise finalement du bout des lèvres : « pour jouer et danser loysiblement, il faut que ce soit par récréation et non par affection ; pour peu de temps, et non jusques à se lasser ou étourdir, et que ce soit rarement ([254]) ». Prédicateurs et moralistes qui s'adressent au commun des fidèles n'ont pas la même prudence : ils condamnent la danse en général, s'échauffent contre les danses qui ont lieu en des jours sanctifiés par l'Église (dimanches, fêtes carillonnées, mariages, temps de carême) et trouvent dix raisons supplémentaires de blâmer même ceux qui assistent aux danses : en particulier les bals qui se déroulent la nuit et les déguisements. Les synodes réformés de la fin du XVIe siècle, notamment ceux de Figeac (1579) et La Rochelle (1581), n'ont pas non plus de telles générosités ; ils interdisent totalement la danse à leurs fidèles sous peine des pires châtiments.

Cependant, malgré simples blâmes ou interdictions rigoureuses, ce passe-temps a conservé la faveur dans toutes les classes sociales, à tel point qu'il se trouvera, à la fin du XVIIe siècle, des théologiens pour déplorer la mansuétude de François de Sales, dont arguaient sans doute beaucoup de pêcheurs peu repentants. Tant et si bien que statuts synodaux et conciles provinciaux des années 1550 à 1650 ne cessent de rappeler aux prêtres séculiers qu'ils ne doivent pas assister à des bals (et *a fortiori* y participer). Chaque province de France a déjà ses danses particulières (alors peu connues hors de la région d'origine) et ce fait lui-même témoigne aussi de la résistance de cette coutume aux interdits d'origine ecclésiale. L'autorité politique n'est point allée aussi loin que le clergé dans ce domaine. A plusieurs reprises elle a certes interdit les danses publiques les dimanches, jours de fêtes, patronales ou autres (François Ier en 1520, Charles IX en 1560, Henri III en 1579). Mais la rigueur s'arrête là.

Distraction populaire, mais pratiquée dans tous les milieux sociaux, jusqu'aux bals de la Cour, la danse est également un élément important de certaines grandes fêtes : les bals masqués du Carnaval, les bals sur les places lors des entrées de souverains et de princes, par exemple. Distraction publique, ouverte à tous, elle est alors, en un sens, un des modes d'expression des solidarités précédemment étudiées. Mais, en même temps, c'est la forme la plus courante de délassement, au moins pour les jeunes gens ; à ce titre, et avec une organisation adaptée aux conditions de la vie moderne, elle s'est maintenue jusqu'à nos jours.

3. LES JEUX ENVAHISSANTS : DÉS, CARTES, BRELANS

Qu'ils soient de pur hasard, comme les cartes et les « dez », qu'ils mêlent hasard et adresse, comme le « triquetrac, l'oie, la chouette, le jardin militaire, les quatre fins de l'homme », les jeux d'argent sont, à la fois, sévèrement condamnés par l'Église, et de plus en plus pratiqués. Nobles, bourgeois, petites gens s'adonnent après souper à d'interminables parties où se jouent billon et or, répètent à l'envi les voyageurs comme Thomas Platter, qui voit jouer partout où il passe. Bien plus, dans les villes, des maisons de jeu s'établissent, qui ne manquent pas de chalands ; déjà autrefois Saint Louis avait condamné les Écoles de dez... Mais au XVIe siècle, le mal prend de l'ampleur : « Académies ou Brelans », il s'en monte partout ; des cabaretiers donnent des dés ou des cartes à leurs clients ; des maisons spécialisées sont ouvertes à tous, et prélèvent une cotisation sur les habitués ; d'autres sont des sortes de clubs privés, où n'accèdent que les invités du maître de maison, et sans cotisation. Et partout de « gros tas d'or » sur les tables expliquent l'acharnement des joueurs, et les désordres qui accompagnent souvent ces interminables parties.

Cet engouement s'exprime selon les normes sociales du temps : « les dés, les échecs, les dames, le piquet, la paulme, le mail, la boule, le trois, le lanquenet, le reversis, l'homme, le brelan, ce sont tous jeux communs et populaires où il y peut avoir beaucoup de fraude et peu d'esprit ; mais au grand Tricque trac, il n'y a que les gens d'honneur qui le pratiquent, et encore les plus spirituels, actifs et vigilans qui le peuvent comprendre... ([255]). » Mais la pratique des jeux couvre bien toute la société, urbaine au moins.

Aussi bien, si les autorités civiles se soucient peu de confirmer les interdits ecclésiastiques concernant la danse, par contre font-elles preuve d'une grande vigilance à l'égard des jeux ; sans cesse ordonnances royales (1577, 1611, 1629) et arrêts du Parlement renouvellent interdictions et lourdes peines contre les contrevenants, tenanciers des maisons de eu comme clients ; même des poursuites exemplaires, comme le procès de ce « tripotier » d'Angers, « maître du jeu de paume du Pélican au fauxbourg Saint-Michel », condamné à 240 livres d'amende et aux dépens, ne semblent pas avoir été d'une grande efficacité! Les précisions des décisions et attendus révèlent l'étendue de l'engouement : chaque texte précise bien que l'interdiction s'applique à tous « de quelque condition qu'il soit » ; l'ordonnance de 1577 insiste sur le « débauchement des enfans mineurs » ; un arrêt du Parlement de Paris du 23 juin 1611 interdit particulièrement « à tous orfèvres, lapidaires, jouaillers, tapissiers et autres, s'y trouver, tenir marques et comptes, aider et favoriser lesdits jeux, y porter, envoïer, prêter par promesses, en blanc ou autrement, directement ou indirectement, fournir or, argent monnoïé, non monnoïé, bagues, joïaux, pierreries, meubles et marchandises ». L'ordonnance de 1629 frappe plus fort encore, prescrivant le bannissement hors des villes de tout organisateur d'« assemblées pour le jeu », « déclarant dès à présent tous ceux... qui se prostitueront à un si pernicieux exercice, infâmes, intestables et incapables de tenir jamais offices roïaux ».

Là encore le jeu est plus qu'un passe-temps, mais une passion, qui engloutit les fortunes. Il n'est pas douteux que cette activité a connu, malgré condamnations et répression, une faveur continue ([256]). Jouer n'est plus dans ce dernier cas passer un moment de récréation, se distraire — mais c'est parier, engager sa fortune — ou au moins une partie de celle-ci — c'est jouer pour gagner de l'argent sans travail ni effort. Le jeu cesse alors d'être un simple divertissement. Assurément, dans la faveur que connurent les jeux de cartes et de dés au début des temps modernes, devons-nous retrouver les deux formes d'activité : l'occupation frénétique de quelques passionnés, — et le passe-temps excitant d'un plus grand nombre, pour qui une heure de cartes, chaque soir, représente le dérivatif le plus agréable ([257]).

*

Mesurer la place prise par ces détentes dans la vie quotidienne n'est pas facile ; nous apercevons les déformations, la passion du jeu se saisissant de certains groupes, ou d'individualités marquantes. Nous voyons beaucoup moins nettement la récréation quotidienne du laboureur, de l'artisan et même celle du bourgeois ; la lacune est d'importance, car c'est le rythme de la vie qui nous échappe, et tous les phénomènes de fatigue psychologique, auxquels médecins et sociologues attachent aujourd'hui une si grande importance.

Chapitre IV

Dépassements : arts et artistes

Abandonner les activités de la vie quotidienne, les réalités humbles du négoce, même le plus florissant, de l'échoppe ou du tripot, pour les œuvres destinées à demeurer pour la joie et la gloire des hommes, c'est passer à une forme d'activité reconnue comme supérieure. Du moins les hommes modernes nous présentent-ils ainsi les choses ; s'il est à peu près vrai que, pendant les siècles médiévaux, il n'est pas possible de distinguer l'artisan de l'artiste, il apparaît clairement qu'au XVIe siècle, l'artiste, qui tutoie les rois et les princes, ne se confond plus avec le compagnon préparant son chef-d'œuvre au fond de son atelier : et c'est le cas le plus net d'une hiérarchisation brutale. De la même façon, le monde des clercs qui monopolisait les fonctions de la vie intellectuelle et spirituelle s'est trouvé renouvelé — démultiplié pour ainsi dire : il n'a pas seulement éclaté par la déchirure de la Réforme, mais par la participation accrue — au début du XVIIe siècle, le fait est patent — des fidèles, c'est-à-dire des laïcs, à la vie spirituelle. Il a vu auprès de lui se multiplier les cohortes nombreuses des intellectuels, qui ne sont plus des clercs — et qui, humanistes, savants, érudits, entreprennent à leur façon la conquête du monde : marchant assurément d'un pas inégal, les humanistes plus rapides que les savants. Mais tous conscients d'une certaine supériorité sur le commun des mortels qui s'adonne à des activités manuelles, ou simplement lucratives. L'orgueil de ces hommes de la Renaissance, qui ont senti mieux que beaucoup de leurs contemporains l'approche de temps nouveaux et d'une grande victoire des hommes d'Occident — cet orgueil éclate dans tous les comportements : les poètes se croient *vates*, les grands sont leurs égaux, la pratique des humanités constitue la meilleure des lettres de noblesse... Ils ont créé à leur bénéfice des images et des mythes qui, repris par les échos sonores du romantisme, ont fait une longue carrière d'idées reçues jusqu'à nos jours. Belles images que celles de Léonard mourant dans les bras de François Ier, de Charles Quint ramassant un pinceau du Titien ; mais les mythes vont plus loin : la prédestination poétique — ou artistique — fait cortège à la prédestination calviniste ; l'opposition — dialectique ou non — de la pensée et de l'action est fille de l'isolement où se replient les hommes supérieurs qui, bientôt, ne s'adresseront plus qu'à une élite d'initiés. Par un cruel paradoxe, au moment même où l'imprimerie peut assurer au lettré le plus vaste public que jamais ait osé rêver moine savant asservi au manuscrit, beaucoup d'écrivains modernes, tels les « Apollons de collège », multiplient les obstacles qui limitent leur audience à un petit monde de connaisseurs. En revanche, ces cercles restreints d'artistes et d'intellectuels, de clercs et de savants — quel que soit leur public évidemment immense sur le plan religieux, et fort limité dans le domaine scientifique — participent à une vie changeante, féconde : mouvement qu'il n'est pas aisé toujours de cerner avec exactitude et dont il faut bien ici tenir compte. Qui ne sait que les années 1520-1530 sont celles d'une réussite, d'une joie de vivre pour artistes et humanistes, qui ne se retrouvera guère par la suite ; à voir le rythme même de leurs travaux, savants et humanistes ne peuvent se confondre, tant les premiers nous paraissent en retard sur les seconds, ceux-là cherchant encore leurs outils, alors que ceux-ci sont, dès le temps d'Érasme et de Lefèvre, en possession d'une méthode. A l'avant-garde, au contraire, les arts plastiques vivent une histoire complexe, que ne sauraient résumer les étiquettes scolaires : Renaissance et Baroque. Cette complexité tient à plusieurs facteurs également importants ; d'une part la promotion sociale de l'artiste, devenant, aux lendemains des guerres italiennes, cette personnalité de premier plan, des cours et des villes, qu'il va demeurer pour longtemps ; ensuite le renouvellement des techniques, bien connu dans le domaine de la peinture, même si les explications que nous pouvons donner de ces perspectives ne sont pas toujours tout à fait satisfaisantes ; enfin et surtout l'évolution des mentalités, dont les différents moments artistiques sont la traduction lointaine : années d'expansion, de conquête du monde, évoquées il y a un instant, interminables guerres de la seconde moitié du XVIe siècle, enfin temps inquiets, troublés à la fois par la crise économique et le désordre social de la période 1620-1640, ce sont au moins trois moments de sensibilité qu'il est possible de reconnaître à travers les témoignages des poètes et des artistes. Le premier et le dernier, baptisés respectivement Renaissance et Baroque ont fait couler plus d'encre que toute la vie artistique médiévale, anonyme et monumentale. Dégager les traits de mentalité qui caractérisent cette évolution, tel est ici notre seul objectif.

1. NAISSANCE DE L'ARTISTE

A ce titre apparemment naïf, apportons tout de suite plusieurs rectificatifs : rappelons, d'abord, qu'il s'agit seulement de la France, car l'Italie a fait depuis longtemps sa place à l'homme de l'art dans la cité florentine, lucquoise ou vénitienne. Mais il convient surtout de ne pas séparer cet avènement du mouvement humaniste de l'époque. Si l'artiste prend une des premières places dans la vie sociale, ce n'est pas par la seule vertu de mécènes généreux qui ne savent rien refuser à leurs peintres et à leurs architectes ; les admettant à leur table, les comblant d'honneurs et de cadeaux, ils font assurément beaucoup pour les placer au premier rang de leurs compagnons. Admettons même qu'importe en cette question le progrès du tableau de famille, portrait en buste, en pied, à cheval : c'est le mécène qui est « portraicturé », c'est l'auteur du tableau qui acquiert une célébrité dont son commanditaire est déjà largement pourvu — sinon rois, empereurs et même princes de moindre renom n'auraient jamais trouvé autant de peintres prêts à dessiner leur image. Mais cette promotion de l'artiste est surtout l'expression de l'« humanisme » moderne. Dans ce monde depuis quelques années élargi à la dimension actuelle de la planète, les artistes ont pressenti la domination du lendemain : exaltés par les découvertes, ils ont participé à une fierté nouvelle ; la créature, l'humble créature dont l'enseignement de l'Église a fait, dans la pratique quotidienne, un être faible, constamment menacé, se redresse devant cette preuve, inattendue, de la puissance de l'homme. Et toute la partie de l'humanité qui a pris conscience de ces réussites se convainc, sans violence, de cette revalorisation de la nature humaine et porte à son propre compte la réussite des pionniers.

Que cet essor de l'individualisme ait été ressenti et exalté par les artistes, rien que de très normal. Demeurés artisans par l'organisation même de leurs ateliers, par leurs techniques, ils ont d'abord changé de titre. L'imagier s'est fait sculpteur, le maître d'œuvre architecte, le peintre (à tout faire) artiste peintre ; en même temps, ils ont fait école, au moins par des ateliers portant le nom du plus connu d'entre eux, dont la réputation attire les commandes, et permet de faire travailler toute une équipe ; le fait est d'évidence en architecture, mais aussi en peinture, à l'exemple, tôt imité, de l'Italie. Au delà de ces étapes, qui tirent la vie artistique de l'anonymat, figurent enfin les exceptionnelles réussites des contemporains de Léon X, compagnons des rois et des empereurs. Léonard de Vinci en est l'exemple le plus connu.

Ce n'est évidemment pas à dire que tout maçon, peintre ou tailleur de pierres signe de sa griffe ce qui sort de ses mains : la décoration baroque du XVIIe siècle — notamment les retables des églises rurales — reste le fait d'artistes anonymes, à qui convient le titre modeste d'artisans, quelle que soit la qualité de l'œuvre, et surtout de son témoignage. Ce monde nouveau des artistes modernes se détache donc d'une cohorte ancienne et plus nombreuse : c'est une élite bruyante — qui ne connaît les récits de Benvenuto Cellini —, encombrante, cosmopolite, tant les Italiens ([258]) sont nombreux à venir marier leurs méthodes à celles du pays ; châteaux de la Loire et portraits princiers nous les révèlent à chaque instant ; élite assurément peu nombreuse, et qui n'a qu'un mot à la bouche : le beau ([259]). Par là même, il est permis d'ajouter que cette naissance de l'artiste est en même temps celle de l'art, au sens que nous donnons aujourd'hui à ce mot : une fonction, non moins fondamentale à l'homme que la plus matérielle — mais une fonction qui retrouve alors conscience d'elle-même, après le long silence médiéval, quand l'œuvre était d'abord d'édification, et d'enseignement. Même réservée à un très petit groupe, la promotion des créateurs de beauté aux tout premiers rangs de la société en voie de renouvellement est un élément essentiel de la vie artistique.

2. NOUVELLES CONCEPTIONS PLASTIQUES

Cependant, dans les techniques mêmes de leur métier, les artistes de l'époque nouvelle ont éprouvé le sentiment de profondes transformations qui les éloignent des réalisations antérieures ; vitrail et miniature sont des genres dépassés, non pas seulement en raison des développements de l'architecture civile, d'une part, et de l'imprimerie, d'autre part, mais grâce à des préoccupations neuves.

Au premier rang de celles-ci, plaçons la découverte de l'anatomie ; la représentation exacte du corps humain est marquée alors d'une volonté — d'ordre médical pour ainsi dire — de mieux comprendre les articulations et leur fonctionnement, au moins musculaire : la *Leçon d'anatomie* n'est pas le monopole des apprentis médecins au temps de Rembrandt. Déjà Vésale la pratique et fournit plus d'une réponse aux préoccupations des artistes. Mais ce souci — qui comporte une large part d'admiration pour la machine humaine — se retrouve jusque dans les écrits des architectes, qui présentent les symétries de leurs bâtiments — châteaux ou simples demeures urbaines — comme l'image des symétries corporelles, telles que les a étudiées par exemple, Albert Dürer (*Vier Bücher von menschlicher Proportion*) ([260]). *A fortiori*, la part grandissante du portrait dans les commandes, la mise en valeur de la plastique antique, où le nu tient une large place, jouent-ils dans le même sens : la fontaine des Innocents de Jean Goujon (1549), tout comme maintes études, esquisses de peintres, témoignent de l'importance de cette préoccupation ([261]).

Ce qu'on a appelé la révolution de la perspective compte cependant sans doute encore plus ([262]). A la fin du moyen âge se fait le passage d'une représentation morcelée de l'espace à une représentation unitaire, c'est-à-dire une construction intellectuelle nouvelle venue de l'Italie, de Brunelleschi et Donatello, Alberti et Piero della Francesca. Cette introduction de la profondeur dans l'espace peint est, en fait, une tentative de géométrie picturale, une dimension supplémentaire, et devenue nécessaire ; par là les peintres de la Renaissance sont en avance sur la science elle-même, qui est loin encore d'utiliser la géométrie euclidienne, depuis longtemps connue et pratiquée, pour la reconstruction du réel. Il ne s'agit évidemment pas d'un code de nouvelles règles de représentation du réel, qui se seraient imposées, vers 1480 ou 1500, à la totalité des artistes. Chaque tempérament, chaque formation d'atelier intervient pour nuancer l'adoption de telle ou telle pratique, ce qui n'exclut pas du tout les survivances des visions antérieures : les uns fascinés, obsédés par la figuration des trois dimensions, les autres lents à l'adopter.

Cette exploration de l'espace est, pour une part, une découverte du vide, et de sa valeur expressive. Alors qu'un vitrail, plaçant toutes ses figures sur un même plan, ne connaît pas de vide, et que la cathédrale médiévale, assiégée de maisons, d'échoppes dans un lacis de ruelles étroites, n'a pas de rayonnement, les artistes modernes savent faire le vide autour des monuments (tous les châteaux de l'époque), autour des sujets — hommes ou femmes. Auréoler d'espace un personnage bien détaché au premier plan d'un lointain décor de ruines romaines, de rochers sans végétation, c'est le baigner dans une atmosphère, le dégager de ce décor même et lui donner une épaisseur nouvelle encore accentuée par les jeux d'ombre et de lumière.

Comment cette perspective tri-dimensionnelle s'est-elle

imposée à la peinture moderne ? Les études portant sur ces réalités fondamentales de l'expression artistique sont encore trop rares pour que le cheminement soit reconstitué : en particulier, le rôle, dans cette progression, des nouvelles conceptions du monde, depuis le tour de la terre par Magellan jusqu'aux systèmes de Copernic et Galilée, de même que celui de la diffusion des mathématiques dès le haut moyen âge, nous échappent en grande partie. Selon toutes apparences, les peintres précèdent les mathématiciens encore attardés dans des exercices d'école, dans la discussion des vertus des nombres. La nouvelle peinture ([263]) n'est pas seulement une représentation figurative plus fidèle du réel, elle annonce, sur un autre plan, l'essor scientifique du XVIIe siècle, de Descartes à Newton.

3. DE LA RENAISSANCE AU BAROQUE

Une fois reconnues ces innovations essentielles, il est plus facile de préciser que la Renaissance — tant vantée depuis un siècle où Michelet a lancé cette notion — ne consiste pas en un simple retour à l'Antiquité. Quel qu'ait été le rôle des voyages à Rome, des survivances antiques à travers le moyen âge ([264]), et des engouements pour Rome et Athènes, le début du XVIe siècle reste beaucoup plus marqué par cette libération de l'homme, que Michelet avait devinée : le nouvel esprit artistique et littéraire va de pair avec l'élargissement du monde, le renouvellement économique et social ; l'expansion maritime de l'Europe sur les trois Océans, cent ans plus tôt à peine abordés, compte autant que la lecture de Cicéron par les contemporains de Lefèvre d'Étaples. Et l'audace religieuse de Luther et Calvin même prend sa part d'un véritable renouvellement spirituel, car le petit monde des artistes a été sensible à tous ces ébranlements, aux perspectives du reflux de l'Islam comme de la conquête des Indes occidentales.

Que la soif de savoir, cet appétit de découvrir tout ce que le vaste monde est en train de révéler aux Européens ébahis, se soit étendu jusqu'à l'Antiquité, ce n'est pas douteux ; tous les peintres de la Renaissance ont traité des sujets mythologiques, de même que tous les écrivains ont recopié du Virgile, du Martial, et invoqué les *Di immortales*, sans devenir païens pour autant ([265]). La Renaissance n'en reste pas moins le moment d'une exaltation sans précédent des forces de libération individuelle : moment de joie de vivre, de réussir une vie nouvelle ; de l'Italie aux Pays-Bas, de l'Espagne à l'Allemagne, c'est le même souffle de liberté, de grandeur humaine qui parcourt la France en tous sens ; l'Italie sans nul doute exerce la plus forte influence, puisque ses enfants envahissent le pays : non seulement les artistes comblés d'honneurs et d'argent, dont Léonard de Vinci est l'exemple type, mais aussi ses clercs qui occupent maints bénéfices importants, résident et apportent avec eux le goût nouveau ([266]), sans parler des domestiques, des artisans. Ce carrefour du monde, qui joue encore un rôle si important, envoie en France avec tous ces émigrants, les plus hardis de ses fils, les plus pénétrés des audaces du Quattrocento. Mais non pas des Romains antiques déguisés en hommes modernes.

Ainsi la Renaissance des arts doit-elle avoir le visage souriant d'une époque de détente, et de conquête : c'est le moment — qui ne se prolonge guère au delà de 1540 — des plus belles espérances ; pour ces hommes, encore une fois peu nombreux, qui voient l'Europe prendre pied dans le monde entier, respirer au rythme de l'Atlantique, rénover la foi malmenée, qui vivent dans la facilité luxueuse des rois, des princes et des riches marchands, ces premières années du XVIe siècle sont des années de joie et d'espérance, de créations nouvelles dans tous les domaines.

La passion religieuse mêlée d'ambitions politiques a imposé brutalement un changement d'atmosphère dans les années 1540. Après l'alerte de 1534, c'est la persécution des réformés, des années 1545 à 1560, au cours de laquelle l'accusation de luthérien ou calviniste empoisonne littéralement toute la vie de ces milieux humanistes et artistes qui ont fait la gloire de la période précédente. Puis les guerres de religion, de 1560 à 1598, n'anéantissent sans doute pas toute vie artistique... L'important est cependant de voir, ensuite, une atmosphère mentale nouvelle baigner ces activités. S'il est une justification du terme baroque pour désigner la production architecturale, sculpturale surtout, des années 1600 à 1640, c'est bien celle-ci : un siècle après la Renaissance, les sentiments exprimés, les besoins traduits ne sont plus les mêmes([267]). Aux espérances de renouveau religieux — et surtout de conquête du monde —, succède le repli sur la division de la Chrétienté occidentale, et de la France : déception et surtout volonté de rétablir le catholicisme ; en même temps, sur le plan politique, s'organise une monarchie plus exigeante que celle de François Ier ; mais surtout s'accentue à travers toute la France, avec le ralentissement économique des années 1620-1640, la crise sociale que la poussée bourgeoise du siècle précédent avait portée à un haut degré de tension : poussée mystique et bouleversement social vont de pair, et favorisent assurément l'exubérance décorative qui est un des caractères dominants de l'architecture baroque, au demeurant si largement religieuse. Certes les méthodes, les techniques sont restées les mêmes qu'un siècle auparavant. Mais les artistes du XVIIe siècle commençant ont à exprimer, non plus la joie de vivre et l'espérance d'un monde meilleur, mais leurs inquiétudes, voire leurs angoisses, en même temps que leur nostalgie des espérances perdues. Le meilleur témoin serait peut-être en ce sens le Lorrain Georges de La Tour, dont l'œuvre présente tous ces caractères : saints manouvriers, se flagellant ou reniant leurs maîtres, nobles et vagabonds tricheurs, ou batailleurs et surtout cette lumière cachée et éclatante, nostalgie lancinante de l'Église invisible.

Sans nul doute, notre présentation des deux principaux moments artistiques de l'époque ne prétend qu'à une stylisation, et il serait vain d'y chercher autre chose. Chaque artiste, dans la mesure même où il a senti et exprimé son temps avec son génie propre, a mis sa marque sur cette expression, demeurant soit homme de la Renaissance, soit homme de cette post-Renaissance à quoi se résout finalement le baroque, en France surtout ; c'est le double climat que nous avons voulu évoquer. Aller au delà serait entamer le dialogue avec les œuvres.

Chapitre V

Dépassements : les humanistes et la vie intellectuelle

A côté des artistes, créateurs de beauté, les érudits, qui ne portent pas encore le nom d'humanistes, mais sont des savants passionnés de savoir humain ; ils vont se perpétuer pendant des siècles grâce à ces successeurs qui savent et enseignent les « humanités », ce fruit du labeur érudit du XVIe siècle. Tout comme le terme de « Renaissance », le mot d' « humanisme » a été tellement perverti, tiré dans tous les sens qu'il ne semble guère utile de l'employer ici ([268]). Contentons-nous d'indiquer que nous appellerons humanistes les écrivains et les savants qui, emportés dans le souffle d'optimisme des années 1500 à 1530, aux côtés des peintres, des architectes et des moines rêvant de réformer l'Église catholique, ont fait œuvre de philologues, de poètes, d'éditeurs à la gloire de l'homme nouveau, dont ils pressentent le rôle à venir, et dont ils travaillent à faciliter l'avènement. Assurément, là encore, faut-il penser en premier lieu à la génération du premier tiers du XVIe siècle, qui fonde la tradition et nourrit tous les espoirs, ayant pour chefs de file Érasme et Lefèvre d'Étaples. Plus tard, poètes et savants, hommes de la Pléiade et compagnons des Gryphe et des Estienne, représentent déjà une nuance plus sombre d'humanistes : celle qui s'accomplit dans les prudences et les inquiétudes d'un Montaigne. Mais déjà, dans la deuxième moitié du siècle, la tradition scolaire est née : l'humanisme va se confondre avec les « humanités » qu'enseignent les Jésuites dans leurs collèges, c'est-à-dire d'abord le latin cicéronien et le grec de Démosthène... Le temps n'est déjà plus loin où seuls seront qualifiés d'humanistes les pédagogues qui enseignent les rudiments des langues mortes. Dans la dévotion du premier XVIIe siècle, l'humanisme a perdu une partie de sa foi humaine, de la passion de savoir qui animait cent ans plus tôt ses promoteurs ; il est devenu la première étape d'un itinéraire spirituel, — disons l'étape intellectuelle. Ainsi pour Camus et Bérulle. Alors l'humanisme de la grande époque est à peu près mort et les traditions scolaires qui le perpétuent n'ont pas conservé le souffle enthousiaste des compagnons de Guillaume Budé — ni même peut-être l'aspiration effrénée, au savoir encyclopédique, de cette génération. Mais l'impulsion première subsiste : les plus grands savants de la première étape, disons Budé, Érasme, demeurent les modèles d'une recherche humaine — à travers toutes les humanités. Et c'est auprès d'eux qu'il faut chercher les définitions majeures de cet esprit, nouveau en partie seulement, dont ils sont désormais les porte-drapeau.

A côté des humanistes, une place serait à faire à d'autres « intellectuels » de l'époque, les juristes, avocats et magistrats, qui constituent plutôt une clientèle des humanistes (la plus importante), mais aussi des continuateurs. Le monde des hommes de loi nous est mal connu : les traités de jurisprudence nous renseignent mal sur la mentalité de ceux qui appliquent les lois ; l'agitation (politique) des Parlementaires au XVIIe siècle n'en est qu'un aspect ; les E. Pasquier, Mesmes, Fauchet, plus tard Pithou, de Thou, Savaron, etc., représentent les « illustrations » de ce milieu, trop négligé.

I. LA PROMOTION SOCIALE DES HUMANISTES

Ces intellectuels vivant dans les trente à quarante premières années du XVIe siècle portent en eux un idéal de progrès humain ; ils ont su faire partager leurs espoirs et leur foi, et le fait n'est pas si fréquent dans l'histoire même des civilisations qui se veulent athéniennes, pour qu'il ne soit pas souligné. Assurément, ces rêves ne sont pas devenus ceux d'une population tout entière... Du moins les hommes de lettres ont-ils pu acquérir quelque réputation et obtenir avec éclat l'audience des classes urbaines.

Castiglione exagère certainement lorsqu'il affirme en 1528, dans son *Courtisan* : « Encore que les Français congnoissent seulement la noblesse des armes, et tout le demeurant estiment ung néant, de sorte que, non seulement n'estiment les lettres, mais les ont en horreur... ([269]). » Cet Italien nourri de la fine culture florentine du Quattrocento est scandalisé sans doute, mais en retour, il ne ménage pas son admiration pour François Ier — qui a tant fait pour ses amis humanistes. Cependant le constraste subsiste, qui fait mieux sentir comment, en quelques années, les érudits compagnons d'Érasme, de Lefèvre, de Budé ont pu se faire leur place au soleil, et faire reconnaître à leurs travaux une dignité comparable à celle des maîtres d'armes et des plus habiles champions des tournois.

Le rôle de François Ier est trop connu pour qu'il soit nécessaire de le décrire ; tout au plus convient-il d'indiquer combien ses préoccupations recoupent la critique de l'Italien : l'édification, l'éducation de ses sujets, et particulièrement de sa noblesse, expliquent les faveurs accordées aux traducteurs de textes grecs et latins, les privilèges d'imprimeurs, les pensions et les récompenses de toutes sortes ; le 16 octobre 1527, octroyant à son secrétaire privilège pour l'imprimerie et la vente des traductions françaises d'auteurs grecs et latins laissées par Claude de Seyssel il déclare : « Comme nous avons toujours singulièrement désiré l'endoctrinement et édification de tous nos bons subjectz, principalement de ceux qui sont constitués en l'estat de noblesse... ([270]). »

Éducateurs du royaume, les humanistes de cette belle époque se sont vu attribuer tous les moyens qu'ils réclamaient pour accomplir leur tâche : des imprimeries royales — latine, grecque et française — et, en 1530, le Collège royal donné à Guillaume Budé pour enseigner les trois langues fondamentales : l'hébraïque, la grecque et la latine. Ces novateurs inquiètent les Universités somnolentes, par leur ardeur à renoncer aux formes traditionnelles de la scolastique, pour s'enfoncer dans la lecture des manuscrits antiques, pour y découvrir une vue complète de l'homme et du monde — pour y retrouver aussi l'Ancien et le Nouveau Testament dans leur version originelle... Trouble-fêtes assurément aux yeux des hommes en place dans l'Université et dans l'Église, les humanistes ont reçu l'appui du roi pendant les années décisives où se poursuit l'œuvre immense de mise à jour, d'édition et de traduction des manuscrits médiévaux conservant les trésors de la pensée antique.

Sans doute deviennent-ils, après 1534 et 1536, suspects de sympathies réformées, et la faveur royale se manifeste avec plus de parcimonie à la fin du règne lorsque, d'autre part, commence la persécution religieuse. Calvin n'a-t-il pas été l'élève diligent de Guillaume Budé ? Et le même Calvin ne proteste-t-il pas contre les timidités « nicodémites » de ces philologues qui ont été les premiers à découvrir, dans la lecteur du Nouveau Testament, un visage du Christ passablement méconnu par la tradition de l'Église ? Plus précisément encore, Étienne Dolet, qui a publié tant de bons livres antiques, ne finit-il pas sur le bûcher place Maubert, en 1544 ? ([271]). Peu importent ces « contaminations », ces « amalgames » dont la réputation des érudits a longtemps souffert ([272]) ; ce qui compte, c'est la place prise par leurs études dans la vie, sociale et intellectuelle, du temps.

Or, à cet égard, pas d'hésitation possible : les cadres intellectuels du moyen âge triomphant — disons du XIIIe siècle — chanoines des écoles capitulaires, maîtres des Universités — sont supplantés par cette nouvelle génération des humanistes qui, en dehors des écoles traditionnelles, un peu partout (le Collège de France à ses débuts n'a pas de locaux, et les *sodalitates* humanistes se constituent au hasard des rencontres, dans la maison du plus riche) enseignent à des auditoires aussi nombreux que passionnés la philologie et l'amour des belles-lettres ; la littérature elle-même, de Ronsard à Rabelais, en sera marquée, n'hésitant pas à servir la même cause. Et, en même temps, ces hommes d'action qui sont à la fois chercheurs (au sens actuel du mot), éditeurs, imprimeurs et enseignants, acquièrent une

« surface » sociale incomparablement supérieure à celle des intellectuels médiévaux : il suffit d'évoquer la famille Estienne à Paris, puis Genève, et les Gryphe à Lyon.

2. LE LIVRE ET L'ÉRUDITION DES HUMANISTES

Tout savant humaniste est, sinon éditeur — mais il n'est pas à cette époque d'éditeur qui ne soit érudit — au moins grand bibliophile : les Estienne et Budé, les Pélicier, Scaliger et plus tard de Mesmes, Nicolas Colin, ont tous eu d'imposantes bibliothèques ([273]). C'est par le livre que le mouvement humaniste a pu acquérir l'audience en question, c'est un fait bien connu ; c'est par le livre et les nécessités de l'imprimé, que s'est fixée la méthode et délimitée l'ouverture d'esprit propre aux humanistes.

A l'actif du livre, il convient de placer les deux éléments essentiels de la tournure d'esprit de cette génération : l'esprit critique et l'esprit historique, celui-ci plus accusé, plus visible pour ainsi dire que celui-là. La critique des textes manuscrits en vue de l'établissement du texte « définitif » a été pendant un demi-siècle l'exercice commun de tous ces hommes : de textes corrompus par des erreurs de copistes, et devenus peu à peu inintelligibles, ils ont dégagé petit à petit la « leçon » authentique ; en même temps, restituant la langue exacte d'Aristote, de Cicéron, de Plutarque, ils ont substitué au latin barbare des écoles la langue épurée des meilleurs écrivains romains et grecs. Œuvre de philologues, au sens actuel du terme, cette reconstruction les a entraînés à reconstituer tous les aspects des civilisations antiques : et, d'un même mouvement, la critique des textes a entraîné la recherche proprement historique. Mais présenter ainsi ces deux mouvements du travail des Budé, Dolet, Estienne, c'est trop rapidement passer sur les aspects les plus excitants de la quête critique : rassembler, confronter les manuscrits, découvrir, à travers toute l'Europe, dans les couvents, les écoles cathédrales, quelques pièces de Pline, d'Hérodote ou de Thucydide, c'est le lot de chacun ; grands voyageurs eux aussi, les érudits de la Renaissance se livrent à une chasse aussi passionnée, aussi ardente que celle des reliques aux siècles précédents. Cette passion du manuscrit reste vivante pendant très longtemps : en 1635, l'innocent Mersenne ne résiste pas à l'attrait d'un manuscrit chinois, fût-il obscène ([274]). Puis, à mesure que les éditions des grands ouvrages anciens se multiplient — dans la langue d'origine, et en traductions française ou latine — se développe le travail plus strictement historique : peu à peu s'impose le sentiment des différentes époques, des différentes civilisations, qui ont constitué le passé de l'humanité ; sentiment sensible, depuis Érasme, dont les lettres révèlent une attention pleine de nuances pour l'histoire ancienne, et Budé — qui entreprend une étude méthodique de Rome, au delà du travail d'édition et de traduction — jusqu'à Montaigne, replié dans sa bibliothèque, ou voyageant à travers l'Allemagne du Sud et l'Italie. Mais avec celui-ci, ce n'est plus seulement l'histoire de l'humanité, avant et après le Christ, ce n'est plus l'histoire des hommes de l'Ancien au Nouveau Testament, qui est mise en avant et entre dans les cadres normaux de la pensée — mais aussi la diversité des sociétés humaines vivantes, en Europe même, et hors d'Europe.

Ces deux attitudes fondamentales de l'esprit humaniste sont celles des savants, établissant textes et traductions, confrontant interprétations et reconstitutions d'un passé lointain ; peuvent-elles aussi caractériser leurs nombreux lecteurs, qui s'enchantent à la pratique de « ces bons hostes muets qui ne se faschent jamais » ? Assurément, la production du XVIe siècle est telle que le livre imprimé devient accessible à tous ceux qui savent lire : artisans comme gentilshommes, juristes (cette clientèle insatiable) comme apothicaires, barbiers, ou simples clercs. Il est clair aussi que la fièvre de savoir des érudits a été, dans une certaine mesure, partagée par bon nombre d'amateurs de livres : É. Pasquier est fier de sa bibliothèque et, se comparant au gentilhomme qui fait la ronde dans son parc, il prétend chasser « plus en un quart d'heure en son estude » que celui-ci en une journée dans la campagne. Mais il paraît juste de penser que les lecteurs ont retenu du travail des érudits la découverte des mondes nouveaux et des perspectives historiques. La « philologie » est restée le bien propre des érudits qui en ont établi les règles, la discipline. Le sens nouveau, élargi, de l'histoire humaine a été le bien commun à ce vaste public, curieux à la fois — il faut le souligner encore — du passé des hommes et du passé chrétien... L'esprit historique débouche ici, pour les uns et les autres, sur l'encyclopédisme.

3. L'ENCYCLOPÉDISME DES HUMANISTES

Chacun sait bien ce que cette première génération d'humanistes doit à l'Antiquité ; ces hommes qui parlent et écrivent les trois langues, ont fait partager leur amour des lettres grecques et romaines aux écrivains : et Ronsard, qui lit en trois jours l'Iliade dans le texte, peut proclamer non sans quelque suffisance d'ailleurs :

> *Les Français qui mes vers liront*
> *S'ils ne sont et Grecs et Romains*
> *Au lieu de ce livre, ils n'auront*
> *Qu'un pesant faix entre les mains* ([275]).

Encore est-il nécessaire de préciser que le legs des civilisations antiques n'est pas tout pour les compagnons d'Érasme et de Lefèvre. Sans nul doute ils puisent à pleines mains dans ces œuvres restaurées, étudiées pour elles-mêmes — et non plus, comme les Pères de l'Église et les clercs médiévaux le faisaient, dans la perspective d'une préparation au Christianisme. Ils ont trouvé surtout dans les conceptions des écrivains grecs et romains l'idée du destin humain, forgé dans une large mesure par l'homme lui-même : *fabrum suae quemque esse fortunae.* En ce sens, les héros de Plutarque connus bientôt de tous grâce à Amyot — au delà même du cercle des érudits — leur fournissent un choix extraordinaire de références humaines, où tous les grands problèmes de l'homme se trouvent résolus. S'agit-il du suicide ? Voilà Caton et Sénèque ; des conflits du devoir civique et de la piété filiale ? Voilà Brutus : *Tu quoque, mi fili.* Chaque formule, chaque scène porte avec elle, comme une médaille, son poids d'expérience humaine, aisément transportable dans le présent ([276]).

Que des pédants — les Apollons de Collège, étudiés dans son *Rabelais* par Lucien Febvre — se soient enivrés de cette culture antique, et aient saisi l'occasion de se distinguer du commun, parlant et écrivant exclusivement latin, parodiant Martial, Ovide et Horace, c'est bien certain. Ceux-là ne sont d'ailleurs par les grands humanistes — et ne comptent guère, même dans leur temps, à côté des Estienne et de Rabelais. Mais ils ont empli les airs et des ouvrages entiers de leurs *nugae*, de leurs jeux de mots sur les noms propres, de leurs jérémiades et de leurs disputes : lequel d'entre eux sera le Virgile du siècle, voilà le problème :

Hoc saeculum genuit duos Marones... ([277])

Cuistreries sans autre portée que de nous révéler précisément cette « fureur de l'antique » qui a possédé certains lettrés de l'époque.

L'importance de l'Antiquité dans les préoccupations des humanistes se mesure mieux en réalité au rythme des publications ; à Paris ([278]), les livres d'auteurs latins et grecs, et les études consacrées à l'Antiquité restent moins nombreux que les ouvrages religieux jusqu'en 1525 (cette année-là, respectivement 37 et 56) ; mais, dans les années suivantes, la production humaniste fait un bond en avant : 134 contre 93 ouvrages de piété en 1528 ; 204 contre 56 en 1549 ([279]).

Cependant la fringale de savoir des érudits humanistes ne se borne pas à l'Antiquité, elle s'étend à toutes les connaissances qui peuvent être saisies, mises en place à l'époque. Sans doute l'Antiquité a-t-elle satisfait, pour une part, à cette boulimie, avec les œuvres retrouvées de Pline l'Ancien, de Ptolémée, de Pythagore, d'Aristote lui-même. Mais la curiosité encyclopédique de Lefèvre, de Rabelais, de Ramus un peu plus tard, n'a pas de limites : Ramus en est peut-être le plus bel exemple, ce maître ès-arts (comme Lefèvre) qui écrit sur la philosophie, les arts libéraux, les mathématiques, la géométrie, la dialectique... ([280]) : histoires naturelles, géographies des mondes connus (Méditerranée et Proche-Orient) d'ailleurs beaucoup plus que des continents nouvellement découverts, traités de mathématiques ne manquent donc pas aux catalogues des libraires. Sans doute faut-il encore ajouter, pour comprendre la curiosité sans fin de ces hommes, et les éditions des légendaires qui assurent à l'hagiographie traditionnelle, et aux légendes païennes, une belle survie, et les très nombreuses publications juridiques : l'importance de cette clientèle des gens de robe ([281]) explique, dans une certaine mesure, la faveur des ouvrages de droit, à une époque où les grandes conceptions traditionnelles — en particulier celle de droit naturel proclamée par saint Thomas — se trouvent remises en question par la connaissance plus précise de l'histoire ancienne — et par les conceptions mystiques, issues du mouvement réformateur. Le développement du droit positif — y compris la notion de contrat social, qui fait son chemin dans les dernières décennies du XVIe siècle — s'est fait sous l'influence des deux facteurs : une meilleure connaissance de l'histoire du droit romain, et l'idée mystique nourrie par Luther, Machiavel et Bodin, selon laquelle le monde est foncièrement mauvais. En fait, l'humaniste est un savant curieux de toutes connaissances, quelles qu'elles soient, c'est un encyclopédiste, sans trace de dilettantisme, qui a trouvé dans le savoir, et notamment dans les compilations antiques, la première, mais non l'unique source, à laquelle étancher sa soif de connaître.

*

Tous ces traits ne se retrouvent pas dans la tradition humaniste, perpétuée aux époques suivantes : l'espèce même d'érudit déchiffreur de manuscrits, établissant avec brio la bonne leçon d'un texte fort malmené, devait s'amenuiser, une fois terminés l'inventaire et la confrontation des manuscrits sauvés de l'oubli. Mais bien d'autres abandons s'opèrent dès la fin du XVIe siècle : le savant-éditeur-imprimeur, ce type de lettré du XVe et du XVIe siècle, depuis Jean Amerbach jusqu'à Robert Estienne, se fait rare, et n'existe pour ainsi dire plus au XVIIe siècle — quelle que soit la culture de l'éditeur de Molière ou de Pascal. De même, sans nul doute, le souffle puissant qui anime la génération d'Érasme et de Lefèvre, qui pousse vers l'étude tant d'hommes, riches et pauvres, se perd dans la seconde moitié du siècle : alors qu'avant 1550 les villes s'ingénient à créer les instruments du savoir, fondent des bibliothèques bien dotées, instituent des collèges municipaux, qui donnent, à l'image du Collège de France, un enseignement laïc, — à la fin du XVIe siècle par suite de la crise de suspicion provoquée par la Réforme, par suite des destructions de la guerre, et bientôt par manque d'argent, les municipalités renoncent aux collèges, qui sont repris par le clergé. Par exemple, à Amiens où le collège, abandonné par principal et régents, qui n'étaient plus payés, passe aux mains d'un archidiacre qui accepte un demi-salaire, en novembre 1599.

Ainsi peut se mesurer la distance qui sépare l'humanisme dévot des premières années du XVIIe siècle, de celui qui a fait la gloire d'Érasme et de Guillaume Budé : celui-là, que professent les Jésuites, et de bons écrivains comme Camus, évêque de Belley, a discipliné l'aspiration humaniste au savoir ; l'homme et le monde sont certes admirables et dignes d'études, mais parce qu'ils permettent de s'élever à la connaissance du créateur, l'homme étant chef-d'œuvre de l'Univers, parce qu'il est l'image même de Dieu. Aussi bien l'étude de l'Antiquité s'attachera-t-elle avec prédilection aux œuvres, aux hommes qui annoncent et préparent d'une certaine façon l'avènement de l'Église de Dieu... C'est une autre forme d'esprit, où les préoccupations religieuses ont endigué les espérances et le souffle conquérant du premier tiers du XVIe siècle.

Chapitre VI

Dépassements : savants et philosophes

Faire maintenant une place, parmi les hommes exerçant des activités considérées comme supérieures, aux savants et aux philosophes, cela peut paraître discutable. Malgré quelques grands noms très connus, Léonard de Vinci (dont les contemporains n'ont d'ailleurs pas lu les traités), Copernic, Kepler, Viète, Galilée, les sciences du XVIe siècle ont mauvaise réputation chez les spécialistes de l'histoire des sciences ; compilations, accumulation des connaissances antiques retrouvées, c'est le reproche courant qui enveloppe dans le même dédain les savants de la Renaissance, et ceux de la fin du siècle... En attendant Descartes. Quant aux philosophes, mieux vaut n'en pas parler ; pour les contemporains dans leur majorité pensante, le thomisme, qui confond philosophie et théologie, reste la loi, transgressée, ici et là, par quelques imprudents comme Pierre de La Ramée ; pour les historiens de la philosophie, la même accusation d'abus éclectique de l'antiquité revient comme une condamnation sans appel : Descartes, là encore, joue le rôle que Boileau en littérature assignait à Malherbe.

Pourtant, sous réserve de tenter une reconstitution assez serrée du climat intellectuel dans lequel ont vécu ces hommes de science, la réalité n'apparaît pas aussi sombre. Même avant Descartes, la France moderne a eu ses savants — ce sont aussi ses philosophes — célèbres ou non, qui ont essayé de comprendre la nature et, pour ce faire, ont cherché partout des appuis, des précédents, des *auctores* capables de les aider dans leur effort.

Mais avant d'examiner l'attitude d'esprit qui s'exprime dans ces tentatives, soulignons d'un mot le prestige social du savant ; celui-ci n'est pas, comme aujourd'hui, un professionnel, engagé à plein temps dans la recherche, ou l'enseignement ; les Universités font, il est vrai, une place aux études mathématiques, juridiques et médicales et il existe assurément un groupe social très mince numériquement parlant, et sans grand rayonnement hors de la cohorte des étudiants, d'enseignants savants : hommes de loi, théologiens, maîtres de médecine, « physiciens » du Quadrivium qui ressassent les leçons de l'École, stéréotypes auxquels le mouvement de la Renaissance n'a pas apporté, sur l'heure, une vie nouvelle ; Hippocrate, Aristote, le code Justinien restent les maîtres suivis avec un formalisme que traduisent à merveille les cérémonies universitaires elles-mêmes, ces *disputationes* au cours desquelles sont débattus des points importants de la doctrine couramment acceptée ; se déclarer contre Aristote ou contre Galien dans et hors de l'Université, c'est s'exposer à la condamnation pure et simple, comme il arrive à Pierre de La Ramée en 1544. Même les médecins et les juristes, aux prises avec les innovations inévitables du temps qui s'écoule — maladies nouvelles du XVIe siècle, ordonnances royales d'un grand législateur comme François Ier — n'échappent pas à cette contrainte ([282]), imitée de la rigueur avec laquelle les théologiens, dans leur domaine, assuraient depuis des siècles la protection de l'orthodoxie, contre les hérésiarques et hérétiques de tout poil.

Aussi bien n'est-ce pas le monde des enseignants qui fournit aux sciences de la nature, mises en mouvement par les grandes découvertes, leurs cadres et leur prestige ; il est bien connu que les hommes ayant compté aux yeux mêmes de l'histoire traditionnelle des sciences sont pour ainsi dire des « amateurs », qui ont eu la passion de la recherche ; chacun pense à Bernard Palissy, cet artisan autodidacte qui n'a pas craint de faire dialoguer « Théoricque » et « Practique » ; mais Viète, plus tard Fermat et le père de Pascal sont des magistrats, à qui leur profession laisse sans doute de larges loisirs pour exercer leur curiosité, en dehors de leurs occupations principales. Beaucoup de médecins aussi, non des professeurs, mais des praticiens aux prises avec la vie, jouent un grand rôle. C'est que cette passion scientifique est largement répandue : les traductions imprimées des ouvrages anciens ont mis à la disposition de quiconque, dès les premières années du XVIe siècle, la géométrie d'Euclide, la mécanique d'Archimède, la géographie de Ptolémée, la physique d'Aristote, les histoires naturelles de Pline... Rabelais s'est enchanté lui-même de cette science retrouvée, et il en nourrit son Gargantua. Il n'est pas en cela un être exceptionnel, ni un précurseur : quel homme cultivé à la fin du XVIe siècle n'est déjà un collectionneur ? C'est la belle époque des cabinets de curiosités, où s'entassent astrolabes, portulans et « cartes universelles tringlées de bois », coquillages, peaux de poissons des mers australes et médailles antiques, à côté des livres ([283]). Au début du XVIIe siècle, le père Garasse, pourchassant l'athéisme et les libertins partout où ils se peuvent cacher, constate que chacun veut pouvoir se dire savant à Paris : « Le titre de bonhomme, écrit-il, ne coûte rien ; mais le titre de sçavant est beaucoup plus renchéry. » Sans doute se piquer de savoir et être savant n'est pas la même chose, nous le voyons tous les jours. Mais cet engouement traduit bien le prestige de l'homme de science au début de l'époque moderne. Allons plus loin : les confusions scientifiques de ce temps ont pu ajouter à ce prestige, si paradoxale que paraisse l'affirmation. Plus tard seulement, la rigueur méthodique, la clarté explicative deviennent les critères de la réussite.

I. CONFUSIONS ET PRESCIENCES

Laissons ici de côté la question de l'outillage scientifique, langue, conceptualisation ; L. Febvre a présenté dans son *Rabelais*, sur ces aspects de la question, une synthèse que rien n'est encore venu renouveler, ou même compléter.

Hommes d'insatiable curiosité, les savants sont alors aussi soucieux de connaissances utilitaires ; leurs croyances les plus communes guident en ce sens leur intérêt, comme le lien entre astronomie et astrologie le montre bien. « Si, déclare Kepler, l'espoir confiant de lire dans le ciel l'avenir n'existait pas, les hommes auraient-ils été suffisamment sages pour étudier l'astronomie elle-même ? » A plus forte raison, pour la médecine, ou la magie, qui fait partie du corps des sciences, au même titre que l'alchimie et l'hermétisme. Établir une hiérarchie des sciences, un classement entre sciences et fausses sciences — comme nous pouvons le faire aujourd'hui — n'aurait pas de signification ; il faut admettre, en suivant les esprits du temps, l'occultisme à côté de l'algèbre de Viète. Hommes d'expérience — mais non d'expérimentation — hommes de tradition, ils se consacrent d'abord, pour la plupart, à la récolte d'innombrables « faits », que la diffusion de la science antique et l'élargissement du monde à la suite des grandes découvertes ont multipliés. Ils ne sont pas encyclopédistes en ce sens qu'ils n'y mettent point d'ordre, mais leur tour d'esprit est encyclopédique. Dans cette perspective, rien ne sépare l'humble bourgeois de Reims, collectionneur d'oiseaux empaillés des îles, du savant plus célèbre qui aura visité les Antilles et décrit plus amplement cette faune inconnue des Européens. Le *Miroir* médiéval de la nature s'est soudain considérablement agrandi, par des collections de plantes, de planches gravées sur bois ou sur cuivre, et qui reproduisent avec minutie tous les détails de l'objet réel.

Mais, hommes de tradition, ils acceptent tout ce qui est marqué d'autorité ; le plus bel exemple à évoquer est celui d'Ambroise Paré aux prises avec la poudre de corne de licorne ([284]), qui protège contre la peste. Il ne nie pas l'existence du monstre puisque l'Église l'affirme ; mais, après avoir énuméré toutes les raisons qu'il a de n'y pas croire, il conclut qu'il y croit. D'ailleurs, en ce domaine médical, il faut aussi tenir compte de l'opinion courante : si un malade mourait de la peste sans qu'on lui en ait prescrit, les parents donneraient la chasse au médecin. Ainsi accueille-t-on parmi les connaissances, toutes les descriptions — monstres y compris — des Histoires Naturelles de Pline et d'Aristote : l'autorité du prédécesseur, ce principe contesté par la science du XXe siècle, qui va de dépassement en dépassement, est au contraire l'axiome fondamental du savant au XVIe siècle.

De même pour l'expérience, si l'on entend par là, non l'art de démontrer un fait en le répétant, mais connaissance enregistrée purement et simplement, ou observée passionnément : une apparition, étoile filante, épée flambante dans le ciel, un songe qui doit être prophétique sont des faits d'expérience ; ils fournissent la matière à cet art des « pronostications » qui tient une si grande place dans les préoccupations de l'époque : au point que les almanachs de prophéties, à tournure plus ou moins astrologique, peuvent représenter la vulgarisation la plus courante des « connaissances scientifiques » de l'époque. Actions à distance, coïncidences ou successions d'événements entre lesquels une causalité est spontanément établie, l'expérience et l'observation du savant les utilisent sans cesse, avec un bonheur inégal ; cette attitude d'esprit accueillante, ouverte à toute « expérience », est assurément un autre trait caractéristique.

Ainsi se comprend la confusion faite entre astronomie et astrologie : « mesurer le ciel, mettre les estoilles en carte et en nombre, déterminer la grandeur de chacune, cognaistre quelle distance il y a de l'une à l'autre », c'est œuvre d'astronome, mais aussi c'est retrouver les signes qui influencent la destinée de chacun : connaître sa date de naissance, selon le calendrier, est moins important que de savoir la figure et disposition des astres, grâce auxquelles toute une vie peut à l'avance être décrite ; en ce sens l'astrologie est un art difficile, auquel les meilleurs s'intéressent, sans avoir un instant le sentiment d'une faiblesse ([285]).

L'alchimie, qui reste la plus prestigieuse des sciences, trahit une ambiguïté du même ordre ; l'alchimiste recherche tantôt une panacée, et veut fournir à la médecine le remède souverain qui délivre de la peste, et des autres maladies, tantôt le secret de la fabrication de l'or à partir de substances communes, pierres, métaux courants : d'une part la santé, d'autre part la richesse. Dans sa démarche, ce savant ambitieux est un chimiste empirique : l'essentiel de son pouvoir réside dans la fusion et la distillation des corps. Chauffer, fondre ensemble des métaux, utiliser des proportions variables... toutes ces opérations lentes, fastidieuses n'ont pas été, dans le passé de cette science, absolument vaines.

Jamais aucun docteur Faust n'est certes parvenu au terme de sa recherche, qu'il s'agisse de la transmutation ou de la trop fameuse pierre philosophale ; jamais aucun alchimiste n'a achevé son exploration du microcosme et du macrocosme ; mais l'eau-de-vie est une découverte d'alchimiste ; maints métaux et alliages courants ont été mis au point dans ces ateliers où voisinent les poudres les plus rares — et, à nos yeux, les plus saugrenues — importées d'Orient bien souvent — et les bonnes recettes de l'art métallurgique médiéval ([286]).

De même enfin, l'adepte des sciences occultes, et de la magie elle-même, demeure-t-il un savant ; il cherche à déterminer, à guider des forces qui sont dans la nature, mais peu visibles et plus difficiles à maîtriser que les forces connues par l'expérience immédiate des sens. Mais le « panpsychisme » qu'implique la magie — sans parler de la partie théologique de celle-ci lorsqu'elle se fait satanique — est « parfaitement » admis par la mentalité de l'époque ; c'est ce que L. Febvre dans son *Rabelais* a appelé l'absence du sens de l'impossible. Seuls quelques rares esprits comme Charron et Montaigne ont pu dénoncer, ici et là, superstition et déraison dans les recherches magiques : leurs contemporains admettent parfaitement ces préoccupations, bien plus ils leur reconnaissent souvent une sorte de prééminence, par rapport aux autres formes de savoir.

Ainsi, dans cet esprit scientifique, se fait sans cesse à nos yeux une interférence constante entre éléments rationnels, obtenus par la méthode déductive et l'observation même, et des éléments irrationnels, reçus par tradition ou expériences incontrôlées. A la tentation de séparer le bon grain de l'ivraie s'oppose une considération essentielle : l'unité de la démarche de ces esprits ; les mathématiques de Viète sont en même temps les bons et mauvais nombres de Pythagore ; les premières lunettes qui ont permis la vérification des observations de Galilée et des théories de Copernic, qui ont amené Kepler à ses théories optiques, ont été vantées, présentées par le Napolitain Porta, dans sa *Magie Naturelle*, comme des objets doués d'un pouvoir aussi bénéfique qu'occulte ([287]). Le progrès médical, tout comme la connaissance de la nature, se trouve réalisé dans l'accumulation d'une masse considérable d'informations, de déterminations, d'origines très diverses, acceptées sans ordre ni méthode ; de cette variété se dégagent parfois les pressentiments inattendus de l'essor scientifique que le XVIIIe siècle commence à réaliser. Au milieu de rêveries astrologiques, de mille descriptions de monstres (voyez Ambroise Paré) et de cent « prognostications », nous retrouvons les esquisses de Léonard de Vinci, les patientes expériences de Bernard Palissy ; mais dix ou vingt presciences ne font pas la Science, telle que les hommes du milieu du XVIIe siècle commenceront à l'entrevoir.

2. MÉTHODE ET PHILOSOPHIE

Dire aujourd'hui que le progrès scientifique a été étroitement lié à l'avance des mathématiques et aux premières tentatives d'expérimentation paraît certainement assez naïf ; nous savons bien que mathématiques et méthode expérimentale ont remporté les plus grands succès dans les siècles qui ont suivi, et la déduction est trop facile. Pourtant, il est assuré que les quelques progrès dont les débuts de la science moderne peuvent s'enorgueillir, viennent de ces côtés-là. Descartes le dit bien : retraçant dans le *Discours de la Méthode* son itinéraire intellectuel des premières années du XVIIe siècle, il souligne combien il se plaisait aux mathématiques dont « les fondements (sont) si fermes et si solides » — tout en s'étonnant qu'on n'ait « rien bâti dessus de plus relevé » que des applications techniques, arpentage, cartographie, fortifications...

Mathématiques et astronomie, servies par leur caractère tout formel, ont de toujours une solidité, une évidence à quoi ne pouvaient prétendre les sciences dont l'objet était matériel ; elles ont été également servies par la réapparition des traités antiques, d'Archimède à Ptolémée, en passant par Apollonius, dont les fragments ont fait l'objet de tentatives de reconstitution jusqu'au cœur du XVIIe siècle : Fermat s'y emploie encore ([288]). Ptolémée ouvre la voie à Copernic et Galilée. Les *Coniques* d'Apollonius ont été longuement méditées par Kepler. Les exigences de précision qu'introduit la pratique des mathématiques se retrouvent, au demeurant, jusque dans la vie courante : architecte, géomètre sont des mots du XVIe siècle, qui trahissent l'influence de la science grecque. Une cité comme Amiens utilise à longueur d'année un peintre et « architecteur » qui relève, boussole en main, le plan de la ville, fait le portrait des faubourgs et fortifications, dessine même le plan des maisons, ou d'un corps mort, trouvé ici ou là. Appliquer la mesure et le nombre à toute forme de connaissance est une ambition encore mal formulée : le mécanisme du XVIIe siècle y est seulement contenu.

Plus visible est cependant le progrès de l'expérimentation, cette action dirigée par la volonté et la pensée sur la nature — au moins dans les dernières années du XVIe siècle. Si un homme comme Descartes reste, plus tard, attaché aux mathématiques et désireux de soumettre la nature à des lois du nombre, d'autres comme Ambroise Paré et Bernard Palissy n'ont pas craint de confier à l'expérience le progrès de leur savoir ([289]). La médecine d'Hippocrate a encouragé cette orientation, encore timide, par ses descriptions positives des maladies et des êtres vivants, qui ne font jamais appel à l'explication magique. L'autopsie, qui devient de plus en plus fréquente, est une étape sur la voie de l'expérimentation. De même un esprit curieux comme Claude Haton, désireux de comprendre les signes célestes qui se multiplient dans le ciel en 1575-1576, se demande si ces feux qui éclatent soudainement, ne sont pas comparables au « feu élémentaire en une poupée de chanvre », cheminant sans lumière jusqu'à l'embrasement ([290]). Il n'y a là, assurément, que des signes ; le même Bernard Palissy, qui oppose sa pratique d'artisan aux théories de Cardan, se contente bien souvent de constatations, de rapprochements de simple bon sens, et parfois pire : dans son *Traité des Pierres*, il déduit de la présence de marbre dans les Pyrénées, un lien de cause à effet entre l'abondance d'eau et la dureté des pierres... Personne n'est encore arrivé à l'expérimentation systématique.

*

La valeur des sciences ainsi constituées dans cette période précartésienne n'a pas manqué de rencontrer ses détracteurs. Mersenne, Bacon écrivent, au début du XVIIe siècle, contre les sceptiques qui s'embarrassent des contradictions et incertitudes que comportent maintes explications. Au terme du XVIe siècle, l'édifice aristotélicien sur lequel avait vécu la fin du moyen âge, s'est trouvé démantelé. Le naturalisme du XVIe siècle reconnaît à tout témoignage, à toute notation d'expérience, attestée dans le temps ou dans l'espace, valeur d'élément naturel. Tout est possible parce que tout est naturel, y compris ce que nous appelons aujourd'hui le fait miraculeux, ou surnaturel.

La philosophie se dégage ainsi de l'attitude scientifique elle-même. Les polémiques ardentes qui opposent, à Paris au milieu du XVIe siècle, aristotéliciens et « ramistes », constituent une étape importante du renouvellement philosophique ; or, le point de départ en est bien la discussion sur la « physique » ou l'astronomie sans hypothèses. Trois quarts de siècle plus tard, Mersenne et Descartes sont aux prises sur des problèmes mathématiques ([291]), et mettent en cause une physique : les lecteurs de Descartes ont fait autant de cas, sinon plus, de son système mécaniste que du doute méthodique.

Un tournant de la pensée philosophique et scientifique se situe, en fait, dans les premières années du XVIIe siècle. Des compilations et des incertitudes méthodologiques de l'époque précédente émerge peu à peu l'idée d'une méthode rationnelle nécessaire pour assurer la démarche scientifique. Le temps des collectionneurs — et des métaphysiciens — est passé : les quelque cent cinquante correspondants et visiteurs du père Mersenne qu'énumère avec précision un de ses biographes, sont tous des hommes férus de mathématiques et d'ordre en leurs pensées. Le jeune Pascal, qui a connu les réunions de la place des Vosges, l'a dit expressément : nul mieux que lui n'aidait à se délivrer de la « tyrannie des opinions » reçues, car « il avait un talent tout particulier pour former de belles questions... encore qu'il n'eust pas un pareil bonheur à les résoudre ». Nous dirions aujourd'hui : l'art de poser les problèmes. La fièvre scientifique qui anime tous les compagnons du Minime, clercs et laïcs, tient assurément au pressentiment d'un pas important : voir plus clair, s'assurer des connaissances aussi indiscutables que la géométrie d'Euclide ([292]) ; le moment est proche, où « la Vérité des Sciences » va éclater.

L'atmosphère de cette période, qui aboutit en 1637 au *Discours de la Méthode*, est celle d'un combat, où les tenants de l'aristotélisme médiéval, les praticiens de toutes les recettes traditionnelles font figure déjà d'attardés perdus dans une lutte défensive, combattants d'arrière-garde que Guy Patin stigmatise dans ses conseils à son fils, médecin comme lui-même ([293]) : « un médecin qui se bandera contre la superstition et la bigotterie du peuple de Paris sera incontinent descrié par le peuple ignorant et par la bourgeoisie bigotte, par la faction loyolitique, par les cafards et les hypocrites encapuchonnez qui ne regardent le monde qu'au travers d'une pièce de drap, par un tas de prestres peu scavans, mesmes par les plus hupez qui ont serment à la cabale des hypocrites ». Violente et injuste ([294]), cette mise en garde a le mérite de nous fournir un écho des luttes dans lesquelles sont engagés les savants des premières décennies de ce siècle, un reflet de la laïcisation en cours de la philosophie et de la science. De nouvelles conceptions du monde naturel — et humain — sont en voie d'élaboration rapide, au prix de révisions qui inquiètent, ou nourrissent d'enthousiasme tous ceux qui y prennent quelque part. Mais alors que les théologiens jésuites ont pris en charge l'humanisme païen de la Renaissance, l'ont absorbé et intégré à leur propre pensée sous la forme de l'humanisme dévot, la même opération n'a pu se faire sur la plan scientifique, du moins au XVIIe siècle : l'élan conquérant des mathématiques, de l'astronomie, de la physique contredit trop de vérités reçues par la tradition, et considérées comme immuables ; ce dont Copernic et Galilée ont fourni l'illustration. Le progrès scientifique va prendre nécessairement l'aspect d'une innovation batailleuse, niant allégrement maintes « vérités d'Évangile » ; c'est bien le caractère de la vie scientifique au temps des Encyclopédistes. En ce sens, Descartes est à la fois le point d'aboutissement de l'effort scientifique du XVIe siècle — et un point de départ.

Chapitre VII

Dépassements : la vie religieuse

Dans la France de Henri IV ou de François Ier, les trois types d'hommes que nous venons de rencontrer, humanistes, artistes, savants, constituent une petite minorité : les uns vivant d'érudition, les autres créateurs de Beauté, ils œuvrent eux-mêmes pour un public qui n'est pas tellement étendu ; les premiers s'adressent à ceux, curieux, sinon savants, qu'intéressent l'Antiquité classique retrouvée, la raison païenne et ces civilisations pré-chrétiennes dont l'Église médiévale avait réservé l'émouvante familiarité à ses seuls clercs ; les seconds, architectes, peintres, sculpteurs, offrent peut-être leurs œuvres à la contemplation de tous leurs contemporains — au moins les architectes ; mais le temps n'est pas encore venu où le Louvre, Fontainebleau, les châteaux de la Loire seront connus de tous, où tout Français aura le désir de les visiter, ne serait-ce qu'une fois ; les troisièmes enfin sont méconnus dans la mesure où leurs sciences n'ont pas encore de prise réelle sur la nature et sur l'homme. Ainsi ce petit monde des érudits, des savants, des artistes n'informe-t-il pas largement la société contemporaine.

Au contraire, le fait religieux est un fait de masse. La religion, Lucien Febvre l'a démontré dans le *Problème de l'incroyance*, est présente à tout moment de la vie humaine, sacralisant tous les événements importants, de la naissance à la mort ; elle fournit à tous, pour ce passage terrestre et surtout pour l'éternité de l'au-delà, l'espérance salvatrice ;

nul n'aurait idée à cette époque de nourrir, même soigneusement dissimulés en son for intérieur, des sentiments d'indifférence à son égard. Cette présence de la religion en chacun n'est sans doute pas un trait original de l'époque moderne commençante ; c'est une tradition, que n'ont pas immédiatement ébranlée les débats douloureux au milieu desquels a sombré l'unité religieuse de la France — et de l'Europe occidentale.

Cependant notre propos n'est pas de retracer les vicissitudes des conflits dogmatiques et sociaux qui ont déchiré le pays et les cœurs pendant près d'un siècle ; cette longue histoire qui prend ses racines dans les inquiétudes métaphysiques du XVe siècle, ses peurs de la Mort et de l'Enfer, et qui ne s'achève ni à l'Édit de Nantes, ni à la paix d'Alais, ni même à la Révocation, est tout autant sociale, politique, démographique même, que psychologique ([295]). Ce qu'il s'agit de retrouver ici, c'est la signification de la foi — disons des manières de croire — pour ces hommes entraînés dans le destin tumultueux de la Réforme et de la Contre Réforme, — s'il faut employer cette terminologie stéréotypée.

Croire, douter, pratiquer, les mots et les notions ne manquent pas de sens, lorsqu'il s'agit de décrire les attitudes religieuses de nos contemporains : aidés par l'énorme travail d'analyse des philosophes explorant toutes les nuances qui séparent la foi du charbonnier de l'agnosticisme critique, guidés par l'inventaire méthodique de la pratique réalisé par l'école de sociologie religieuse, si longtemps animée par Gabriel Le Bras qui, assidûment depuis trente ans, met en fiches, répertorie, cartographie pratiquants, saisonniers et dévots, nous pouvons, avec un relatif bonheur, mettre sous ces expressions une définition valable de la foi, de la tiédeur, ou de l'incroyance. Il n'en va pas de même pour les XVIe et XVIIe siècles, d'abord parce que ces hommes ne possédaient pas l'équipement conceptuel dont nous pouvons user aujourd'hui : ce qui limite sans conteste la gamme de leurs propres options, et surtout nous interdit d'appliquer, tout de go, nos instruments d'analyse à la définition de leurs mouvements de foi. En prenant le cas le plus apparemment simple, celui du moine priant dans sa cellule, qui s'aviserait de traiter de la même manière le Bénédictin de 1530 et celui de 1960 ? Bien souvent, ce sont leurs façons de réagir à la vie du siècle qui les ont amenés au cloître... Mais, cela mis à part, ce moine du XVIe siècle qui adresse sa prière à Jésus, à Marie, ou à quelque Saint, ne fait-il pas appel à un Dieu ou à un intercesseur qui ne représente pas pour lui tout à fait ce qu'ils sont aujourd'hui pour nous ? Il n'y a certes pas une seule et éternelle façon de croire — ou de douter : nous savons assurément que les hommes de l'époque moderne « veulent croire » ; mais que ces contemporains d'Érasme et de Calvin ([296]), ou, plus tard, de Bérulle et d'Aubigné, n'aient pas « senti » leur foi de la même manière, c'est aussi une évidence.

A vouloir fouiller dans le détail ces âmes particulièrement riches, parce que perpétuellement anxieuses de leur destin, il serait sans doute nécessaire de procéder par étapes, par moments de la vie spirituelle de l'époque ; les pacifiques novateurs des années 1510-1520, et les animateurs farouches des guerres de religion ne se ressemblent certes pas beaucoup, malgré bien des traits communs. De plus, s'il n'est pas douteux que de grandes dates comme la rupture du 15 juin 1520, ou la clôture du concile de Trente, sont déterminantes pour la vie spirituelle de l'époque, il est aussi vrai que leur résonance n'est pas la même pour tous, au même moment : Luther rejeté hors de l'Église, c'était, du moins Rome le croyait, un abcès vidé en quelques années, le moine isolé, perdu dans une Allemagne hostile ; dix ans plus tard, vingt ans, et c'est la multiplication des Églises protestantes. Le concile de Trente a restauré le dogme, et surtout la discipline du monde catholique ; mais celui-ci n'est pas devenu, en un an, ce que nous connaissons, tristement solennel ; en France, l'application des décisions a été longtemps retardée par les résistances gallicanes des Parlements, qui s'opposèrent à la publication même des textes conciliaires ; puis interviennent les délais nécessaires à la prohibition des fêtes populaires, des saturnales, auxquelles le petit peuple était fort attaché. A la fin du XVIIe siècle, certains s'étonnent encore de voir la « fête des fols » survivre ici et là. Dans un sens positif, la stimulation des pratiques, envisagée par le Concile comme un des moyens de lutter efficacement contre les progrès de l'hérésie, s'impose dans ce pays dans les premières décennies du XVIIe siècle ([297]). Une histoire de la vie religieuse axée sur ces grandes étapes traditionnelles serait, une fois de plus, une histoire des grands esprits. Seule nous intéresse ici la diffusion de ses actes essentiels, l'inflexion donnée en son temps à la pratique et à la vie spirituelle.

Disons encore, pour mieux préciser notre pensée, que les cruautés des guerres de religion nous intéressent en elles-mêmes comme témoignages de cette insensibilité des combattants qui a scandalisé plus d'un témoin comme Claude Haton : « les catholiques estaient aussi larrons et voleurs des biens d'autrui que les huguenots — excepté qu'ils ne pillaient et ne saccageaient les églises, et ne tuaient les ecclésiastiques, mais au demeurant aussi meschans que les huguenots » ([298]). Mais nous aurons à tenir compte, lorsque nous essaierons d'approcher les formes de vie spirituelle, de ce climat nouveau dans lequel pendant trente ans les débats religieux se sont déroulés ; ce n'est pas un facteur déterminant, un élément majeur de celle-ci.

Dans cette recherche des caractères propres à chaque attitude spirituelle, un fait domine tous ceux que nous venons d'évoquer ; c'est, pour les catholiques d'abord, le fossé qui sépare les clercs, ceux que nous pouvons appeler les professionnels, des simples laïcs, fidèles observants d'une religion dont les rites, fixés par des siècles de codification, suppléent aux insuffisances de la vie intérieure ; au contraire, les nouvelles structures spirituelles que mettent en place les Réformés, font part égale aux pasteurs et à leurs ouailles ; le nouveau christianisme est une religion plus individualiste que hiérarchique. Et, sans doute, au début du XVIIe siècle, les laïcs ont-ils pris dans l'Église gallicane une place plus grande qu'autrefois ; plus qu'autrefois, en effet, ils demandent, et obtiennent, une place dans l'administration temporelle de la paroisse : ce sont les « fabriques », institution qui s'enracine partout au XVIIe siècle ; de plus, une bonne part du mouvement de rénovation dans les années 1600-1640 est l'œuvre de laïcs, et surtout de femmes dévotes. Ce n'est pourtant qu'un moment privilégié de participation des fidèles à la vie profonde de l'Église, alors que, dans les groupes protestants, la part du laïcat reste, de fondation, prépondérante.

1. LES « PROFESSIONNELS » CATHOLIQUES : LES CLERCS

Évêques et princes de l'Église, abbés et prieurs de monastères, chefs d'ordres réguliers, maîtres et étudiants des Universités — et, piétaille nombreuse de cette hiérarchie, curés et moines — constituent ce monde des clercs, dont les histoires de l'Église, lorsqu'elles prétendent parcourir le champ des activités religieuses, font ordinairement leur gibier. Et c'est bien parmi ces cadres de l'Église visible que se retrouvent, sans nul doute, les initiateurs des mouvements de réforme comme les promoteurs des ascèses morales et spirituelles les plus élevées : fondateurs d'ordres, réformateurs de couvents, maîtres de discipline, tous les acteurs de l'histoire ecclésiastique sortent de ces rangs. A cela rien d'étonnant, si nous pensons bien quelles différences de formation liturgique et dogmatique l'Église du XVIe siècle plaçait entre clercs et fidèles ; un prêtre soucieux d'approfondir sa foi, un moine curieux de préciser les supports intellectuels de ses mouvements mystiques peut disposer, non seulement des ressources d'une bibliothèque personnelle, que l'abondance des publications théologiques depuis 1450 peut faire monumentale (s'il en a les moyens), mais aussi des services éclairés des Facultés qui lui sont ouvertes : la Théologie des Pères et Docteurs de l'Église et le Droit Canon des collections conciliaires et pontificales, peuvent s'étudier à Paris comme à Orléans ou à Bourges ; les œuvres des Pères de l'Église constituent pour eux une inépuisable source de méditation et d'inspiration : saint Augustin et saint Paul venant aux premiers rangs.

Par ces démarches, séculiers et réguliers ont conscience de perpétuer une tradition de très longue durée, celle-là même qui a fait l'Église ; la marque de cette tradition ne se retrouve-t-elle pas en chaque démarche du prêtre, dût-il choquer les fidèles ? Maints exemples sont déjà sensibles au

XVIe siècle — au moment des grandes remises en question ; ainsi la théologie du mariage ([299]) mise au point par des ascètes vivant dans l'attente de la fin du monde : déjà saint Thomas s'opposait à l'Immaculée Conception avec des arguments tirés d'une morale courante ([300]) ; de même le rite des relevailles implique que toute union charnelle, même légitime, est une faute dont il convient d'être relevé. La rigueur de cette ascèse contribue largement à séparer le prêtre de la masse des fidèles.

Enfin la variété même des familles qui constituent la vie régulière, hors du monde, à l'intérieur de la maison de Dieu, est encore un élément d'enrichissement spirituel ; Franciscains, Dominicains, Bénédictins sont les plus nombreux et les plus appréciés des réguliers — en attendant que la Compagnie de Jésus, à partir de 1540, puis les nombreux ordres du XVIIe siècle ne viennent modifier cette hiérarchie. Assurément, l'état ecclésiastique n'est pas une carrière, au sens moderne du terme — et ne l'a jamais été ; mais il s'offre à tous ceux qu'anime une foi exigeante comme la seule voie — aux tracés multiples et variés — pour atteindre une vie spirituelle intense, pour accéder à la vie mystique : tous les livres d'*Exercices spirituels* de l'époque ne cessent de le répéter.

Ascète, savant, guide des âmes, le clerc ne répond pas toujours à cette définition, nous le savons. C'est que, de ce portrait à la réalité quotidienne plus d'un trait est tombé, qui oblige à différencier, selon les fonctions et la formation.

Le haut clergé séculier, archevêques et évêques, est recruté selon un accord du roi et de Rome qui donne au roi un privilège de fait considérable ; le concordat de 1516 (à Bologne) laisse en réalité le roi libre de désigner aux charges épiscopales qui bon lui semble : cadet de famille désargenté, ou bien confesseur zélé ; et malgré les observations du concile de Trente, touchant la résidence des évêques, ou la pratique de la commende, le recrutement du haut clergé reste soumis aux aléas de la faveur royale. Henri IV lui-même en fournit au début du XVIIe siècle des exemples bien connus ([301]). C'est dire que les fonctions épiscopales sont fréquemment exercées par des coadjuteurs sans autorité, ou par des incapables, qui souvent ne sont pas à même de soutenir une discussion théologique. D'où le rythme cahotant de la vie diocésaine ; selon le titulaire, c'est l'absentéisme, le relâchement des réguliers, les querelles et procès de chanoines, ou, au contraire, un évêque attaché à ses devoirs, qui visite, au moins en partie, son diocèse chaque année, fait taire les rivalités de chapitres, encourage les fondations, les constructions et, aux lendemains de Trente, essaie de mettre sur pied un séminaire. C'est un évêque « réformateur », comme disent ses contemporains. Le fait est plus fréquent que ne le laissent croire les histoires traditionnelles, intarissables sur le chapitre des abus de l'Église au XVIe siècle.

Autre groupe, autre mentalité : les moines et les nonnes des ordres réguliers. Sans doute, la nomination royale et la commende jouent-elles leur rôle, ici encore, dans la nomination des abbés et des prieurs. Mais, alors que l'absentéisme commendataire des évêques, laissant l'administration aux mains de chapitres incapables, porte toujours un dommage considérable aux fidèles et à la bonne gestion du diocèse, celui des abbés est d'une moindre portée : la communauté conventuelle poursuit ses tâches dans le sens indiqué par le fondateur de l'ordre, continue à s'administrer elle-même, sous l'autorité d'un prieur sorti du rang. Non pas qu'il soit possible de faire un tableau sans ombres de la vie monastique. Rabelais et bien d'autres ont dit et redit combien d'abbayes pouvaient receler de groupes tièdes, combien de couvents féminins, ouverts à tout venant, menaient un train peu édifiant. Et pourtant, cinquante ans après les moqueries indignées des réformés, après celles de Rabelais, la vie monastique a recouvré un étonnant prestige ; les réformes conventuelles sont encore plus fréquentes que celles des diocèses, à l'heure où se fondent des monastères par dizaines dans la France entière entre 1600 et 1630. Un tel sursaut ne s'expliquerait pas s'il n'y avait eu outrance des contemporains de Rabelais. Mais de la vitalité monastique, de l'ardeur avec laquelle les études y sont poursuivies, les guerres de religion fournissent encore une autre preuve : lorsqu'en 1567, un mandement du roi et un bref du pape autorisent les ecclésiastiques à porter les armes pour se protéger des attaques huguenotes, ce sont les moines qui délaissent leurs bréviaires les premiers pour l'épée, ou l'escopette ; signe de leur ardeur à défendre leur foi, sans doute, mais ce sont aussi les moines « scopetins » qui prêchent contre les hérétiques et, aux temps de la Ligue, n'hésitent pas à prêcher contre le roi, Capucins et Jésuites en tête de cette armée qui a fanatisé les foules urbaines dans les années 1589-1598. La paix revenue, dans les couvents réformés et dans les nouvelles fondations — Oratoriens, Visitandines, etc. — les réguliers sont parmi les plus efficaces artisans de la reconquête catholique du XVIIe siècle. Le moine « refuis du monde » a fait place au serviteur efficace de l'Église dans le monde : fournissant par tradition la presque totalité des cadres universitaires, se consacrant plus que jamais à la prédication, à l'éducation et à la charité, ces réguliers constituent l'avant-garde de l'Église.

Restent les moins clercs des clercs, en dépit de l'ordination, les curés ; le bas clergé qui assure dans la vie paroissiale le contact quotidien avec les fidèles, joignant de façon permanente les tâches pastorales aux besognes administratives, appartient assurément au monde des clercs. Mais, même pour les villes — où la commende joue d'ailleurs son rôle — il n'existe pratiquement pas de formation et d'information dogmatiques, liturgiques du bas clergé ([302]) ; recrutés le plus souvent sur place, au hasard de vocations plus ou moins sûres, rapidement consolidées par ce que nous appellerions aujourd'hui des stages chez des anciens de bonne réputation, les curés sont surtout proches de leurs ouailles.

Enseignant et rabâchant un catéchisme sommaire, et répété à longueur d'année — ce qui explique par contraste le succès des réguliers prédicateurs qui parcourent les diocèses pendant l'Avent et le Carême — le bas clergé, dont la vie matérielle est mal assurée dans bien des cas, n'a pas beaucoup de prestige sur son troupeau : un seigneur tel Gouberville emploie les curés de son voisinage comme journaliers agricoles, pour les charrois, la cire, le moulin ; partout le prêtre participe à toutes les grandes activités paysannes, moissons, vendanges, labours. Aussi bien, le voudrait-il qu'il n'a guère le temps de lire, d'améliorer sa connaissance du dogme ou de la liturgie, d'étudier des cas de conscience. Au milieu du XVIIe siècle, alors que, peu à peu, les premiers séminaires diocésains demandés par le concile de Trente commencent à peine à peupler les diocèses de curés possédant une formation moins sommaire, capables de guider moralement et spirituellement leurs fidèles, il est exceptionnel de voir mentionner, dans les procès-verbaux de visites, un presbytère dont le desservant possède plus de trois ou quatre livres : un bréviaire, une *Légende dorée*, une *Imitation*, c'est vraiment le bagage le plus courant.

Enfin il est bien certain que le bas clergé rural, trop souvent ignorant, ne mène pas une vie conforme aux exigences de son état ; mémoires et livres de raison regorgent d'ivrognes, de concubins, mentionnent même — avant et après Trente — des prêtres mariés, dédaigneux ouvertement du célibat. Ici l'habit ecclésiastique ne couvre pas une ascèse difficile ; il est l'insigne d'une profession peu respectée et pratiquée comme un métier sans grandeur : rien d'un apostolat, si ce n'est la pauvreté ([303]).

Seuls porteurs de cette culture savante et complexe qu'est la tradition catholique constituée par un millénaire et demi de méditations sur les mystères et les évidences dogmatiques de l'Église, les clercs sont cependant, dans l'ensemble, attachés à des formes de pensée dont le propre est d'évoluer lentement : le clerc est en retard sur son siècle par une sorte de nécessité interne, que l'enseignement universitaire — et ses formes scolastiques — accroît encore. Depuis saint Thomas d'Aquin, depuis cette *Somme* qui contient tous les enseignements de l'Église, la pensée chrétienne paraît figée, face aux problèmes que le monde laïc doit résoudre, face à la découverte du système solaire de Copernic à Galilée, face aux questions, si difficiles, et toujours débattues, de l'intérêt et de l'usure. En ce sens, il faut voir dans l'effort des Jésuites pour comprendre l'humanisme antique, l'intégrer à la pensée chrétienne sous les formes dévotes que le XVIIe siècle verra fleurir — un modernisme, le seul qui ait été réussi à cette époque. Ces compagnons de Loyola qui furent les défenseurs acharnés de la tradition dans son intégralité, et qui triomphèrent au concile de Trente, ont été d'audacieux novateurs dans leurs entreprises de reconquête ; sur ce plan, les Oratoriens au XVIIe siècle, avec plus d'audace pédagogique encore, sont, qu'ils le veuillent ou non, leurs continuateurs. Reste que, dans l'ensemble, les théologiens, animateurs des ordres réguliers et des Universités, inspirateurs des évêques de vocation, défenseurs d'un dogme déclaré, au milieu du XVIe siècle, intangible dans sa complexité difficile, demeurent, en partie, étrangers aux problèmes des laïcs, leurs contemporains ; un fossé sépare les deux mentalités, celle des clercs et celle des laïcs : Foi, Espérance et Charité ne présentent pas les mêmes visages ici et là.

2. LES FIDÈLES CATHOLIQUES

En face de la cohorte peu nombreuse des clercs — quelque cent mille personnes ? — la masse des pratiquants, douze à treize millions d'âmes, cent fois plus nombreuse. En face de ces hommes (et femmes) de spiritualité active, à qui nous avons reconnu, généreusement peut-être, une bonne connaissance de leur foi, la capacité à cerner les mystères les plus abscons de la Trinité ou de la transsubstantiation, l'aptitude à vivre selon la loi du Christ, correctement méditée et interprétée, voici cette foule innombrable à laquelle la religion ancestrale fournit non seulement le cadre solennel de tous les actes importants, mais le viatique qui élève la personne au-dessus de ses préoccupations matérielles quotidiennes. Citadins et ruraux constituent à cet égard les deux types essentiels de fidèles, les uns plus exigeants, les autres plus passifs — s'il est permis, par comparaison, d'utiliser ces qualificatifs de clientèles.

A essayer de rendre compte de ce que peut être la vie spirituelle des croyants, nous nous heurtons à des problèmes redoutables que ne posaient pas les clercs, porteurs en droit de la pensée vivante et éternelle de l'Église. Les fidèles par contre, s'ils appartiennent bien à l'Église catholique dès l'instant de leur baptême, sont appelés à connaître cette pensée uniquement par ce que les clercs eux-mêmes peuvent leur enseigner. L'imprimerie a développé la lecture individuelle et libre, elle n'a pas suscité l'enseignement obligatoire, si bien que, pour la masse, c'est encore la parole du prêtre qui enseigne et guide le pécheur.

La religion des fidèles est donc en premier lieu une pratique accoutumée ; la maison de Dieu, église de village, de paroisse urbaine, ou chapelle d'un ordre régulier, est le lieu où la communauté vient se rassembler chaque dimanche matin, dans la mesure du moins où le repos dominical est respecté par les paysans que gênent l'existence d'un seul service et les mauvais chemins. L'église est le cadre de toutes les solennités — ou presque — auxquelles l'Église a imposé la marque sacramentelle. Sans doute les sages-femmes, assermentées devant le prêtre, peuvent-elles baptiser en hâte à la maison les nouveau-nés débiles ; de même l'extrême-onction se donne hors de l'église. Mais tous les autres actes sacramentaires se déroulent dans son cadre, suivant un cérémonial solennel, connu, apprécié des pratiquants, qui vantent la décoration, la pompe des cérémonies urbaines en particulier.

Cette pratique est une observance rigoureuse des sacrements : la communion pascale, précédée d'une confession, reste l'acte solennel par excellence. Baptême, communion, confirmation (qui attend parfois des années la visite de l'évêque, ou d'un archiprêtre délégué par le chef du diocèse), mariage et extrême-onction jalonnent, en outre, la vie du chrétien de la façon la plus immuable. Mais il est difficile de savoir ce que mettent derrière ces actes les hommes des XVIe et XVIIe siècles, de déceler, par exemple, la part de conformisme social, nécessairement très grande, même après la possibilité de choix qu'offrit l'extension de la Réforme — et la part d'adhésion intime au mystère sacré qu'implique toute communion. Nous savons bien aujourd'hui que tout mystère, pour être pleinement saisi comme tel, demande d'abord à être délimité. Les témoignages directs qui concerneraient ces actes essentiels de la vie chrétienne sont trop rares pour que l'hypothèse se mue en certitude. L'absence presque totale de formation catéchistique dans les campagnes — les catéchismes sont élaborés au cours du XVIIe siècle seulement, dans presque tous les diocèses — le manque d'information dont souffre le clergé rural, portent à imputer aux paroissiens des campagnes une pratique très « socialisée », qui n'est pas exclusive d'une foi simple dans la bonté divine et la malfaisance du diable : manichéisme grossier et diffus qui se donne libre cours depuis longtemps dans la poursuite des sorciers et sorcières et a trouvé un nouvel aliment à partir des années où l'hérésie a pris pied dans l'ensemble de la France. Dans les villes, par contre, il ne manque certainement pas de dévots pour qui une connaissance liturgique et la pensée traditionnelle de l'Église viennent nourrir de signification profonde les actes sacramentaires. Ce n'est pas en 1643 seulement que s'est posé le problème de la Fréquente Communion ; depuis bien longtemps — et en particulier sous l'impulsion des Jésuites, soucieux de direction de conscience — la communion hebdomadaire, voire multihebdomadaire, se trouvait usitée dans les villes, lorsque les Jansénistes s'attaquèrent, avec plus d'une nuance d'ailleurs, à cette pratique ([304]). Assurément, dans la vie religieuse urbaine, les sacrements conservent leur caractère cérémoniel, c'est-à-dire social ; le mariage notamment est toujours une messe à l'église, doublée d'une fête familiale qui réunit parfois une véritable foule de parents même éloignés, d'amis, de voisins. D'un mot, disons que les fidèles mettent dans les sacrements ce que l'officiant peut leur communiquer des dogmes fondamentaux, mais la tonalité n'est pas la même à la ville et à la campagne.

La même ambiguïté se retrouve dans les dévotions, qui tiennent une si grande place dans la vie religieuse, processions, vénérations, pèlerinages, destinés à provoquer l'intercession d'un Saint, de la Vierge, sinon de Jésus luimême. Actes collectifs plus souvent qu'individuels, ils contiennent une forte part de soumission à une tradition acquise depuis de longues générations ([305]) ; c'est notamment le cas dans les confréries de métiers, placées sous la protection d'un Saint Patron protecteur des compagnons, des apprentis et des maîtres ; mais ces actes de dévotion constituent également des témoignages d'une émouvante piété, dans leur simplicité même, les pèlerinages en particulier. Qu'à l'occasion les fêtes de métier — où la messe solennelle, la procession sont régulièrement suivies de vins d'honneur ou de banquets — ne fassent pas toujours la preuve d'un esprit d'humilité, de pénitence très marqué, c'est bien évident : une procession auprès de saint Médard pour obtenir la pluie, une fête de saint Éloi, patron des orfèvres, ne sont pas uniquement des manifestations de haute spiritualité.

Dans ces deux domaines de la pratique courante et des dévotions, il importe aussi de souligner les ravages faits par les guerres de la seconde moitié du XVIe siècle : églises incendiées, oratoires démolis, statues de saints martelées, curés traqués... Dans les régions les plus touchées, l'ouest et le nord du Bassin Parisien, le culte s'est trouvé interrompu pendant des mois, parfois des années, les habitants perdant l'habitude de la messe, des sacrements, sans être pour autant gagnés aux pratiques protestantes. Dans le Poitou, la Champagne, la Picardie, ce sont de véritables missions de réguliers qui ont rétabli la pratique et les dévotions, peu à peu, pendant les trente premières années du XVIIe siècle.

Nous dirions donc volontiers que, dans les campagnes, la pratique, au demeurant unanime, est plus un fait social, un exercice collectif que le résultat d'une méditation individuelle ; qu'elle est le signe d'une routine familiale et sociale ancestrale, où les rites solennisant les grandes étapes de la vie humaine tiennent la place principale : expression coutumière d'une foi simple, où la théologie se trouve réduite à une représentation naïve des dualités bienfaisantes et malfaisantes, Diable et Bon Dieu, Enfer et Paradis, où la complexité des dogmes catholiques est plus soupçonnée que réellement approchée. Par contre, la pratique en fait aussi unanime, mais plus assidue des villes, peut laisser croire à une participation plus active à la vie de l'Église pensante, à une connaissance assez répandue des textes sacrés essentiels, Évangiles, saint Paul et quelques Pères de l'Église. Sans nul doute la présence dans les villes de réguliers actifs, dévoués, prompts à prêcher et, dès 1540, à discuter ferme les propositions hérétiques des Réformés, n'a pas peu contribué à développer chez les fidèles des paroisses urbaines des exigences qui s'expriment non seulement sur le plan de la pratique, mais dans le domaine de la morale.

*

Car la vie religieuse des fidèles est essentiellement, en dehors de cette pratique, qui exprime mal la tonalité intellectuelle de la foi, une morale : la notion de péché, qui est au cœur du dogme, commande aussi la vie morale de chaque fidèle ; bel exemple au demeurant de la variété des contenus qu'un même mot, qu'un même article de foi peut impliquer selon le contexte spirituel dans lequel il est accepté. Nul doute que pour un théologien, le péché est en premier lieu destruction de l'ordre divin, le pécheur perdant la rectitude de sa volonté, grâce qui lui a été donnée par Dieu, le pécheur offensant Dieu, être infini ; pour lui, le péché est aussi une blessure faite à l'être par le pécheur lui-même. Nul doute que, pour le paroissien de village, cette notion ne présente pas une semblable richesse ; faute, mauvaise action contre une morale assurément exigeante, mais connue tout au plus par l'énumération des dix commandements ; ce n'est d'ailleurs pas minimiser le sens, et la portée morale, des prescriptions mosaïques que d'en faire le bréviaire de l'exigence morale chrétienne coutumière : respecter le bien d'autrui, ne pas tuer...

A cette morale chrétienne se mêle sans doute — mais dans une mesure difficile à délimiter — un fond résiduel, qui représente une sagesse populaire venue de très loin ; elle définit tantôt une philosophie utilitariste, tantôt un idéalisme de la vie qui donne une tonalité précise au devoir, au bonheur, au travail, au profit, à la justice. Sous la forme de dictons qui ont passé les siècles, et qui se retrouvent intacts dans leur formation proverbiale, des quatrains de Pibrac aux almanachs du XIXe siècle ([306]), cette morale infléchit les commandements de l'Église, les complète également.

Pour apprécier dans quelle mesure la morale prêchée et contrôlée ([307]) par l'Église est celle de la société française des XVIe et XVIIe siècles, il faudrait pouvoir estimer la pra-

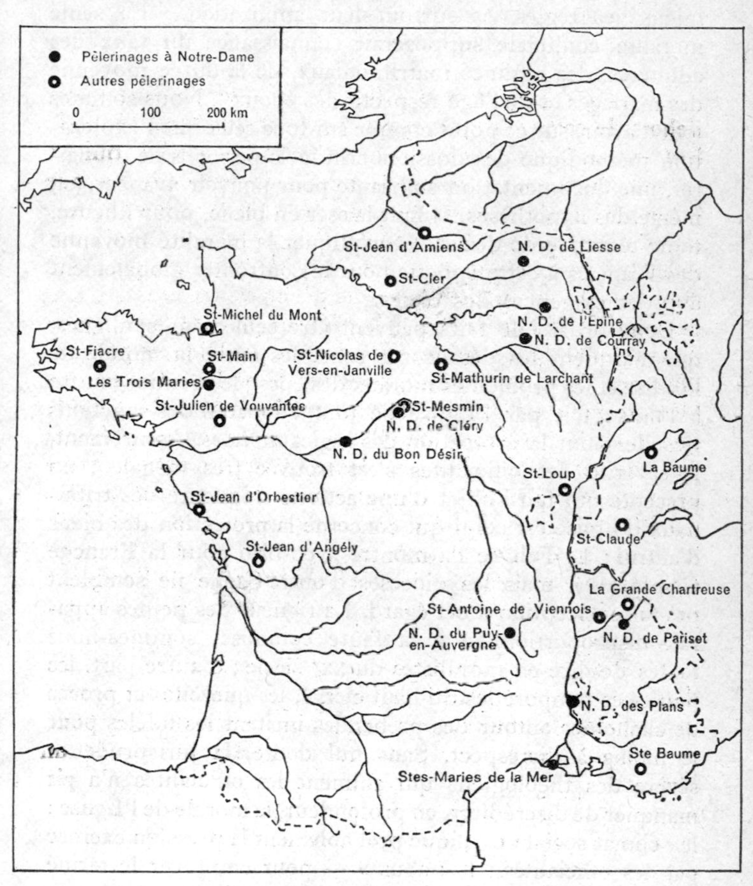

Carte n° 8 : Les pèlerinages de renommée " nationale " au milieu du XVIe siècle.

tique moyenne, la mettre en statistiques, et la jauger selon l'aune des contraintes sociales et économiques : connaître mieux les règles, et surtout leur application... La seule moralité conjugale supposerait connaissance du taux des adultères, des régimes matrimoniaux, de la durée moyenne des mariages et de l'âge respectif des époux... Nous sommes loin d'avoir, sur ce point comme sur tous ceux que l'exploration méthodique des dossiers criminels permettrait d'éclairer, une documentation suffisante pour pouvoir avancer, ici, même des hypothèses. Il faut laisser en blanc, pour l'heure, toute tentative de décrire et expliquer la moralité moyenne des Français à cette époque pour la confronter globalement avec les exigences des clercs.

Deux ordres de faits peuvent être seulement soulignés, qui marquent les désaccords sensibles entre la morale de l'Église et les problèmes moraux des laïcs ; le premier touche à l'usage fait par l'Église de tout l'appareil des sanctions rituelles pour la protection des règles morales. Assurément, la sévérité des officialités s'est trouvée très inégale : un précepte qui fait l'objet d'une activité fréquente des tribunaux d'Église est celui qui concerne la protection des biens d'autrui ; L. Febvre l'a montré avec brio pour la Franche Comté ([308]), mais les diocèses d'outre Saône ne semblent pas faire exception à cet égard. La rigueur des peines apparaît disproportionnée à la faute commise, sommes-nous tentés de dire en moralistes du xxe siècle ; d'autre part, les pratiques temporelles du haut clergé, les querelles et procès de chanoines autour des prébendes incitent les fidèles pour le moins à l'irrespect. Sans nul doute, la jurisprudence sévère des théologiens qui animent les officialités n'a pu manquer de discréditer, en profondeur, la morale de l'Église : le « climat social » explique probablement la pression exercée par les officialités ; l' « abus » — pour employer le terme consacré par l'historiographie traditionnelle — éclaire le discrédit relatif du clergé dans ce domaine.

Discrédit auprès des petites gens, accablés par un système économique qui fait du paysan, fermier, ou même du journalier possesseur d'un lopin, une proie désignée aux ambitions des rassembleurs de terres, des usuriers de tout poil.

A cette forme populaire de discrédit il convient d'ajouter celui qui, d'origine humaniste, touche plus particulièrement les classes cultivées. L'Antiquité païenne a donné aux lecteurs de Cicéron, de Sénèque, d'Aristote, de Platon des modèles admirables de philosophes bons, vertueux dans tous leurs actes, et pourtant hors de toute influence chrétienne. Ainsi a pris corps — en Italie, puis en France — chez ces hommes nourris des textes pré-chrétiens les plus beaux, la notion d'une perfection morale, la notion de vertu, attachée à l'homme doué de force physique, de sagesse, de libéralité. Aussi les humanistes viennent-ils à séparer vertu et religion. Ce n'est pas un hasard si, à la fin du XVIe siècle, un esprit délié comme Charron distingue aussi nettement la religion « vertu spéciale et particulière, distincte de toutes les autres vertus, qui peut être sans elles et sans probité, comme a été dit des pharisiens, religieux et méchants », et la vertu qui peut exister « sans religion, comme en plusieurs philosophes bons et vertueux, toutefois irréligieux » ([309]). Pour un petit nombre de Chrétiens au moins, une morale, stoïcienne dans son inspiration la plus fréquente, acquiert droit de cité aux côtés de la morale chrétienne ; ou bien mêlée à celle-ci suivant une alchimie intellectuelle difficile à analyser.

Des dangers que comporte à longue échéance une telle dissociation entre la morale laïque et celle des théologiens — sensible sur bien d'autres points : le prêt à intérêt en est l'exemple le plus connu, ou mieux le plus souvent cité — le concile de Trente ne s'est pas particulièrement soucié : la morale humaniste, appelée à de beaux lendemains, grâce à la place donnée aux « humanités » dans l'éducation nouvelle — celle des Jésuites, des Oratoriens — a été un agent essentiel dans le maintien, voire dans le développement des différences fondamentales de mentalités religieuses séparant clercs et laïques de l'Église catholique ([310]). Plus que tous autres sensibles à ce décalage, les Réformés se sont efforcés d'y porter remède : c'est un des traits originaux les plus marquants des Églises nouvelles.

3. LES NOUVELLES STRUCTURES RÉFORMÉES : UN MOUVEMENT LAÏC

Face au traditionalisme catholique, face à une façon de croire et à une discipline de vie solidement réaffirmées à Trente et dans le mouvement dit de Contre Réforme, les Églises protestantes instaurent un nouveau style de foi, une nouvelle compréhension du christianisme.

Être réformé, aux XVIe et XVIIe siècles, c'est porter en soi une exigence de renouvellement assez forte pour aller jusqu'à la rupture avec l'Église catholique. Là se trouve la césure importante qui sépare le protestant des promoteurs d'une réforme à l'intérieur de l'Église, des Lefèvre d'Étaples, Briçonnet et tant d'autres qui, à la fin du XVe siècle et au début du XVIe, rêvent d'une foi simplifiée dans ses dogmes et dans ses rites par un retour vivifiant à la Parole : traducteurs et commentateurs des textes sacrés, admirateurs d'Érasme de Rotterdam et fidèles disciples de Lefèvre, tous ceux-là qui ont vécu la grande espérance réformatrice des vingt premières années du XVIe siècle ne sont pas des réformés. Lorsque la rupture est consommée entre Luther et Rome, ils mettent une sourdine à leurs ambitions, ils rentrent dans le rang, au sein de l'Église catholique ; si nécessaire, ils se taisent même ; mais de toute façon, ils restent catholiques ([311]). Au contraire, les Réformés acceptent la rupture, soulignent âprement leurs désaccords, se lamentent vite sur le triste sort de l'immense troupeau catholique qui va à sa perdition.

Mais condamnations, lamentations, affirmations du Credo Évangélique sont le fait d'individus. Ce sont des hommes qui certes savent de quoi ils parlent, qui ont lu la traduction française des quatre Évangiles répandue à travers la France dès 1523, par Lefèvre d'Étaples précisément. Ce sont bien souvent, surtout aux débuts, des moines, Cordeliers et autres, qui ont lu et relu saint Paul et y ont trouvé argument pour alimenter leur aspiration à une foi qui trouve ses voies en chacun, sans intercession, ni humaine : prêtres, évêques, confesseurs, ni paradivine : Saints et

Sainte Vierge. Le protestant français vit sa foi en tant qu'individu ; il la nourrit tout au plus avec l'aide des guides, que Genève envoie par centaines à travers la France à partir de 1560 ([312]). A la limite de l'attitude protestante, de son refus des hiérarchies catholiques — céleste et terrestre — il faut bien admettre une religion totalement individualisée, et les contemporains de Calvin mentionnent sans étonnement excessif quelques cas, ici et là, d' « hérésies particulières qui n'étaient absolument ni calvinistes, ni luthériennes » ([313]). La mesure de ces audaces individuelles nous est donnée par les gestes extérieurs, l'agressivité des réformés à l'égard des symboles catholiques : bris de statues aux porches et bris de vitraux, lacérations de peintures sur les autels si fréquentes à la veille des guerres de religion. Qui ne connaît Jacques Le Clerc, le cardeur de laine de Meaux, banni du royaume par le Parlement de Paris pour avoir déchiré les affiches d'un jubilé pontifical, et qui finit en 1525 sa courte existence de révolté à Metz, où, armé d'un tibia, il brise toutes les statues de Vierge et de saints d'un cimetière ? petit cardeur « bien enlangagé » qui, sur le bûcher même, prêcha sa foi à la ville entière accourue au spectacle, discuta encore ferme avec ses juges d'inquisition, refusant aux derniers moments de dire un *Ave* et mourant en chantant *Benedictus Dominus Deus*. Ces formes extérieures de révolte sont une mauvaise expression de l'effort surhumain que représente cette rupture totale avec le cadre socio-religieux dont ces hommes « évangéliques » réussissent à s'évader. Là encore, le témoignage des contemporains est d'un grand poids, lorsqu'ils notent avec quelque admiration la ferveur et la dignité avec lesquelles le réformé condamné affronte le bûcher. Les milliers de Français qui, à l'heure des premières persécutions, abandonnent biens et familles, pour l'exil à Genève, fournissent aussi d'une autre façon la preuve de la qualité et du caractère individualiste de leurs exigences spirituelles.

Laïcs, qui veulent dialoguer directement avec leur Dieu, les réformés limitent l'organisation de leur église à la communauté égalitaire des fidèles, d'où se détachent seuls les anciens que leur âge, leur expérience habilitent à conseiller les plus jeunes, et les pasteurs, hommes de savoir, ceux de la communauté qui connaissent le mieux la Parole. Car le dialogue du réformé avec son Dieu n'est pas l'extase mystique du dévot parvenu à force d'oraisons, et grâce à l'intervention mystérieuse de l'Esprit saint, à la contemplation de Jésus. Le dialogue, ici, est d'abord une lecture. Au terme comme au départ de l'*Institution Chrétienne*, se retrouve le contact direct avec les textes sacrés — sans l'obligation d'une transcription du latin au français, sans non plus les choix et les commentaires des théologiens traditionnels. Le réformé ouvre sa Bible chaque soir, chaque matin, et se commente, à lui-même, en bon français, tout net et tout simple, la parabole de la lampe ou les reniements de Pierre. Le rôle du pasteur, qui a étudié dans les Académies à Sedan, à Saumur — et à Genève — est bien clair : il est surtout le frère plus instruit, mieux informé, qui aide, de dimanche en dimanche, les fidèles à mieux comprendre les passages difficiles des Évangiles, des Épîtres de saint Paul. C'est un guide qui reconnaît à ceux qui l'entourent la pleine autonomie de leur foi ; le représentant de Dieu sur la terre laisse ici la place au sage de la communauté, *primus inter pares*, pour ainsi dire.

Ce même caractère explique, dans une certaine mesure, les innovations protestantes en matière de dogme et de culte ; les moines passés à la religion nouvelle, qui ont constitué le premier encadrement de celle-ci, ont cédé à la logique même de la démarche générale : en fait de sacrements, tout comme en ce qui concerne le salut par la foi et par les œuvres, la grâce et la prédestination, les simplifications des réformés s'appuient sur le Nouveau Testament. Ce n'est pas à dire que la doctrine de la Prédestination n'est pas devenue, lorsqu'elle n'est pas saisie dans ce contexte égalitaire, une pensée difficile — et finalement presque aussi impénétrable que maints mystères catholiques, réduits chez les protestants à l'état de symboles. Mais la référence exclusive à l'Ancien Testament, aux Évangiles et aux Épîtres de saint Paul reste le fil directeur de ce retour à une « pureté » de religion que la tradition catholique proliférante a fait oublier ([314]) : affaire de vérité à respecter, à honorer, dit Calvin au début de l'*Institution Chrétienne.*

Assurément, cette délimitation des doctrines de la « vraie foy » n'est pas allée sans scrupules, sans risques, ni retours : combien de sacrements ? et quel sens leur donner ? Quelle place dans la liturgie pour les psaumes chantés en français ? Les réponses données par Calvin et les siens, à Strasbourg, puis à Genève, sont bien connues ([315]) ; elles se sont imposées peu à peu à partir du moment où Genève — plus que Strasbourg — a pu fournir les pasteurs, l'organisation, et la doctrine résumée dans la confession de foi des églises réformées de France de 1559. Les hésitations attachées au fonds de croyances héritées de pratiques ancestrales restent sensibles dans les récits des contemporains : en 1567, des huguenots mettent en pièces la décoration de l'église de Saint-Loup-de-Naud, mais ils laissent en place « l'image » du patron lui-même, saint Loup, qui protégeait du mal caduc. Selon Cl. Haton ([316]), ils l'épargnent de peur que Dieu ne permette qu'ils tombent en mal caduc... De même, les protestants ne se sont pas attaqués au pouvoir thaumaturgique des rois de France, même au plus fort des guerres de religion, faisant preuve d'une discrétion qui ne fut pas le fait des Ligueurs : Marc Bloch, dans ses *Rois Thaumaturges*, a finement analysé ces attitudes, qu'une conception abrupte des orthodoxies serait tentée de qualifier d'aberrantes. Il serait vain de se représenter ces hommes de la foi nouvelle, tout d'une pièce, à l'image de Calvin, ce prophète d'une implacable logique.

De la même façon, ne convient-il pas, sans doute, d'exagérer le moralisme réformé, qui est trop connu, et mal mis en place : d'une part, les exigences morales de Calvin sont celles des Apôtres mêmes, et il fonde cette morale sur la théologie particulièrement exigeante, pour ne pas dire inhumaine, de la prédestination ; d'autre part, la population de Genève, à qui cette discipline a été imposée en premier lieu, n'est pas particulièrement préparée à l'accueillir. Ainsi s'est fondée, dès le XVIe siècle, la réputation de l'éthique protestante ; les Évangéliques se distinguent même, à en croire quelques mémorialistes, par leur maintien réservé, modeste, jusque dans la vie quotidienne. Mais la Réforme, faite par et pour les laïques, ne déprécie pas systématiquement la vocation terrestre des hommes, comme certains catholiques l'ont fait ; elle la réhabilite même à sa façon, dans une exigence morale qui n'ouvre guère sur les réussites terrestres précapitalistes.

Ainsi s'est créé un nouveau type de chrétien au XVIe siècle : un million — peut-être plus — de Français et de Françaises vivent la foi nouvelle à la veille des guerres de religion. Au lendemain, ils sont moins nombreux, mais assez encore pour que leur conversion soit remise à plus tard, et leur présence provisoirement acceptée au sein de la communauté française — par l'Édit de Nantes de 1598 ; une nouvelle façon de sentir et de vivre le christianisme s'est imposée, par la persuasion et par les armes.

4. LES LIBERTINS

Reste, face à l'espérance religieuse de l'au-delà, l'attitude négative, la plus difficile à concevoir pour des hommes de ce temps. Car s'il est assez plausible de voir des laïcs et des clercs, réfléchissant sur leurs lectures, sur les Écritures et les « abus » du siècle, imaginer une autre foi, une autre doctrine du salut, il faut bien noter que ces novateurs demeurent chrétiens, non moins attachés aux vérités premières (existence de Dieu et de son fils, etc.) que les catholiques. Trois siècles d'historiographie catholique de la Réforme nous ont insinué dans l'esprit, comme un préjugé tenace, que tous ces audacieux Réformés ont été les fourriers de l'incroyance et de l'athéisme dès le XVIe siècle. Mais Lucien Febvre dans son *Rabelais*, René Pintard dans son *Libertinage érudit* ont fait le point de cette question avec assez de netteté pour qu'il ne soit pas nécessaire d'y revenir longuement. Si le Père Garasse, ce Jésuite bavard, et le Père Mersenne, pourtant plus pondéré, voyaient dans la France du début du XVIIe siècle les libertins pulluler, il doit suffire d'essayer de ramener à une juste mesure l'effectif de ces esprits orgueilleux, qui se prétendaient détachés de toute foi, mais n'en laissaient rien paraître dans leur comportement.

En fait, nous réalisons mal aujourd'hui les difficultés dans lesquelles les esprits, même les plus déliés, pouvaient être jetés alors, par l'impossibilité dans laquelle ils se trouvaient de repousser globalement comme fausses et sans valeur des affirmations universellement admises ; mettre en question la pauvreté de l'Église en 1530 n'avait rien d'exceptionnel, alors que les Vaudois l'avaient fait depuis deux siècles dans tout le Midi de la France ; affirmer que le Dieu de la Bible n'existe pas, c'était une autre affaire.

Et sans doute les esprits nourris de l'Antiquité auraient-ils pu trouver dans la lecture des philosophes païens, dans l'exaltation du stoïcisme, ou de l'épicurisme, un aliment à une pensée se détachant du dogme chrétien ; certains même, lecteurs de Lucien ou des rares controverses (conservées) qui ont marqué les débuts du christianisme, auraient pu trouver dans ces lectures d'inquiétantes polémiques concernant les points les plus délicats de la doctrine, les mystères les plus difficiles à sonder, et c'est bien le cas de Des Périers, achoppant sur la divinité du Christ, cas longuement examiné déjà par Lucien Febvre ([317]). D'autres encore auraient pu être tentés par l'énigme que posait la découverte des Nouveaux Mondes peuplés de nations ignorant la religion chrétienne — et, selon toute apparence, ignorées par le Christ, ses Apôtres et leurs successeurs : La Mothe le Vayer dissertant sur la vertu des païens fait preuve de grande prudence. Ainsi le pas n'a point été franchi, quelque facilité qu'aient pu offrir et la mythologie antique, riche de fictions poétiques permettant bien des audaces, et les formes littéraires comme le dialogue cher à Erasme, mais détesté des théologiens qui en sentaient parfaitement l'ambiguïté et les dangers.

Des libertins, reniant Dieu et faisant profession même dans le secret des confidences à un journal ou à un ami très sûr, le « Siècle qui veut croire » n'en a sans doute pas nourris : ni Des Périers, ni Rabelais, ni Montaigne, quoi qu'on ait pu leur faire dire plus tard. Au début du XVIIe siècle par contre — et c'est en quoi le Père Garasse n'est pas un témoin à dédaigner totalement, — un petit groupe d' « esprits forts » a vécu à Paris, rusant et dissimulant, le groupe que R. Pintard a dépisté et révélé au grand jour. Garasse accuse les Cardan, Charron, Vanini... de croire en Dieu « par bienséance et maxime d'État » uniquement, et de professer un scepticisme secret et total qui leur permet de vivre sans morale... Ce qui est vrai dans les dénonciations du Jésuite, et ce qu'a prouvé abondamment Pintard, c'est que ces libertins du premier XVIIe siècle sont des savants, pétris d'humanités classiques, nourris de philosophies antiques, et des connaissances scientifiques de leur époque. La Mothe le Vayer, Gassendi, Patin, sont des hommes de haute culture, à coup sûr isolés, coupés de la masse de leurs concitoyens. Connus assurément comme hommes de science, ils tiennent leur place dans les cercles érudits et dans les discussions du temps ; ce qui explique l'attention portée sur eux par des hommes comme le Minime Mersenne, savant lui aussi, ou simplement par le Père jésuite Garasse.

Mais il est permis d'avancer sans risque que les libertins du début du XVIIe siècle — quelle qu'ait été leur descendance, leur « situation » même au temps de Pascal — ne sont pas autre chose que de tremblants précurseurs, porteurs d'une attitude mentale encore dépourvue de rayonnement. Ils existent assurément, mais ils portent seulement témoignage des audaces manquées par le siècle de l'humanisme.

*

Détachés, saisonniers, dévots, ces classifications de nos spécialistes de sociologie religieuse ne valent donc pas pour caractériser les attitudes spirituelles des XVIe et XVIIe siècles. Le « modèle » de Gabriel Le Bras, établi pour une époque de forte déchristianisation, ne peut remonter le temps. Pourtant une typologie propre à la vie religieuse sous l'Ancien Régime mériterait d'être créée, qui permette de reconstituer avec précision ces différentes attitudes. L'universalité de la pratique dissimule mal une disparité de croyances qui n'est pas moins grande que celle observée de nos jours : dévots et libertins représentent toujours sans doute les deux positions extrêmes, mais ce sont deux minorités, l'une qui tient le haut du pavé, l'autre qui végète dans l'ombre. Les attitudes intermédiaires, qui concernent le plus grand nombre, sont cependant les plus intéressantes : tant que n'auront pas été explorées et expliquées avec précision ces situations originales, où superstitions, survivances païennes et articles de la foi orthodoxe se trouvent étroitement mêlés, nous ne pourrons nous représenter de façon valable la vie spirituelle moderne.

Chapitre VIII

Évasions : les nomadismes

Au delà des activités prosaïques, vouées à la maîtrise partielle du monde et des hommes, en deçà des créations supérieures des artistes et savants, en deçà des dépassements spirituels qu'offre la vie religieuse, se situe une troisième attitude humaine, dont la signification n'est pas moins importante. C'est l'évasion — l'alibi, dirions-nous également — conçue comme un moyen d'échapper au monde, aux réalités quotidiennes, encombrantes, harassantes, ou simplement monotones. Attitude fréquente dans un monde où les contraintes, sociales et même naturelles, pèsent si lourdement sur l'énorme majorité des hommes ; s'évader, temporairement ou définitivement, apparaît ainsi comme une activité de compensation, qui ne manque jamais d'adeptes en aucune société, et particulièrement dans la société française moderne.

La variété des alibis utilisés aux XVIe et XVIIe siècles témoigne à sa façon de la puissance de ce sentiment, de ce désir d'échapper — ne serait-ce qu'un instant — à une condition difficile ; à qui voudrait voir les seuls aspects brillants de la Renaissance ou de la Contre Réforme, il convient d'opposer le témoignage de cette aspiration quasi universelle. Chaque profession ou presque possède ses voyageurs, qui entretiennent sans doute des traditions médiévales corporatives, mais satisfont, en même temps, leur besoin de fuir de façon très positive, pour quelques années, leur vie de routine. Pèlerins et soldats sont aussi des hommes qui cherchent, loin du clocher, loin de leur cadre traditionnel, une évasion de fait. Mais plus nombreux encore, peut-être, sont les amateurs de mondes imaginaires, qui trouvent dans les récits exotiques, dans les fêtes ou les commémorations théâtrales, une libération encore plus fugitive et passagère, hors de leur condition quotidienne : monde des rêves qui ne connaît pas de limites, depuis que les découvertes offrent à chacun la ressource de leurs récentes révélations. Plus exigeants enfin, plus désabusés peut-être aussi, malgré l'apparence, ceux qui s'adressent au Malin, en prétendant obtenir ainsi, au prix de leur damnation éternelle, une maîtrise du monde et des hommes que nul, à l'époque, ne peut espérer de la science ou des forces humaines. Au terme même de cette quête se situe, selon nous, le refus pur et simple de la vie, de ses médiocres espérances et de ses accablantes sévérités : le suicide, ultime recours et véritable démission, est sans doute la plus réelle évasion que les hommes modernes ont pratiquée, non plus assidûment d'ailleurs que ceux d'autres périodes. Évadés d'imagination ou évadés de fait, temporaires ou définitifs, satisfaits d'un instant de dépaysement ou amateurs d'émotions plus fortes, tous ces hommes qui recherchent ailleurs ce que la vie de chaque jour ne leur donne pas, font la preuve, chacun à leur façon, d'une attitude d'esprit aussi fréquente qu'essentielle à la compréhension de cette époque difficile.

*

Le nomadisme vient au premier rang, cette fuite à travers l'espace, que rien ne peut empêcher. Étudiants, paysans, artisans, pèlerins, soldats et surtout les redoutés vagabonds, qui font métier de courir la route, tous ces hommes peuplent les grands chemins et trouvent leur joie — non dissimulée — à parcourir l'Europe pendant des années. Cette mobilité — à laquelle d'aucuns ont cherché des répondants lointains dans une histoire imbue de primitivisme racial — est un des grands traits sociaux de l'époque. F. Braudel l'a particulièrement mis en relief pour le monde méditerranéen, mais il n'est pas douteux que le phénomène est européen ; et la France du Nord y participe tout autant que la partie méridionale du pays. Dole, la petite ville universitaire de la Comté, reçoit des étudiants de l'Europe entière ; Besançon voit passer dans ses murs des compagnons de tous métiers, et les pèlerins de Saint-Claude, et les marchands attirés par Lyon... Maintes destinées sont placées sous le signe de cette quête itinérante qui ne connaît de cesse ; voici, au début du XVIe siècle, un Autunois arrêté à Dijon pour vol de cheval ; teinturier de son état, dans sa ville natale, une maladie de jambes l'avait incité à partir en pèlerinage à Saint-Antoine-de-Viennois : il y rencontre un patron de galée qui l'emmène en Avignon, puis sur mer où il reste deux ans ; de là, il revient à Lyon au service d'un homme d'armes, qui l'entraîne à la guerre en Bretagne, puis en Picardie, où il abandonne le métier des armes pour gagner, seul, la Provence puis l'Italie du Sud. Il est encore à Naples lorsque le Roi de France y vient : il se met à son service et rentre au pays comme canonnier, pour déserter à Dijon...

Cas limite peut-être ; mais il est sûr que ces vagabondages ne font pas peur — en dépit de l'incommodité bien connue des déplacements à pied ou à cheval. L'Eutrapel de Noël du Fail ne recommande-t-il pas — pour améliorer l'administration du royaume — l'institution de juges, d'évêques et de curés itinérants, se déplaçant de trois en trois mois, ou de six en six ? A populations mal enracinées, cadres ambulants, la formule est révélatrice, dans la mesure du moins où la proposition ne renvoie pas à l'insuffisance du personnel administratif, en particulier dans le domaine judiciaire : dans combien de provinces, les petits robins cumulant plusieurs charges (notamment de juges seigneuriaux) laissent s'entasser les causes pendant des mois pour les traiter en série !

Cas limite encore : les marins qui s'embarquent sur l'océan sont aussi des hommes avides d'aventure ([318]). Ils sont attirés par la découverte des mondes nouveaux, par la vie dangereuse de ceux qui parcourent les mers.

Au début du XVIIe siècle, l'Atlantique, et non plus la Méditerranée, ouvre la voie à cette évasion majeure ([319]).

Autre évidence : ce sont les hommes qui se déplacent. Mises à part les femmes de la haute noblesse, qui participent peu ou prou à des expéditions princières, le reste de la gent féminine est manifestement sédentaire ; et, en bien des cas, elle se révèle incapable de retenir le nomade, qui s'arrache à son foyer, ou bien, tout simplement, le fuit. Les milliers de réformés ([320]) menacés par la persécution qui se réfugient à Genève entre 1549 et 1560, sont presque tous des hommes : on compte moins de 200 femmes sur 6 000 réfugiés inscrits sur le livre des habitants édité par Paul Geisendorf (il est vrai que seul le nom du chef de famille est inscrit lorsqu'arrivent des couples, et que le registre ne comporte pas de mention : célibataire ou marié ; ce qui limite la portée de l'exemple). Laisser une famille, même nombreuse, pour plusieurs années est chose courante et qui ne fait certes pas scandale.

Cela admis, il est plus d'une forme de nomadisme : les « errants » qui terrorisent les routes, les soldats qui ravagent les campagnes, auxquels chacun pense d'abord, en représentent les cas limites, pour ainsi dire. Moins dangereux, moins ancrés dans leur vocation de rouleurs de routes, pèlerins, artisans, ou simples voyageurs à la Montaigne, n'en sont pas moins, eux aussi, des « nomades », plus ou moins consciemment animés du désir de l'aventure.

1. LES PROFESSIONS NOMADES

Faire le décompte des métiers qui admettent — ou supposent — pour ceux qui les pratiquent quelques déplacements, plus ou moins longs, c'est les passer tous en revue, finalement ; car, pour des raisons diverses, tous impliquent, ou facilitent parfois des départs pour lesquels le travail peut faire figure de prétexte.

Même la vie paysanne n'en est pas exempte, en dépit de l'attachement à la terre : c'est la famine, l'accident météorologique qui crée ici la nécessité. Au printemps de 1531, la disette amène aux portes de Lyon 8 000 pauvres paysans

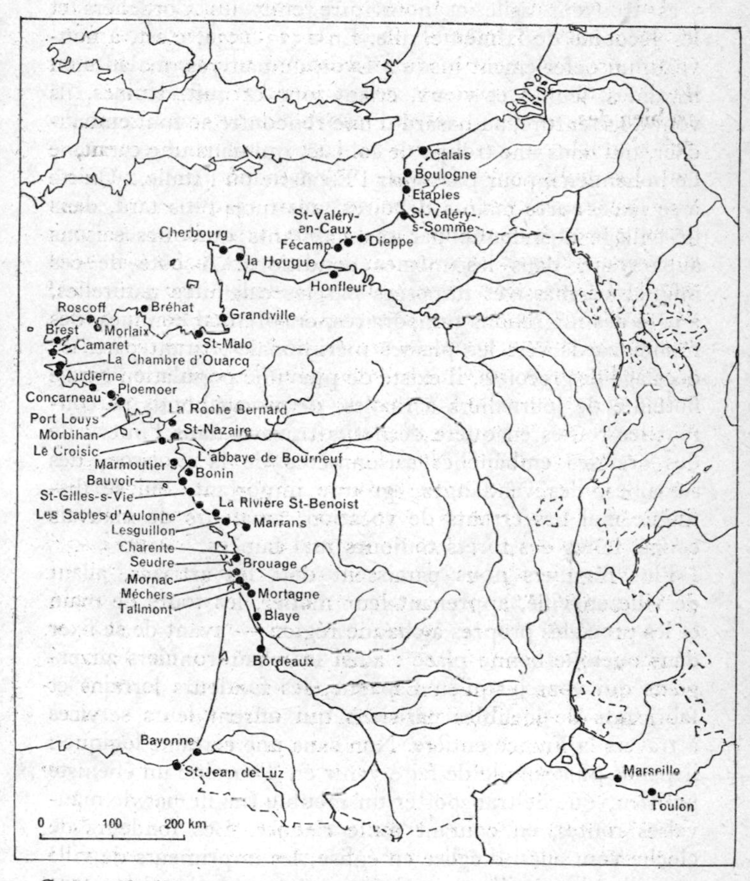

Carte n° 9 : La grande évasion outre-mer : les bons ports de France au début du XVIIe siècle, d'après Isaac de RAZILLY.

d'un seul coup, chassés de leurs villages par le manque de vivres ; pendant deux mois, du 19 mai au 9 juillet, 12 000 pauvres trouvent asile et nourriture chez les Cordeliers et les Jacobins de la même ville. En 1533-1534, c'est, à nouveau, un déferlement jusqu'à Lyon de pauvres, malades ou invalides, jeunes et vieux, criant jour et nuit. Ruinés, ils vont à l'aventure, au hasard d'une rencontre se font embaucher, qui dans une troupe de soldats, qui dans une caravane de bohémiens, pour parcourir l'Espagne ou l'Italie... Quitte à se fixer, après maints déboires, des mois plus tard, dans un village abandonné par ses habitants quelques saisons auparavant, dans les mêmes conditions. A côté de ces migrations massives imposées par les calamités naturelles, à côté des migrations temporaires, encore mal connues, des montagnards vers les plaines méridionales, tirant parti du décalage des récoltes, il existe de plus une population rurale flottante de journaliers agricoles, demi-vagabonds parcourant les routes en quête de petits travaux dans l'intervalle des grandes embauches saisonnières de la moisson, des semailles, des vendanges ; groupe important, qui se distingue mal des errants de vocation, amateurs de mauvais coups, hôtes des forêts toujours mal famées.

Plus réguliers nous paraissent déjà les artisans, allant de ville en ville, apprenant leur métier, les tours de main et les procédés propres à chaque région — avant de se fixer dans quelque bonne place : ainsi les chaudronniers auvergnats qui vont jusqu'en Espagne, les fondeurs lorrains et fabricants de meubles parisiens qui offrent leurs services à travers la France entière. Non sans une certaine logique : il paraît plus simple de faire venir en Touraine un ébéniste parisien, que de transporter un meuble fragile par de mauvaises routes, en courant mille risques. Les fondeurs de cloche vont aussi d'église en église, les imprimeurs de ville en ville, les artilleurs, salpêtriers, fort recherchés, sont partout demandés ; pour ces métiers, il ne suffit pas de parler de Tour de France ; sans souci des frontières, ils parcourent l'Europe entière. Bien souvent ces longs périples les amènent à se confondre avec les brigands qui tiennent les grandes routes ; beaucoup de ces métiers n'ont pas bonne réputation, et leurs troupes bruyantes ne sont pas toujours bien accueillies — quels que soient les services rendus. En 1527, les chaudronniers français, qui pillent les pauvres gens en Espagne, se voient interdire d'aller dans les rues !

Les « intellectuels » du temps ne sont pas moins mobiles que les « méchaniques » ; les pérégrinations des étudiants, allant d'Université en Université s'instruire auprès des meilleurs maîtres, sont bien connues. Les écoles italiennes font prime sur le marché du XVIe siècle ; mais toutes les Universités françaises, les plus petites comme Dole, les plus célèbres comme Montpellier, ont leurs « nations » d'étrangers : les jeunes Allemands et Suisses viennent sans cesse à Montpellier, séjournent quelques mois et repartent plus loin, note Félix Platter. Mais les maîtres ne voyagent pas moins que leurs étudiants : le « professeur étranger » dans une Faculté n'a rien d'exceptionnel, et chaque Université en compte plusieurs, attachés pour un temps plus ou moins long, au terme duquel le professeur invité retourne à la maison d'origine, ou repart plus loin. Paris fournit des maîtres à l'Europe entière, mais Salamanque, Coïmbre également. De même, sont itinérants les moines qui, chargés de mission pour leur ordre, à la disposition de leur provincial ou de leur prieur, — ou encore, déjà en marge, presque en rupture de couvent, vivent sur les routes comme précepteurs, chirurgiens, disant la messe à l'occasion, rejoignant, de temps à autre, une maison de leur ordre, ou quelque université. Les artistes eux-mêmes, au hasard des hospitalités de généreux mécènes et de leurs commandes, sont tout aussi ambulants, déplaçant avec eux toute une *familia* d'apprentis, d'aides, de jeunes parents qui travaillent sous leurs ordres, en attendant de faire école à leur tour. Pour tous ces métiers-là, le désir de voir des pays mal connus compte moins sans doute que celui de s'instruire, ou de placer son savoir ; ne voyons-nous pas, en 1553, le sire de Gouberville accueillir chez lui « ung jeune homme Tourangeau... qui... se mesloyt de la philosophie et voulloyt aller aux Isles pour opérer sa science », et le garder deux ans : le garçon est nourri et blanchi, il enseigne au maître de céans l'alphabet grec et l'art de construire des alambics « pour distiller des eaues ».

Les déplacements des marchands nous paraissent plus conformes aux besoins du métier ; depuis les petits colporteurs qui, après les foires, parcourent villes et villages jusqu'aux banquiers et grands trafiquants du commerce international, tous doivent prendre la route, souvent pour de longs mois. Lyon, Paris sont envahis de Génois, de Lucquois, aisément reconnus à leurs costumes différents ; les auberges des villes de grand commerce constituent un vaste réseau de rencontres marchandes, où se parlent toutes les langues, où se traitent mille affaires. Et, s'il est vrai que les princes du grand commerce peuvent se permettre de traiter à distance, c'est grâce à un peuple nombreux de facteurs, de courriers qui courent la poste pour leur fournir à temps les nouvelles, les cours et les offres, pour transmettre les ordres de ventes et d'achats. Proie désignée aux coups des vagabonds, les marchands sont certainement la catégorie la plus nombreuse parmi les nomades qui peuplent les routes. Ils se protègent, autant que faire se peut, voyageant par convois, sous escorte. L'évocation si fréquente de leurs risques et de leurs malheurs donne la mesure de l'abondance des nomades de profession, sur lesquels nous reviendrons dans un instant.

2. PÈLERINS ET « TOURISTES »

Ils échappent aussi à leur train de vie ordinaire, ces innombrables pèlerins qui, bâton en main, prennent la route de Saint-Jacques-en-Galice, de Notre-Dame-de-Lorette, de Rome, voire de Jérusalem ; ces grands voyageurs ne doivent pas faire oublier ceux, plus modestes, qui se contentent d'une relique, d'un tombeau dont la réputation est régionale, à peine nationale : ainsi Saint-Jean-d'Angély, Notre-Dame-de-Cléry, et mille autres, qui sont bien souvent des guérisseurs, comme Saint-Marcoul-de-Corbeny, ou Saint-Amable-de-Riom ; ces pèlerins sont très souvent des malades qui ont besoin de l'intercession d'un « spécialiste », chaque sanctuaire ayant sa vocation bien délimitée par la tradition. D'autres exécutent un vœu, formulé dans une épreuve ou, plus prosaïquement, après avoir fait bonne chère ; et ils réalisent ainsi un voyage de piété, qu'ils n'auront sans doute pas l'occasion de renouveler dans leur vie.

Nous connaissons assez bien les lieux de pèlerinage les plus fréquentés, et leurs routes d'accès, pour pouvoir nous représenter les pratiques ; partis pour Notre-Dame-du-Puy ou pour le Mont-Saint-Michel, les pénitents organisent leur parcours comme un chemin de croix ; se plaçant sous la protection des saints du voyage (saint Christophe et saint Antoine), ils vont de sanctuaire en chapelle, ne manquant pas de vénérer au passage tous les saints qui jalonnent leur trajet. Ils fondent même, lorsqu'ils en ont les moyens, des églises ou des chapelles au nom des saints patrons de leur pays d'origine, qui veillent sur eux : ainsi en Oisans, les Saint-Julien (de Brioude), Saint-Géraud (d'Aurillac). Saint-Étienne, Saint-Ferréol jalonnent le parcours des Auvergnats se rendant à Rome ; par contre, en Maurienne, ce sont des vocables empruntés à la France du Nord. Voyageant en général par petits groupes, ou par troupes, les pèlerins sont souvent appelés « compagnons », de Saint-Jacques ou d'ailleurs, tant leurs silhouettes sont familières sur les routes. Il existe même dans ce domaine, où la foi individuelle semble jouer le plus grand rôle, des sortes de professionnels qui passent leur vie, le bâton de pèlerin en main, faisant la route, déposant les offrandes, récitant les prières pour autrui : Félix Platter note le fait pendant son séjour à Montpellier (il utilise même leurs services pour faire porter des lettres à Bâle), et ne s'en étonne même pas. Ces habitués encadrent et guident sur les longs trajets les autres fidèles.

*

A côté de ces voyages organisés, aux itinéraires fixés par des siècles de pratique — s'il est vrai que le pèlerinage relaie dans une large mesure la croisade, en constitue même peut-être une forme abâtardie — il faut faire place aux déplacements des curieux, soucieux de confronter l'expérience acquise dans leur province (Montaigne pense même : les préjugés de leur clocher) avec d'autres mœurs, d'autres hommes. Faire « un beau voyage » sans autre but que de voir

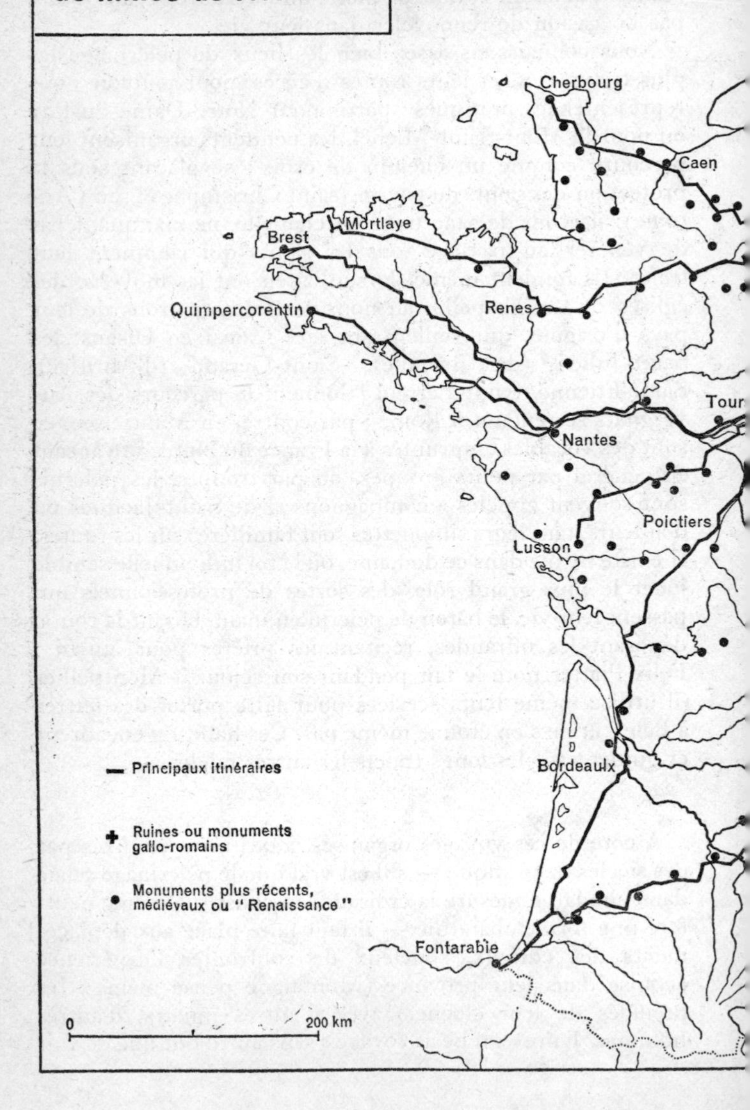
LES VOYAGES
au milieu du XVIe siècle
Cherbourg
Caen
Mortlaye
Brest
Quimpercorentin
Renes
Tour
Nantes
Poictiers
Lusson
Bordeaulx
Fontarabie
Principaux itinéraires
Ruines ou monuments gallo-romains
Monuments plus récents, médiévaux ou "Renaissance"
0
200 km

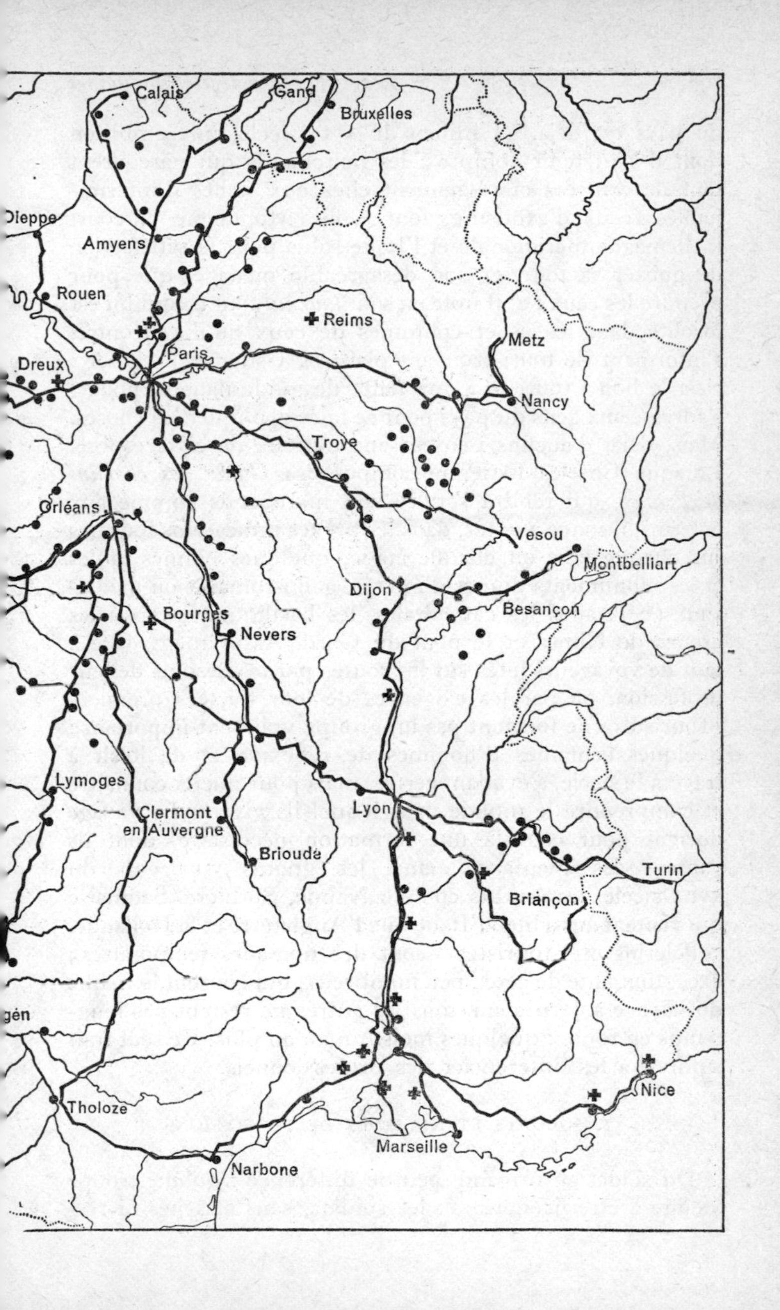
Calais
Gand
Bruxelles
Dieppe
Amyens
Rouen
Reims
Metz
Paris
Dreux
Nancy
Troye
Orléans
Vesou
Montbelliart
Dijon
Besançon
Bourges
Nevers
Lymoges
Lyon
Clermont
en Auvergne
Brioude
Turin
Briançon
gén
Nice
Tholoze
Marseille
Narbone

du pays est déjà, au milieu du XVIe siècle, une ambition dont il faut tenir compte : les marchands qui parcourent tant de contrées et reviennent chez eux riches d'interminables récits d'exotisme, font école. Montaigne parcourt l'Allemagne méridionale et l'Italie, plus pour la satisfaction de quitter sa tour, et son désagréable ménage, que pour prendre les eaux ; et il note en son *Journal* tout ce qui lui est insolite dans les us et coutumes de ceux qu'il rencontre, s'informant de tout, trouvant plaisir à visiter et à causer : c'est le bon « touriste » qui, faute de guide dans sa poche, s'adresse aux gens du pays pour se faire expliquer les choses. Mais, déjà, d'aucuns pensent aux curieux de cette espèce. Lorsque Charles Estienne compose sa *Guide des chemins de France*, qui rendra service aux marchands comme aux pèlerins, il songe à noter, dans les brèves indications fournies sur chaque ville ou chaque étape, quelques bonnes tables et les monuments dignes d'intérêt, gallo-romains ou médiévaux ([321]) ; ainsi les cathédrales, les basiliques, et aussi les arènes de Nîmes et le pont du Gard. Assurément, face à tant de voyageurs jetés sur les routes par les besoins de leur profession, ou par les exigences de leur foi, ces premiers « touristes » ne forment pas un groupe vraiment important : quelques centaines d'hommes de réflexion et de loisir à travers le siècle, s'évadant certes, mais pour mieux connaître et comprendre le monde dans lequel ils vivent. Le voyage devient pour ceux-là une formation nécessaire, dont ils vantent les bienfaits ; ainsi les grands voyageurs du XVIIe siècle, les érudits comme Naudé, Sorbière, Saumaise qui visitent aussi bien l'Italie que l'Angleterre et la Hollande.

Pèlerins et « touristes » sont des nomades temporaires ; exception faite de ceux, peu nombreux, qui courent le risque du voyage à Jérusalem, tous les autres ne restent pas longtemps en route : quelques mois, un an au plus. Ce seul trait suffirait à les différencier des professionnels.

3. SOLDATS ET NOMADES DE PROFESSION

Du soldat au brigand, peu de différence : qu'une troupe vienne à être licenciée, et les soldats, sans attaches ni ressources, deviennent brigands pour un temps, quitte à garder le contact et reprendre du service dès qu'on les rappelle. Aussi bien, nul ne s'y trompe ; de Jean Bodin à Montchrestien, chacun considère que les soldats se recrutent dans le « sang trop chaud » de la population : larrons, fainéants, mutins, meurtriers et vagabonds qui gâtent la simplicité des bons sujets, et dont il faudrait « purger le païs comme d'une pituite ». Bodin pense même qu'il faudrait se créer des ennemis, si l'État en manquait, pour assurer l'emploi de ces « humeurs corrompues ». Montchrestien, un demi-siècle plus tard, ajoute un autre exutoire : la conquête des nouvelles Frances. Il veut y envoyer les soldats pour le combat, puis de bons pères de famille pour occuper le sol.

La vocation militaire du noble, la pratique urbaine de défense locale sont hors de question ; nous entendons par soldatesque la troupe mercenaire, recrutée par les officiers selon les besoins des campagnes en cours, qui, au rythme des saisons, fait métier de soldat sur les frontières, dans les pays étrangers — ou encore, entre 1560 et 1600, dans la guerre civile. Les gens de guerre dévastateurs et leur cortège de valets d'armées, de voitures à transporter le butin, de femmes perdues, sont les plus redoutés des nomades de profession. Rien ne leur résiste, si ce n'est les villes encloses de bons remparts, capables de tirer le canon contre les bandes, les villes qui peuvent négocier, en tout cas, le logement des officiers et de la troupe. Que la vie militaire ne manque pas de prestige n'est pas douteux : si des rois de France font volontiers appel à des soldats étrangers, Suisses, Allemands, c'est pour tenir mieux en main des troupes toujours indociles. Les volontaires ne manquent pas en France même, tant le combattant, en cette époque de guerres incessantes, est prisé. Montluc le dit bien à la fin du siècle : « J'ay vu des soldats, fils de laboureurs, qui ont vécu et se sont enterrés en réputation d'être enfans de grands seigneurs, par leur valeur, et le compte que les rois et leurs lieutenants faisaient d'eux. » Cette vie itinérante de brigandage, de coups de mousquet et d'épée, comporte les charmes du vagabondage nanti, la gloire des faits d'armes : c'est la forme la plus prestigieuse du nomadisme de profession, de la vie hors la loi.

Que vienne une période de calme, une paix générale, les compagnies licenciées en presque totalité ne cessent pas de mener l'existence des hors-la-loi ; gardant quelques armes elles prennent le chemin des forêts, des montagnes et constituent ces troupes de vagabonds qui terrorisent les villages, — tout autant que les bohémiens, ces étrangers chassés perpétuellement du royaume, et constamment présents. Brigands de grands chemins, constitués en bandes bien organisées, ils parcourent le plat pays, occupent les abords « fructueux » des villes comme Lyon, Rouen, s'insinuent même dans une grande cité comme Paris où ils font la loi, au moins la nuit, sans que le Roi et ses agents puissent mener une lutte très efficace contre eux ; quelques bonnes prises de temps à autre ([322]), c'est un piètre remède contre ce genre de vie assuré, par la pression sociale, du renouvellement indéfini de ses effectifs. Brigands de la ville, ou des grands chemins, sont les professionnels du nomadisme ; en contact avec les artisans, les moines, les paysans nomades, ils recrutent évidemment aussi dans leurs rangs, l'occasion aidant. Une solidarité de la misère fait que la frontière est difficile à tracer entre ces différents groupes. Mais cette réalité même aide à comprendre l'importance du nomadisme dans la psychologie collective de l'époque.

Chapitre IX

Évasions : les mondes imaginaires

Seconde démarche de ceux qui refusent le siècle de fer où ils vivent : le refuge dans les élaborations de leur imagination, dont le champ d'action n'a pas de limites ; qui ne voyage pas à travers l'Europe et le monde, dispose des récits de voyage écrits par les missionnaires, et bientôt par des géographes ; qui n'a pas le rang, ni les moyens de prendre place parmi les privilégiés du temps, possède toujours le recours de s'identifier à eux — fût-ce un moment — dans les fêtes, les représentations théâtrales ; qui n'a pas la ressource de mener, loin du monde, la vie monastique vouée à la contemplation de Dieu, celui-là peut aussi, pour peu que la grâce lui en soit donnée, à force d'oraisons, atteindre l'évasion mystique. Toutes ces formes de fuite en esprit ont eu leur « clientèle », nombreuse et assidue, surtout à la fin du XVIe siècle et au début du XVIIe ; sur ce point, le changement de « climat » est particulièrement sensible entre les années 1500-1540, et la période suivante.

Caractère commun à toutes ces « constructions de l'esprit » : elles sont parfaitement conscientes, et doivent être définies comme telles. A la différence de nos contemporains du XXe siècle, les hommes modernes ne disposent pas de la gamme variée et efficace d'excitants et stupéfiants, qui permettent d'associer les activités physiologiques au travail de l'imagination, voire de décupler le pouvoir de celle-ci. Situer cette carence est le premier point à préciser.

I. MANQUE D'EXCITANTS ET DE STUPÉFIANTS

Nous l'avons déjà indiqué au chapitre de l'alimentation ([323]), les Français du XVIe siècle n'ont pas à leur disposition café, thé et cacao qui, à l'époque, arrivent à peine en Europe, par la Méditerranée, et qui sont encore des curiosités. Il en va de même pour le tabac, bien que celui-ci ait progressé beaucoup plus rapidement : utilisé en prise, en chique, tout autant qu'en cigares de feuilles roulées, il est assez apprécié, à la fin du XVIe siècle, pour être planté dans les jardins un peu partout. Olivier de Serres lui fait une place dans son *Théâtre d'agriculture* : « Cette exquise herbe de Nicotiane qui s'accroît facilement par tous les coins de France, bien qu'elle soit venue de Portugal, et là de l'Amérique »... ([324]). Au terme de la période envisagée, la consommation de tabac dans les villes commence à inquiéter les autorités municipales, qui lui reprochent, ici et là, d'encourager la fréquentation des cabarets et d'accroître la consommation des boissons. En 1628, le procureur fiscal d'Amiens déplore « l'usance de thabac ou petun », qu'il voudrait faire interdire ; en 1630, une ordonnance constate : « plusieurs artisans et gens de mestier... usent de lad. eau de vye et tabac sans nécéssitez, ains seullement pour se donner de l'altération et provoquer à boire ». L'un portant l'autre en somme ; encore faut-il préciser que l'eau-de-vie, connue chez les apothicaires depuis très longtemps, semble avoir gagné sa clientèle bien avant les progrès de l'herbe à petun.

Dès le milieu du XVIe siècle s'est répandue, semble-t-il, l'habitude d'emprunter aux pharmaciens leurs « vaisseaux » à fabriquer l'eau-de-vie (« l'eau ardante »), pour distiller toutes sortes de boissons ordinaires : vin, bière, cidre, « lye de bière » ; souvent même, les apothicaires se déplacent avec leur matériel et se chargent eux-mêmes de fabriquer la liqueur, qui cesse donc d'être un remède entrant dans les préparations savantes de la pharmacie alchimique — et devient boisson, de cabaret essentiellement. Au XVIIe siècle, l'eau-de-vie est, plus que le vin ou le cidre, la grande ressource des ivrognes, et certaines villes n'hésitent pas à en interdire la vente dans les tavernes, et même chez les particuliers.

Il est cependant bien difficile de mesurer l'extension prise alors par l'ivresse ; les ordonnances de police en accusent les petites gens, artisans et indigents — qui trouveraient à rouler sous les tables des satisfactions faciles, et dangereuses pour leur santé, et leur famille. Le sire de Gouberville, qui distille pour son compte assez fréquemment, mentionne de jeunes campagnards qui parcourent le village, une bouteille dans la poche. Assurément, la nouvelle boisson s'est assez vite répandue ; et avant la vogue de l' « aigue ardante », le vin, le cidre et la bière ont joué le même rôle dans toutes les classes de la société.

La gamme des adjuvants physiologiques à l'évasion est donc assez réduite : pratiquement rien en dehors de la simple et rude ivresse du vin ou de l'alcool — et, en tout cas, pas les douces rêveries des drogues orientales. Les « paradis artificiels » ne leur sont pas encore offerts.

2. THÉATRE ET MUSIQUE

Plus qu'un simple divertissement comme la danse ou le jeu de boules ([325]), le théâtre et la musique font entrer acteurs et spectateurs dans un monde irréel, fournissent donc à tous les participants beaucoup plus que les jeux les plus appréciés. Quelques tréteaux sur une place, quelques tentures au fond du chœur d'une église et, sans grand effort, chacun se transporte en Judée au temps de la Passion, ou simplement dans une société sans ordres ni rites, où le vilain dit son fait au seigneur, où les animaux en remontrent aux hommes, où la comédie et la chanson donnent libre cours à leur fantaisie.

Les grandes fêtes religieuses, les événements politiques (signature d'une paix, naissance d'un Dauphin) sont, au début du XVIe siècle, l'occasion habituelle de ces représentations théâtrales qui, au terme de la procession à travers la ville, se déroulent soit sur le parvis, soit dans le chœur de l'église — ou de la cathédrale. Héritées des mystères médiévaux, ces fêtes restent encore longtemps — et tant qu'elles se déroulent dans le lieu saint —, l'illustration d'un moment de l'histoire de l'Église : la Passion en tête évidemment ; mais des mystères extraits des Actes des Apôtres, de l'Ancien Testament, de l'Apocalypse sont également joués très souvent.

A côté de ces représentations historiques et apologétiques les bateleurs offrent, au hasard de leurs tournées, des foires et des « Entrées », des spectacles de nouvelles, farces, sotties, moralités, chansons, qui font accourir les habitants : petites pièces qui souvent ne durent pas une demi-heure, se jouent avec deux ou trois personnages, présentent pour tout décor un rapide discours liminaire du meneur de jeu qui situe l'action ; ce théâtre n'est pas moins populaire que les représentations solennelles. Les bateleurs ne s'interdisent d'ailleurs pas de jouer la Passion ou l'Ancien Testament : souvent les échevins, en leur donnant l'autorisation de présenter leur troupe, leur demandent de jouer des mystères, et pas seulement des farces «villaines et déshonnêtes ».

Dans la seconde moitié du siècle s'ajoutent à ces formes traditionnelles la représentation scolaire, sous l'impulsion des Jésuites ; les villes qui fondent des collèges ne tiennent pas moins que les Pères à cette forme d'activité, et maints contrats stipulent l'organisation de ces spectacles qui, de surcroît, permettent de donner « de la grâce et de l'assurance » aux élèves... Ces « actions » se donnent parfois sur la place publique, dans la cour du palais épiscopal, sous la halle, — plus souvent dans la chapelle de l'établissement, ou dans une salle spécialement construite pour les déclamations, sorte de salle des fêtes, qui est souvent, au XVIIe siècle, la seule salle de ce genre dans la ville : Pont-à-Mousson, Chaumont, Besançon, Autun, Nevers, Moulins, Roanne, Lyon, Chambéry — pour ne prendre d'exemples que dans la partie orientale du pays — possèdent une telle salle d' « actions » en 1630.

Du succès de ces différentes formes de théâtre (accompagné de musique), il n'y a pas lieu de douter : toute la ville y court, et revient à chaque représentation. Voici les bourgeois du Puy, en 1609, à qui l'on offre « l'instoire de Danyel réduicte en carmes français par frère Jacques Mondoct, prieur de Saint-Pierre-le-Monestier » : les trois jours de Pentecôte où le spectacle est donné, chacun y retourne ; et l'on discute longtemps après de Daniel, Nabuchodonosor et Suzanne... Mais pour les bateleurs, mieux encore : il faut leur interdire de jouer pendant les sermons et les vêpres, limiter la durée de leur séjour dans la ville et le nombre de leurs représentations, prohiber les séances à la chandelle ; par le miracle de la communion théâtrale, qui ne se sent, pour quelques instants, enlevé à ses misères, transformé en Alexandre...

En d'autres assemblées, en d'autres lieux — encore que tout le théâtre soit souvent accompagné de chants et de « vielles » — la musique de Josquin des Prés, de Janequin et de Lassus joue sans nul doute le même rôle — plus facilement même peut-être que les déclamations ou les grosses farces des tréteaux ; cette musique polyphonique qui exprime de façon si directe l'allégresse et la lamentation, la douleur et la joie, entraîne irrésistiblement ces hommes et ces femmes, qui restent si fortement des auditifs, loin de leurs préoccupations, de leur décor accoutumé. Les grands, nobles et prélats, comptent dans leur suite un ou plusieurs musiciens qui, plusieurs fois par jour, chantent et jouent pour les reposer. Mais les bourgeois et le populaire, qui se délectent plus de chansons que de grandes compositions, n'en attendent pas moins de cet art auquel la littérature du temps, encore lente, trop bavarde, trop appuyée, ne saurait s'égaler : les « doux accords d'instruments », dont Ronsard aime parler, ne sont-ils pas une des passions de ce siècle ?

3. VOYAGES IMAGINAIRES

Cependant la lecture offre, surtout à partir de la mi-XVIe siècle, une provende inépuisable à ceux que tente le voyage dans un fauteuil. Pendant la période Renaissance, ce sont surtout les géographes de l'Antiquité qui fournissent l'édition ; mais, avec le développement des expéditions de reconnaissance dans les nouveaux mondes et surtout avec l'essor de l'esprit missionnaire, toute une littérature nouvelle prend son vol, qui atteint sa pleine expansion au début du XVIIe siècle : entre 1600 et 1640, récits de découvertes et relations de missions représentent près de trois cents titres.

Nous n'avons d'autre moyen de mesurer le succès de ces genres littéraires que l'abondance des publications et rééditions. Descriptions des pays nouveaux et récits d'évangélisation sont à peu près en groupes égaux — le Proche-Orient et l'Extrême-Orient l'emportant d'assez loin sur l'Amérique dans cet étrange palmarès, grâce aux ouvrages des missionnaires. Que ces centaines et milliers de livres aient trouvé des lecteurs, ce n'est donc pas douteux. Mais il est possible de constater aussi combien le goût du récit exotique pénètre la vie littéraire : les romans, qui connaissent au XVIIe siècle une vogue croissante, se donnent volontiers une trame géographique importante ; l'obscur auteur de l'*Histoire africaine* déclare très sentencieusement dans sa préface : « Je me suis attaché à des particularités que très peu de gens ont observées, principalement à l'exacte géographie ([326]). » De même, le *Mercure français*, dès ses premières années, ne manque pas d'offrir à ses lecteurs des descriptions détaillées de pays peu connus, parfois accompagnées de plans ou de cartes ([327]). Les grands voyageurs, qui ont laissé un nom dans cette littérature exotique, les Razilly, Lejeune, Dutertre, Lescarbot, Du Jarnic, ont sans doute fourni au *Mercure* maints éléments d'information. Enfin, dernier signe de cette faveur reconnue, de ce désir de connaître le pays lointain, c'est, à la fin de notre période (de 1633 à 1642), la place de la géographie dans les conférences du *Bureau d'adresses* de Renaudot : une fois par semaine, une séance est consacrée à l'histoire et à la géographie, et attire force beaux esprits.

Peu importe ici que les descriptions des missionnaires Jésuites, Capucins — voire les souvenirs des voyageurs —, ne soient pas d'une exactitude très grande : pour encourager les vocations, les bons pères ne se faisaient pas faute d'arranger un peu le tableau. Mais il est patent que leur public s'intéresse au pittoresque du récit : description des lieux, de la faune et de la flore (y compris les monstres qui renouvellent le bestiaire monstrueux médiéval), et des habitants indigènes, païens, souvent vertueux, puisque le mythe du bon sauvage est déjà contenu dans ces premières narrations des évangélisateurs. L'exotisme est un émerveillement que le lecteur se procure à bon compte et pour lequel les auteurs ne marchandent jamais leurs efforts ([328]).

4. VERS L'AU-DELA MYSTIQUE

Aux âmes que révolte la brutalité d'un monde qui paraît, à partir de 1560, voué aux massacres, à ceux qui poursuivent avec une énergie tenace et héroïque l'accomplissement d'un idéal moral de charité humaine et divine, s'ouvre la voie mystique ([329]). La grâce divine, disent maints Exercices spirituels, fait percevoir Dieu à ces âmes : par le secours de l'imagination, elle touche leurs sens, leur donne une impression sensible de Dieu ; elles commencent alors à rompre avec les créatures, et à prendre l'habitude d'aller à Dieu, le seul et véritable bien auquel elles aspirent ; elles atteignent ainsi leur contentement en jouissant de Dieu et elles aiment à ne jouir que de lui...

Le chemin de l'évasion mystique s'est précisé peu à peu dans la seconde moitié du siècle, lorsque se répand parmi les laïcs la pratique de la prière intérieure, de l'oraison sous toutes ses formes. C'est peut-être là l'orientation capitale de la Contre Réforme : non pas dans le redressement d'abus séculaires qui se sont bien défendus (et dont l'abolition mettait en question l'édifice social dans son ensemble et non point seulement des pratiques religieuses), mais dans l'extension donnée à la pratique de l'oraison, en vue de la contemplation et de l'extase face à Dieu ; hommes et femmes qui pratiquent cette prière exaltée se retirent du monde, font abstraction, et de l'« l'ordure des créatures », et même des disputes qui divisent sans cesse l'Église elle-même ([330]). Tout naturellement d'ailleurs, au terme de cet effort se trouve l'aspiration à la sainteté : la mère de Pierre de Bérulle oriente en ce sens son fils dès l'enfance et l'en convainc si bien que, à l'âge de sept ans, le futur cardinal conçoit lui-même « un vif désir d'arriver à la sainteté ».

Cet essor du mysticisme à la fin du XVIe siècle se reflète dans les publications de l'époque. Entre 1570 et 1610, des prêtres, des religieux, des laïques enfin ont traduit presque tous les grands mystiques de l'Église, jusques et y compris sainte Thérèse ([331]). Mais, à côté des livres publiés avec privilège, il faudrait pouvoir dénombrer les masses de cahiers et de feuilles volantes qui, recopiées par les directeurs de conscience, ou par les pénitentes, passent de mains en mains, et contribuent à répandre *exercitationes* et descriptions extatiques ; par l'intermédiaire de prédicateurs inspirés, ces feuilles peuvent même atteindre jusqu'à de simples villageoises... En attendant le relais des retraites à la fin du XVIIe siècle.

Nous écrivons pénitentes et villageoises ; car cette exaltation a touché beaucoup plus les femmes que les hommes — pour autant qu'il est possible d'apprécier les témoignages des contemporains. Sensibilités naturellement plus vives, sans cesse meurtries par les années de longues guerres, elles se tournent vers la prière et l'amour de Dieu comme vers un refuge ([332]) ; c'est là certainement la forme la plus spirituelle de l'évasion loin de ce bas monde, mais c'est encore une évasion.

Assurément, ces différentes formes d'évasion dans l'imaginaire ne s'additionnent pas ; le pourraient-elles, il nous manquerait encore une évaluation valable de leurs usagers. Nous constatons sans peine l'énorme succès du théâtre ou de la littérature de voyages ; nous n'avons pas pour autant une notion exacte, numérique, de l'importance de ce recours. En ce domaine encore, tout un champ de recherches qui demeure difficile à exploiter faute de sources.

Chapitre X

Évasions : la magie satanique et la mort

Rêver ou tenter l'aventure : à tous ceux que la vie quotidienne ne satisfait pas, la ressource est là, à portée de main, nous l'avons vu. Voyager peut être une nécessité pour le paysan que sa terre ne nourrit pas, par exemple ; c'est aussi la plus belle des évasions, pour qui ne craint pas de partir très loin : Saint-Malo, Dieppe, La Rochelle, Nantes sont de grands ports d'aventure, autant que de marchandises. Et nombreux sont les Français contemporains de Catherine de Médicis qui traversent l'Espagne entière pour embarquer à Séville où la demande passe longtemps l'offre. Pour ceux que retient l'amour du clocher, de la terre natale, ou la peur du naufrage, l'élargissement des horizons qu'ont permis les grandes découvertes, reste une ressource non négligeable : terres et peuples nouveaux, étrangers à bien des égards, hantent les imaginations les plus casanières : « la folle du logis », dit le sage, qui ne laisse pourtant pas de lui faire sa place.

Mais il est encore d'autres façons, plus dangereuses, de surmonter les insuffisances du quotidien : le prince des Ténèbres fournit à qui ne craint pas de faire appel à ses services, des compensations redoutables ; c'est engager sans doute sa vie éternelle, nul ne saurait avoir de fausses espérances sur ce point ; c'est aussi, à nos yeux d'hommes du XXe siècle, faire appel de la façon la plus large à l'imaginaire, mais la croyance et la pratique magiques sont trop répandues, comme une réalité aussi indiscutable que l'existence de Dieu le Père lui-même, pour que nous puissions les reléguer au rang des escapades illusoires ; l'appel à Satan implique un reniement, une négation de l'ordre divin et humain, sensible aux plus humbles — qui sont souvent aux premiers rangs des pratiquants du satanisme ; sabbats, enchantements, maléfices constituent pour l'essentiel la cohorte des incantations magiques, par lesquelles chacun peut transformer en un clin d'œil le monde et les hommes au milieu desquels il vit. N'était la peur de l'enfer, nul doute que la troupe des suppôts de Satan serait encore plus nombreuse, tant le pouvoir de la magie diabolique passe pour multiforme et efficace : toute une tradition s'épanouit aux XVIe et XVIIe siècles, qui, depuis les siècles du haut moyen âge, n'a cessé de dresser, face au Christ, la toute-puissance du Malin. Cependant nous admettons sans peine que ces pratiques infernales comportent une part importante de désillusion, difficile à déceler, puisqu'elles nous sont connues dans l'ensemble par les écrits des juges chargés de réprimer le crime de pacte avec le Diable. La mesure même de ces déceptions nous est peut-être donnée par la relative fréquence des suicides : à qui renonce au suprême recours de la damnation éternelle par l'entremise diabolique, il ne reste d'autre évasion que la mort volontaire, cette autre façon — moins agréable, semble-t-il, puisqu'elle ne comporte même pas les petits profits terrestres du pacte — de se damner.

1. L'APPEL A SATAN

Délimiter la clientèle des pratiques sataniques n'est pas facile assurément ; tous les inadaptés qui vivent peu ou prou en marge de la société et de ses lois morales peuvent en faire partie ; mais mieux vaut décompter les malades, persécutés ou pervers, les délirants, tous ceux qui se perdent dans l'autoaccusation, et sont capables d'inventer, à force de réminiscences, et de soutenir sans défaillance les plus étonnants mensonges. Au rang de ces insatisfaits, plaçons encore les pervertis sexuels, amateurs d'enfants, garçons et filles, qu'ils entraînent dans les forêts, qui se donnent des apparences animales (lycanthropes), ou encore déterrent les cadavres (nécrophiles).

Pour bien saisir cependant la fréquence de ces recours au démon — dont l'épidémie de procès de sorcellerie des années 1560 à 1640 donne en partie la mesure ([333]) — il convient de rappeler, une fois de plus, que tous ces hommes, même les plus équilibrés, les plus doués du fameux « bon sens » si bien partagé vivent dans une fantasmagorie quotidienne, dans un univers peuplé d'esprits, de démons de nature semi-divine ou para-divine, qui manient les forces, produisent les phénomènes en les enchaînant les uns aux autres. L'air est peuplé de « Daimons » comme les « abysmes de l'onde » de poissons, les cieux d'anges et la terre d'hommes, dit Ronsard ([334]). Pic de la Mirandole, Paracelse en déclarent tout autant. Et le même Ronsard se souvient longtemps avoir vu, un soir où il se rendait chez Marie, la chasse sauvage, la chasse infernale et hurlante, dont il aurait été victime s'il n'avait tiré l'épée et coupé l'air tout autour de lui : c'est aussi la course effrénée des bataillons de l'enfer tourbillonnant sous les ordres du démon Hellequin, hululant à pleine voix et n'espérant d'autre soulagement que la prière des vivants.

A qui pourrait se départir de ces phantasmes, il n'est pas jusqu'au théâtre religieux qui ne rappelle, non seulement l'existence, mais la puissance des Démons ; installés au cœur des mystères médiévaux pour des raisons d'édification, avec toute une imagerie devenue vite rituelle (la Gueule d'enfer, les diables à quatre, le vacarme des chaudrons), Satan et ses compagnons y font carrière aussi longtemps que les mystères se jouent sur le parvis des églises, — c'est-à-dire au moins jusqu'au milieu du XVIe siècle : à la fin du siècle suivant, certaines villes jouent encore des Diableries, fort appréciées d'un public à qui la perversion diabolique plaît toujours beaucoup, en fournissant le modèle, un moment victorieux, d'un sympathique désordre.

Enfin, pour saisir la fréquence de ces recours au Malin, convient-il de faire état également de l'habileté de quelques esprits déliés, qui ont joué d'une crédulité d'autant plus facile à piper que toutes les idées reçues et tout l'enseignement de l'Église font état de la présence, et de la puissance, du Démon. Les libertins érudits qui ont joué un rôle non négligeable dans la régression de la peur satanique au XVIIe siècle ont volontiers avancé cette expression de crédulité et dénoncé les « erreurs populaires », superstitions et autres déviances qui caractérisaient selon eux les procédures de sorcellerie et les traditions orales. Parler de crédulité demeure abus de terme, que légitime mal le progrès de l'esprit scientifique en notre temps ([335]).

*

Ainsi, qui veut un instant se sentir maître de son village, ou de sa ville, dispose de ce magnifique moyen hallucinatoire qu'est le sabbat ; rêver tout éveillé, raconter à un voisin sûr son exploit, et s'en persuader à force de se le redire, le jeu paraît invraisemblable, bien que mille et cent mille confessions soient là pour l'attester : enfourcher un balai et voler au sabbat, baiser le cul du bouc, danser la sarabande, réciter des contrefaçons de prières et avoir devant ses yeux, quelques instants, toutes les richesses terrestres, or, argent, pierres précieuses, tissus et tapis... Plaisirs impalpables qui disparaissent à l'aube avec les réveils pénibles des nuits trop courtes. A quoi s'ajoute l'inépuisable contrepartie des maléfices, car si le disciple du Malin ne peut guère prouver à son compère inquiet, sinon méfiant, qu'il a tenu dans ses bras, au fond de la clairière, la plus belle femme « qui soit de France en Italie » — les maléfices, par contre, se démontrent à foison ; animaux malades, voisins courbattus par les travaux des champs, enfants morts au berceau, saisis de convulsions..., que d'accidents dont il est coutumier de charger le jeteur de sorts, cet être qui a conclu un pacte avec le Diable. Mais, par un juste retour de croyance, Satan permet à ses obligés de faire le bien — ou, plutôt, de réparer le maléfice commis par eux-mêmes ou par d'autres. Celui qui a jeté un sort sait le lever, celui qui a commerce avec cet au-delà magique connaît mille recettes de guérison. Le Maître de l'Enfer ne va pas jusqu'à leur confier le pouvoir de faire couler les richesses de leurs mains, mais il leur concède volontiers des actions mineures. Lorsque naît Blaise Pascal, en 1623, dans ce foyer que domine la haute personnalité d'Étienne Pascal, magistrat et physicien réputé, une sorcière jette un sort au nouveau-né, dit-on ; le père entreprend aussitôt de négocier avec la mégère pour l'en délivrer, offre un cheval, mais un chat suffit : un cataplasme magique guérit donc Blaise sur le coup de minuit après une terrible convulsion qui faillit l'emporter. Exemple célèbre, qui laisse soupçonner la fréquence d'opérations semblables dans d'autres milieux.

La fin tragique de milliers de sorcières — dans l'Est de la France notamment —, les vagues épidémiques qui envahissent des villages, parfois des provinces, sans rien épargner, même pas les établissements conventuels (au XVIIe siècle notamment), donnent une image (très judiciaire) du sorcier malfaisant, à qui maints crimes très réels sont reprochés, outre le fait de trahir son Dieu. Il semble pourtant que, dans l'intervalle de ces accès de fièvre, de ces furieuses « épurations » montées par le bras séculier, la pratique de la sorcellerie présente des caractères beaucoup plus supportables ; pendant de longues années, la sorcière de village peut être considérée comme un notable du lieu, qui a le pouvoir d'entrer en communication avec le Démon, et par là dispose d'une puissance qui passe celle du commun des mortels. Elle guérit, aide — peut-être surtout de bonnes paroles, mais cette forme d'appui n'est pas psychologiquement négligeable —, protège même toute une communauté contre les pratiques d'autres suppôts de Satan moins bien inspirés. Les flambées de poursuites viennent souvent troubler des pratiques de longue durée, que nul ne s'avise de bouleverser ; jusqu'au jour où le pouvoir judiciaire intervient et entraîne au bûcher, non seulement le sorcier — ou la sorcière — en titre, mais toute sa « clientèle », inégalement complice ou bénéficiaire ; ainsi l'hallucination collective prend-elle définitivement corps, au moment même où la pratique de sorcellerie prend fin provisoirement ([336]).

Cette magie satanique à la petite semaine se lit en filigrane dans les procédures, car les dénouements d'aiguillettes, les épizooties n'intéressent guère les juges, surtout soucieux de récits sabbatiques et de possessions réfractaires à tous les exorcismes. Elle reflète, non seulement une croyance universelle et solidement ancrée dans les pouvoirs terrestres du Malin, mais elle exprime aussi ce permanent besoin d'une présence supérieure, capable d'intervenir dans la vie quotidienne et de la bouleverser ; néanmoins, autant l'appel à un Dieu de charité paraît conforme à la tradition chrétienne, autant le recours aux forces infernales est une dangereuse gageure ; l'Enfer est une réalité de la vie éternelle tout aussi certaine que le Purgatoire ou le Paradis. La sorcière et ses comparses, si peu théologiens qu'ils soient, savent parfaitement ce qu'ils risquent lorsqu'ils invoquent l'aide des esprits infernaux pour obtenir une quelconque faveur ; ils engagent leur vie éternelle, sans l'espoir de rémission qu'autorisent les péchés « ordinaires ». La fréquence des pratiques magiques autoriserait-elle à penser que ces conséquences s'estompaient dans l'esprit des « démoniaques » ? Les exécutions sur le bûcher, l'exposition des victimes et la description publique de leurs crimes inciteraient aussi à admettre la nécessité de nombreux rappels de ces vérités premières. Peut-être une « usure » s'est-elle produite, comme dans l'usage de l'excommunication pour dettes, par suite de l'apparente disproportion entre les pratiques si courantes de la magie, satanique ou naturelle, et les sanctions que comportait le commerce avec Satan. Les bons auteurs, théologiens et juristes, qui étudient possédés, sorcières, et leurs pratiques, distinguent fort soigneusement la magie naturelle faite de philtres, de pratiques superstitieuses très variées, et couramment usitées, — et la magie diabolique, qui comporte l'appel à Satan, le sabbat et le pacte. Mais, dans la mentalité courante, le passage de l'une à l'autre se fait insensiblement, et le mot même de sorcière désigne la personne qui pratique l'une ou l'autre. Du moins, les sorciers et leurs comparses savent-ils qu'ils courent le risque du bûcher, lorsqu'une dénonciation, ou une simple indiscrétion, révèle leurs agissements à un juge entreprenant. Cette certitude-là suffit à donner la mesure de leur belle audace ; l'évasion diabolique est assurément la plus grande tentation des hommes de ce temps.

2. LE SUICIDE

Reste la cohorte nombreuse des désespérés qui abandonnent le jeu difficile de vivre, et, franchissant le pas, se donnent la mort, l'« horrible mort », malgré toutes les répulsions et tous les périls.

Les répulsions sont le fruit de toute la tradition du moyen âge finissant : la mort partout représentée en squelette grimaçant, ricanant, traînant encore des lambeaux de peau, ventre ouvert où grouillent les vers, qui s'empare des hommes et des femmes en leur force, pour les entraîner vers la pourriture des corps. Danses macabres, fresques du Triomphe de la Mort, tout cet héritage artistique ([337]) du siècle précédent pèse encore lourdement sur la sensibilité ; les colloques d'Erasme, et son traité *Praeparatio ad mortem* le prouveraient, malgré les discours sereins sur l'immortalité de l'âme, et la séparation de l'âme et du corps. La mort continue à épouvanter, à étouffer le sentiment religieux que l'Église a voulu en donner et a vulgarisé dans de si nombreux *Ars moriendi* ; entre la mort et le jugement, il est trop d'âmes désaffectées, de forces vitales folles, pour que le chrétien se résigne à passer le pas dans la paix.

Dans une perspective chrétienne, la crainte du purgatoire et de l'enfer supplée d'ailleurs à ces angoisses ; le purgatoire, représenté volontiers comme un enfer tiède, finalement presque aussi pénible ; l'enfer promis à tous ceux qui ne se sentent pas la conscience tranquille, ne croient qu'à moitié à une rémission généreuse de leurs péchés, et appellent à leur chevet, si le temps leur en est laissé, moines et prêtres pour les aider de leurs prières. Dans une mort très chrétienne, la peur subsiste donc, sous une autre forme.

Au total, le « passage » ne manque pas de conserver un aspect terrifiant ; pourtant, comme Erasme le constate dans son *Funus*, beaucoup d'hommes se suicident : que serait-ce donc si la mort n'avait rien d'horrible : *Etenim*, *cum videamus et hodie tam multos sibi manus adfere, quid censes futurum, si mors nihil haberet horribile?*

Cette fréquence des suicides est déplorée tout au long du XVIe siècle, beaucoup plus d'ailleurs hors de France que dans ce pays ([338]). Montaigne consacre un long chapitre (le troisième) de son livre second à réfuter les anciens qui ont fait l'éloge de la mort volontaire ; à ses yeux, rien ne peut la justifier, et il approuve la condamnation qu'en portent les lois divines et humaines.

Il faudrait cependant fournir ici des chiffres, afin de donner une idée de la proportion des morts volontaires aux naturelles : ce qu'il est possible de faire pour les XIXe et XXe siècles. Malheureusement nous n'avons d'autre documentation que les archives judiciaires ou communales qui fournissent un matériel très épars, et jamais encore systématiquement recensé. Lorsqu'un homme s'est donné la mort, la justice le condamne de façon posthume, et le cadavre subit un châtiment public comparable à celui imposé à un vivant, la publicité de l'affaire devant, en ce domaine comme en tant d'autres, détourner les survivants d'imiter ce geste. Tel qui s'est pendu dans son grenier, l'est à nouveau à la potence de la ville ; telle autre qui s'est ouvert la gorge, est promenée sur une claie et finalement jetée aux chiens. A ces sanctions civiles s'ajoutent les peines ecclésiastiques, puisque l'Église refuse l'office des Morts et la sépulture à ceux qui se sont « homicidés » eux-mêmes. Mais, faute de recensement, il faut renoncer à mesurer, voire à donner l'ordre de grandeur d'une telle pratique.

A plus forte raison, faut-il renoncer à analyser les raisons de ces désespoirs : abattement, « mélancolie », angoisse, ces mots des contemporains qui déplorent tels actes dont ils ont été les témoins — il s'en trouve dans la plupart des livres de raison — ne nous donnent pas la clé de cette attitude. Il s'agit bien assurément d'un refus définitif du monde, d'un refuge « lâche et efféminé », comme dit Montaigne encore. Il n'est guère possible d'en dire plus, tant que la mort volontaire n'aura pas fait l'objet d'une enquête systématique sur la rare documentation disponible.

Conclusion à la troisième partie

L'« environnement » professionnel — pour employer cette expression des sociologues, dans son sens le plus large — est certainement celui qui marque le plus la psychologie individuelle et collective ; quels que soient les traumatismes de l'enfance, les habitudes et les idées reçues dans le milieu familial à l'âge le plus malléable, tout cet héritage de la formation subit l'épreuve de l'activité adulte. L'homme de trente ans, et *a fortiori* celui de quarante ou cinquante ans (mais ne parlons pas trop d'âges aussi avancés pour les XVIe et XVIIe siècles) est d'abord l'homme de son métier. Au début des temps modernes, le port de costumes (ou partie de costumes) distinctifs accentue encore la différenciation ; longues robes des hommes de justice, blouses des paysans, larges manteaux des voyageurs, à quoi s'ajoute le port ostensible d'instruments de travail, notamment par les compagnons des corporations. C'est trop évident pour ces derniers, à qui la durée de la journée de travail impose légalement une contrainte longue, un « conditionnement » quotidien, auquel seuls les jours de fête apportent une détente ; mais la fréquence des réunions corporatives, dans les confréries, les assemblées de métier, pendant ces journées fériées, donne la juste mesure de cette emprise.

Aussi bien, ces groupes socio-professionnels que nous venons de caractériser sommairement — et qu'il faudrait pouvoir dénombrer, ville par ville, province par province, pour atteindre à une description professionnelle valable des Français de cette époque — ces groupes constituent-ils à certains égards le cadre le plus important de cette typologie ; n'est-ce pas à cette époque que prend forme et vigueur l'opposition durable entre manuels et intellectuels, pour ne donner que cet exemple particulièrement éclairant ? Le métier, c'est l'homme, c'est le groupe aussi ; et chaque forme de travail confère sa large part d'humanité, quelles que soient les hiérarchies instituées, ici et là, entre les différentes activités. Les révoltes paysannes du début du XVIIe siècle portent leur signification profonde en ce sens ; elles sont la protestation d'un groupe opprimé qui a une conscience au moins vague de son rôle effectif et essentiel dans la société qu'il nourrit ; les aspirations d'innombrables moines à une réforme de l'Église au début du XVIe siècle sont d'abord l'expression d'un besoin de perfectionnement, propre à ces clercs qui constituent l'Église militante et font de l'apostolat leur raison d'être.

Nous avons fait une large place à d'autres activités ; étroitement liés à ces déterminations professionnelles, les divertissements de chaque jour, les évasions réelles ou imaginaires ; secondaires si du moins entre seul en question le temps qui leur est consacré par la plupart des hommes — moins « formatrices », si l'on peut dire, distractions et évasions n'en constituent pas moins un domaine d'actions, d'habitudes révélatrices. Danses, lectures, voyages, pratiques magiques, sont toujours le fait de ceux que leur travail quotidien, leur « situation » ne satisfont guère. Et cette recherche même des compensations mérite sans nul doute de retenir longuement l'attention des historiens, soucieux de comprendre les démarches mentales, collectives ou individuelles. « L'humaine condition », comme dit Montaigne, n'implique peut-être pas, de toute éternité, cette propension aux « divertissements », qui encolère si fort Pascal au milieu du XVIIe siècle. Ces distractions nous révèlent donc, à leur tour, des tempéraments originaux ; danser sur le mail chaque soir n'est pas déshonnête en soi, dit le moraliste ; à nos yeux, c'est surtout manifester une autre forme d'esprit que se terrer au fond de sa chaumière en invoquant le Démon pour répandre la frayeur autour de soi ; autre chose encore que simplement croire à la fréquence de ces pratiques magiques... En ce domaine, comme en beaucoup d'autres, l'exploration systématique est loin d'être entreprise ; il faut se contenter de poser des jalons, d'indiquer des directions de recherche. L'infinie variété des activités humaines de ce temps se laisse difficilement réduire à quelques types essentiels ; du moins ceux-ci nous permettent-ils d'approcher la diversité des attitudes mentales que créations, dépassements, évasions contribuent à déterminer et à délimiter.

Conclusion générale

Le portrait psychologique des Français modernes, qui s'achève sur notre troisième partie, est trop analytique pour satisfaire pleinement l'esprit de l'historien : lorsque nous disons d'ailleurs analytique, nous n'entendons pas opposer, en utilisant une logique facile et classique, analyse et synthèse ; nous tenons au contraire à souligner, une fois encore, que cette exploration menée sur trois plans successifs : mesures de l'individu, cadres sociaux, types d'activité, n'a rien d'un inventaire, d'un dénombrement. Elle repose au contraire, en son fond, sur la prépondérance (au sens étymologique du terme) des groupes, des encadrements socio-professionnels dans la psychologie collective de cette société d'« ancien régime ». Cependant cette investigation, qui cherche à fournir les cadres majeurs d'explication plutôt qu'une énumération descriptive, n'épuise pas la problématique qu'implique la reconstitution des mentalités collectives de l'époque : à notre sens, les grandes simplifications qu'autorise la recherche des constantes et des mouvements conjoncturels de grande ampleur, en ce domaine comme dans celui de l'histoire économique ou politique, ne permettent pas de dissimuler, non seulement l'infinie variété des mentalités individuelles, mais encore la grande complexité des mentalités collectives. Sans nul doute, la vie des grands mythes communs à tout un peuple, comme la thaumaturgie royale, vie qui n'apparaît qu'incidemment dans notre étroit cadre chronologique, constitue-t-elle un élément unitaire de portée non négligeable. Il nous paraît cependant plus opportun d'insister, pour finir, sur les éléments de différenciation, sur la complexité des reconstructions mentales dont ce livre entend fournir un « modèle » (au sens large du terme, qui n'est pas simplement le sens des mathématiques sociales, mais celui de la construction d'un ensemble où les éléments constitutifs relèvent tout autant du qualitatif que du quantitatif), parmi bien d'autres, que psychologues sociaux, historiens, sociologues peuvent être tentés de proposer.

Prendre la mesure de cette complexité, nous pouvons le faire par un rapide retour en arrière, en évoquant la variété des combinaisons que permettent ces cadres précédemment délimités ; en passant pour ainsi dire d'un clavier sur l'autre : mesures individuelles sur cadres sociaux, mesures sur types d'activité, nous faisons apparaître en quelque sorte les jeux sur lesquels une semblable investigation doit déboucher.

Soit — premier exemple — les conceptions du temps et de l'espace, ces cadres de toute mentalité. Nous avons insisté dans notre première partie sur les difficultés de mesure et de représentation, qui étaient communes à tous les Français de cette époque ; nous avons pu ainsi évoquer, trop brièvement sans doute, les incertitudes de cet encadrement spatial et temporel. Cependant il est bien clair que, selon leurs activités, ces hommes n'ont pas du temps et de l'espace la même notion : le marchand de Lyon ou de Reims, qui vit de foire en foire, attendant les échéances de ses papiers, spéculant sur la disette de blé au printemps ou sur l'abondance de l'argent, réussissant à la Saint-Martin de belles opérations que la Saint-Jean « compense » par quelque mésaventure, ce marchand ne se représente pas le calendrier, et le temps humain en général, de la même façon que le régulier, retiré au fond de son couvent, vivant une existence terrestre « abstraite » de tout autre rythme que la répétition quotidienne des prières et des chants dont sa vie est faite ([339]). Nous pouvons opposer de la même façon paysan et humaniste : le paysan qui n'a d'autre horizon, quant à l'espace, que son village, son terroir, et la ligne sombre des forêts communales, et l'humaniste, féru de géographie, qui collectionne les traités de « cosmographie », lit et relit les descriptions de l'Amérique et des Indes orientales. Ces distinctions paraissent d'évidence ; et il serait vain assurément de prolonger la description comme on passe une revue.

Confrontons un instant — autre jeu sur les claviers, autre exemple plus probant — l'homme sous-alimenté de façon chronique (de notre première partie) et les réjouissances populaires, fêtes de la paroisse (urbaine ou rurale), entrées royales ou princières dans une bonne ville, etc. (dont nous avons eu à parler dans notre seconde partie). Ces journées où tout un village, toute une ville (y compris les prisonniers dans le château du gouverneur) festoient, chantent, font ripaille à ventre débridé, sont bien des moments où la peur et la famine, ces deux compagnes de la vie quotidienne, font trêve. Sur le plan des émotions et des sentiments qu'entretient une vie physique précaire, les fêtes sont une sorte d'entracte, plusieurs fois répété dans l'année, et plus souvent encore dans les villes que dans les campagnes, et en même temps une commémoration dans la solidarité.

Mais notre intention n'est pas ici d'établir, par ce jeu, l'inventaire descriptif des attitudes mentales que nous évoquions à l'instant ; mieux vaut souligner, dans ces dernières pages, le bilan et le programme qu'implique une démonstration comme celle-là : au bilan tout d'abord, les caractères communs à tous les hommes de l'époque ; en quelque sorte le fond de décor mental sur lequel viennent brocher les différenciations qui nous frappent au premier chef et qui sont souvent mieux connues que ces réalités profondes. Au programme ensuite, nous indiquerons deux démarches essentielles à notre dessein : d'une part l'utilisation de la notion de vision du monde, élément essentiel de la structure mentale ; d'autre part la recherche, au delà de ces structures mentales déjà délimitées, des conjonctures mentales, plus fragiles, mais tellement plus faciles d'accès qu'elles dissimulent les permanences structurelles.

I. LES TRAITS COMMUNS

Souligner les conditions dominantes, pour l'ensemble de la société française, c'est évoquer non pas une mentalité moyenne (ce qui n'a pas de signification), mais les traits fondamentaux valables pour toute mentalité de l'époque.

Au premier rang de ces caractères généraux d'une psychologie collective moderne, nous placerons volontiers l'hypersensibilité des tempéraments : c'est le fruit à la fois de la sous-alimentation chronique, qui marque la plupart des êtres, de la faiblesse des moyens, techniques et intellectuels, dont tous disposent pour dominer une nature trop souvent hostile ; le fruit également de traditions orales, en partie légendaires, qui entretiennent violence, peurs (si nombreuses) et mobilité sentimentale ; cette hypersensibilité, cette émotivité ([340]) est un trait permanent et universel, tant sont rares ceux, individus ou groupes, qui paraissent y échapper ([341]). En donner la description, c'est faire appel à ces mille notations qui révèlent, dans l'instant même où se produit un choc émotif, la vivacité avec laquelle les hommes de l'époque réagissent, manifestent une émotion sans littérature : pitié devant un convoi de galériens qui, les pieds entravés, cheminent lentement ; démonstrations vives, les poings et bras tordus, en signe de deuil ou de chagrin ; mais ce n'est pas à dire que cette émotivité soit sensiblerie. Le goût des émotions fortes les habite assurément assez pour qu'ils les recherchent à l'occasion : d'où ce mélange, déconcertant en un sens, de pitié, de douleur vivement exprimée, et de cruauté apparente : à la chasse, le gibier est abattu avec entrain, peut-on dire ; en ville, les exécutions capitales sont un spectacle de choix, qui attire des foules, quelle que soit la forme du supplice. Cette réceptivité particulièrement vive implique en somme une propension à ces chocs émotifs.

Cependant le meilleur témoignage en faveur de ce premier trait réside sans doute dans l'ubiquité multiforme de la peur, à tel point qu'une simple énumération des occasions, des motifs d'effroi dans la seule vie quotidienne demanderait des pages. Bornons-nous à quelques exemples : la nuit, nous le savons ([342]), en fournit sans cesse mille prétextes parce qu'elle est obscure ; mais c'est aussi la peur des loups et des brigands sur la route et surtout dans les bois ; ce sont encore les comètes, les éclipses de toutes sortes, qui étonnent et effraient, car elles présagent toujours, pense-t-on, quelque malheur, pour la bonne raison que ces hommes ne comprennent pas de tels phénomènes ; même les savantes prophéties astrologiques des almanachs peuvent susciter des frayeurs paniques. Chaque jour encore, ils vivent sous la crainte des chiens enragés qui courent la campagne et les rues des villes, ils redoutent la peste et toutes les contagions, toujours renaissantes d'épidémies en épidémies, et jamais jugulées par les médecins. Tout concourt, pour ainsi dire, à créer la peur : les conditions matérielles de l'existence, la précarité de l'alimentation, mais aussi l'insuffisance de l'environnement, et surtout les conditions intellectuelles ; l'à-peu-près des connaissances engendre ses propres terreurs ; il ajoute à la crainte du loup, celle du lycanthrope, cet homme transformé en loup par une main diabolique ; et tous les produits fantasmagoriques de l'imagination jouent ici leur rôle.

Ainsi s'explique en partie, à mon sens, la puissance des mouvements collectifs de peur : paniques des épidémies et des guerres, jacqueries, émeutes urbaines ; peut-être même faut-il finalement placer dans ce cadre, pour leurs motivations primitives du moins, les peurs sataniques des épidémies de sorcellerie ; lorsque s'abat sur un village ou une région, avec l'aide de quelque grand juge, l'effroi satanique, assurément personne n'échappe à cette emprise qui enveloppe les êtres et les choses de la suspicion la plus sordide, poussant à la délation et au crime rituel des communautés entières. *A contrario*, s'aperçoit, dans cette atmosphère de perpétuelles menaces, le sens des instants de détente dans une sécurité passagère, la joie des moments de libération : la plus belle fête paysanne est, sans nul doute, celle de la moisson, lorsque les nuits sont courtes et les greniers promis à de belles engrangées.

*

Second trait, les antagonismes sociaux, ou mieux, l'agressivité sociale, ce revers des solidarités dont nous avons analysé les diverses composantes : cet aspect, qu'une terminologie aussi consacrée qu'insuffisante nous inciterait à appeler négatif, est dans la réalité de la vie collective partie intégrante de ces solidarités. Ces groupes sociaux que sont les paroisses, les classes, les sociétés de jeunesse, se constituent dans une large mesure en fonction d'hostilités vitales, auxquelles il leur faut faire face : la solidarité est une défense, une protection, et aussi une arme collective. C'est trop évident pour le groupe familial, dont la nécessité biologique étaie et nourrit (jusque dans la conception du « sang ») l'idéal d'une cellule qui met sa solidarité interne à l'épreuve chaque fois qu'elle entre en contact avec d'autres ; alliances, partages, successions, représentent autant d'actes témoignant, jusque dans le détail de traditions juridiques constamment respectées, de la défense avec laquelle sont traités les rapports de famille à famille. La paroisse, le village se veulent délibérément communauté étroitement unie contre les « étrangers » au petit groupe géographiquement défini par le terroir villageois ; nous pensons tout de suite aux soudards, vagabonds, porteurs de bubbons, qui constituent assurément une engeance redoutée. Il en va de même pour les voyageurs paisibles, marchands ou touristes : suspects aussi. Mais ce réflexe joue, dans une moindre mesure il est vrai, à l'encontre des paysans de villages voisins, qui sont pourtant connus, peu ou prou ; il joue encore à l'égard des gens de la ville, trop souvent d'ailleurs fermiers de l'impôt, propriétaires de biens fonciers ou de droits — ce qui crée une raison supplémentaire, et différente, de les tenir, autant que possible, à l'écart.

Cette agressivité est évidente encore pour ces groupes plus larges que sont les classes. N'ouvrons pas à nouveau le dossier chargé de la lutte des classes. Si le schéma marxiste ne s'applique pas à la lettre aux conflits sociaux de toutes sortes dont l'époque moderne est comme jalonnée, qui pourrait soutenir, sans rougir, l'inexistence d'antagonismes sociaux qui mettent aux prises nobles, bourgeois, paysans, artisans, pour ne pas citer d'autres exemples ? ([343]).

La solidarité politique, qui s'exprime dans l'État moderne, nourrit le sentiment national de ses luttes contre l'étranger ; depuis déjà de longs siècles, l'Anglais à l'Ouest (de la Normandie à la Guyenne), l'Allemand à l'Est, ont fourni de solides prototypes d'hostilité ; le XVIe siècle y ajoute une recrue de choix avec l'Espagnol, que maudit, avec une admirable éloquence, la *Satyre Ménippée*. Faut-il rappeler la force des antagonismes religieux qu'a suscités la foudroyante progression de la Réforme dans la France de François Ier et de Henri II ? Quarante ans de prises d'armes viennent ici en témoignage. D'ailleurs les guerres de religion, dont les aspects proprement religieux et politiques ont été déterminants, révèlent aussi, dans le menu détail des coups de mains réalisés contre châteaux, villes et villages, troupes isolées, la virulence de ces conflits entre groupes sociaux que nous retrouvons là, au cœur des guerres : nobles contre paysans, nobles contre bourgeois... Nous pouvons même identifier cette agressivité dans les encadrements sociaux temporaires, ceux qui semblent par définition les moins portés à assumer la protection vitale d'un groupe : les sociétés de jeunesse — ces groupements de jeunes gens aimant caracoler aux portes des villes — portent témoignage, à leur façon, dans le même sens ; ils nous révèlent le poids de la tutelle patriarcale qu'imposent les anciens, parents et grands-parents ; c'est, dans une large mesure, l'expression, à cette époque, du dialogue toujours tendu entre pères et fils.

*

Illustrer ces tensions sociales par une énumération de conflits n'épuise pas l'identification de cette agressivité. Nous croyons la retrouver, sous une forme différente, dans le mimétisme que crée autour d'elle la classe dominante : la noblesse d'épée — quelle que soit sa situation réelle — continue à représenter, pour l'ensemble des autres groupes, un comportement à imiter. Sa raison d'être primitive, la fonction militaire, n'est pas seule en cause : certes, elle s'exprime encore par les tournois, les duels, la chasse (sans parler du goût pour le pillage et le désordre); il serait abusif de prétendre que l'imitation dont elle est l'objet fait du tournoi, ou de la curée, le prototype de toutes les luttes, et par exemple de celles qui opposent groupes catholiques et protestants ; tout au plus pourrait-on l'avancer pour les parades des sociétés de jeunesse, ou pour les rudes « grands jeux » qui mettent aux prises les champions de villages voisins.

Pourtant ce mimétisme est sensible, de façon plus subtile, dans l'ordre des sentiments collectifs dominants : l'honneur féodal, ce « réflexe » sentimental de la morale nobiliaire, a trouvé son homologue, constitué peu à peu au cours du Moyen Age, dans toutes les autres classes sociales ; l'idée d'honneur du groupe — quel qu'il soit — informe à la fois les constitutions écrites et la pratique coutumière ; il est indigne d'un noble, dit un jour Lesdiguières, d'aller tailler en pièces des paysans révoltés contre un gabeleur ; il est indigne d'un bourgeois, dit un intendant, de prêter la main à une révolte urbaine. Ainsi se trouvent, de proche en proche, définis droits et devoirs de chaque groupe, sur le modèle nobiliaire ; y compris, quoiqu'il puisse paraître paradoxal de l'affirmer de façon aussi abrupte, chez les brigands de grand chemin, qui ne détroussent pas n'importe qui, ne laissent pas la vie sauve indifféremment à un moine ou à un évêque, se font enfin, une fois sur deux, justiciers et redresseurs de torts, vengeurs des opprimés, protecteurs des faibles, avec un certain bonheur. C'est en parcourant les règlements des corporations, les écrits des mémorialistes, que nous retrouvons cette notion d'un honneur propre à chaque groupe et adapté à sa fonction. Mille nuances concourent à exprimer ce sens multiple d'une hiérarchie morale : rappelons, pour ne donner que cet exemple, le juriste qui décrit la société de son temps et qualifie, d'une expression qui engage à la fois ses conceptions sociales et sa vision des choses, les manuels, artisans et laboureurs, « viles personnes ».

*

Troisième caractère général, qui s'impose non moins nettement que les deux précédents : le sentiment d'impuissance des hommes en face du monde naturel ; là encore se rencontrent, en fait, deux motivations qui concourent à ce résultat ; la nature physique et biologique est un mystère insondable, intellectuellement parlant ; de plus l'outillage des techniciens qui s'essaient à s'en rendre maîtres, est d'une efficacité très limitée. Si bien que les hommes du XVIe siècle ne comprennent avec leur intelligence, ni ne dominent avec leurs mains et leurs outils le monde dans lequel ils vivent.

Nous pourrions presque avancer que, en comparaison, les rapports sociaux dans leurs subordinations parfois contestées, dans leurs heurts souvent violents, révèlent une maîtrise très supérieure de l'homme sur l'homme. Certes le roi, l'évêque, le hobereau, ne sont-ils pas chaque jour obéis à la lettre : du moins — sous formes d'ordonnances ou de simples usages coutumiers — ont-ils pu élaborer des lois (au premier sens du mot) qui régissent un ordre humain ; rapports coutumiers, lois écrites, représentent bien un effort assez heureux pour ordonner les rapports humains ; il n'y a pas encore, par contre, de *corpus* des lois de la nature... Bien mieux, la révolution copernicienne est venue bousculer, au moins pour le petit nombre de ceux qui pouvaient percevoir et assumer cette remise en question radicale du système ptoléméen, le seul ensemble dans lequel les hommes du Moyen Age et du XVIe siècle croyaient avoir reconnu une parfaite stabilité sans mystère.

Devant ce domaine d'une inépuisable richesse qu'est la nature, élargie par les grandes découvertes aux merveilles nouvelles des Tropiques et de toutes les Indes, les Français des XVIe et XVIIe siècles se sentent donc comme désarmés : peu importent même les monstres, les prodiges dont leurs bestiaires sont pleins ; ces « phénomènes », acceptés comme des produits étranges, mais viables, d'une nature aux insondables desseins, nous fournissent surtout le témoignage de leur « réceptivité » au *surnaturel-naturel* et au miracle ; disons plus précisément, réceptivité par l'intermédiaire de leur soumission aux faits d'expérience vécue : songes prophétiques dont ils allèguent que les prophéties se sont réalisées ; actions et communications à distance, maisons hantées et tant de phénomènes tenus pour authentiques parce qu'ils sont attestés par des témoins dont la parole ne saurait être mise en doute. La nature, cette création de Dieu, peut tout produire et tout reproduire.

Il est plus important ici, sans doute, de s'arrêter sur la modicité des moyens dont ils disposent pour transformer ce monde naturel, l'utiliser à leur profit : ne nous amusons pas à énumérer les techniques scientifiques du XXe siècle dont ils ne soupçonnent rien. Le bilan de leurs ressources est plus vite fait : l'essentiel en ce domaine ne se limite-t-il pas aux techniques agricoles qui tirent du sol, de la flore et de la faune, la totalité de l'alimentation ? Assurément les pratiques empiriques de ces techniques obtiennent des résultats non négligeables ; greffer des arbres, et réussir vingt ou trente variétés de pommiers, le sire de Gouberville en fait son passe-temps pour la prospérité de toute une région ; de même, l'art de dresser la faune sauvage pour les besoins de l'« économie domestique » est-il très remarquablement perfectionné. Héritage de traditions multiséculaires, ces techniques agricoles nous paraissent aujourd'hui insuffisantes, compte tenu des progrès de la biologie végétale et animale réalisés pendant les deux derniers siècles ; elles sont aussi, malgré les réussites dont nous avons donné quelques exemples, insuffisantes aux yeux des contemporains. L'agriculture de l'époque assure à grand-peine la subsistance des communautés rurales et urbaines : une mauvaise gelée de mars, un orage de juillet peuvent mettre à néant, non seulement les espoirs du paysan, mais les ressources vitales de toute une région. Sans nul doute, dans cette insuffisance agricole intervient-il — au stade de la répartition —, une organisation sociale qui accentue les faiblesses techniques au stade de la production. Le sentiment d'insécurité naturelle s'en trouve d'autant renforcé.

Outre la vie agricole, les autres techniques de l'affrontement de l'homme à la nature (métiers artisanaux, et bientôt manufactures) présentent également le contraste d'une remarquable perfection des acquisitions empiriques, et d'une stagnation multiséculaire incapable de réaliser des transformations très complexes, et surtout d'accélérer la production ; travailler la pierre et le bois, filer, tisser, teindre la laine, la soie ou le chanvre, tanner le cuir, sont autant de techniques solidement acquises par des corps de métier sévèrement réglementés ; le progrès technique s'inscrit dans le cadre même de ces corporations, qui attachent plus de prix aux réalisations, aux « chefs-d'œuvre » mille fois reproduits, qu'aux méthodes permettant d'accélérer la fabrication et les rendements. Coutumes orales ou écrites perpétuent, en quelque sorte, la tradition technique ; rien ne suscite, ni ne stimule l'innovation.

Au total donc, une maîtrise technique très limitée du milieu naturel, qui, pas plus que la connaissance scientifique, ne satisfait ses usagers. L'accumulation d'une nomenclature d'autant plus informe qu'elle ne rejette aucun témoignage, l'impossibilité d'une séparation entre naturel et surnaturel, font de ces sciences sans méthode autre que compilatoire, un outil d'exploration inquiète. Nul ne possède, même les plus grands esprits, une méthode qui permette de purifier le mélange étonnant, présenté par toute science, de vérités entrevues, d'erreurs héritées, de chimères acceptées ; nul ne possède une vue d'ensemble sur les choses et sur le monde inépuisable et mystérieux, une vue qui permette de relier les solutions fragmentaires apportées à des problèmes isolés. Aussi bien les frayeurs des marins du XVᵉ siècle finissant au moment d'atteindre le continent nouveau, sont-elles l'image, à peine symbolique, de cette confusion. Et l'alchimiste devant ses alambics et ses fourneaux, cherchant le secret des secrets, représente plus clairement encore l'impuissance du savant.

*

Incapables de se rendre maîtres et de rendre compte du monde, ou plutôt de la création, ces hommes se tournent vers le Créateur avec une ferveur d'autant plus grande. Les explications, les interventions, les dons sont demandés à Dieu qui a tout créé — et, sinon au Bon Dieu lui-même, à ses Saints — et à ses Anges déchus. Là n'est certainement pas la seule explication de la ferveur dont témoignent ces temps modernes qui veulent croire ; ils ont sans aucun doute bien d'autres raisons — et d'autres impulsions sentimentales — qui les poussent sur le chemin difficile de la foi. Sur un autre plan, une relation étroite pourrait être aussi établie, de la résistance présentée par le milieu naturel aux entreprises des hommes, à l'ardeur manifestée dans la domination de leurs semblables. Cependant l'emprise même du surnaturel compris dans la nature justifie notre propos ; c'est bien une démarche mentale essentielle, le recours à une divinité toute puissante, entre les mains de laquelle le sort des hommes et des choses se trouve, à chaque instant, remis ; elle permet de demander à Dieu ou à quelque intercesseur, les biens — ces « bénédictions » — que le génie humain n'est pas assuré d'obtenir ; c'est encore la même démarche lorsque l'intercesseur sollicité est Satan, ou l'un de ses suppôts maléfiques et tentateurs.

Sans cesse présent à tous les esprits — et à tous les cœurs — le sentiment chrétien fournit donc aux hommes (ne parlons pas du fait social, de l'encadrement « de la naissance à la mort ») un cadre de pensée marqué par la prédominance de cet ordre divin constamment sollicité, et constamment présent, intervenant à tout moment au cœur des affaires terrestres. La foi du chrétien lui fournit aussi une éthique, comme chacun sait ; mais surtout peut-être, en ces temps où les longues disputes doctrinales des orthodoxes et des hérétiques (auxquelles ne participent pas, au demeurant, dans la même mesure tous les Français) finissent par embrouiller les dogmes les plus simples, le christianisme est ainsi créateur d'une sensibilité : peut-être faudrait-il dire « sensibilisation » à la précarité du destin humain, joué sur une terre mal connue, riche de fléaux autant que de bienfaits. Certes cette sensibilisation est une œuvre de longue haleine ; réalisée tout au long du Moyen Age, depuis l'implantation large du christianisme à l'époque mérovingienne, elle atteint aux XIVe et XVe siècles, son but, lorsque la religion elle-même se fait plus humaine que dogmatique. Après l'époque des définitions doctrinales, après saint Thomas et saint Bernard, c'est précisément la confiance d'une humanité pétrie d'humilité dans un Dieu pitoyable aux misères de ce monde, qui s'exprime dans les mille représentations de la Passion, la Vierge de Piété, les stigmates de saint François, le Saint-Sépulcre, le Christ en Croix. Elles signifient pour tous, catholiques, réformés — et même rares libertins des années 1610-1640 — une attention devenue « naturelle » à la souffrance humaine, à la piété, à la sincérité de la foi, qui est d'abord confiance dans la toute-puissance supranaturelle de Dieu. Et le Français de l'époque moderne trouve dans ce sentiment religieux, non seulement l'espérance d'un salut éternel, mais aussi un sens de l'humain qui informe toute son existence, fût-elle la plus tourmentée.

2. VISIONS DU MONDE : LES STRUCTURES MENTALES

A les bien saisir dans toutes leurs implications, ces données, — émotivité, agressivité sociale, incapacité à dominer le monde naturel et confiance d'ordre spirituel et intellectuel dans la toute-puissance divine — constituent un encadrement psychologique déjà complexe. Un pas plus avant doit être fait ensuite, sur le plan des définitions nécessaires, en délimitant des structures mentales différentielles.

Cette seconde démarche, qui nous paraît s'imposer au terme de cette analyse, comment la qualifier ? Elle procéderait, pouvons-nous dire, à une reconstruction des personnalités, individuelles et collectives, à une restitution des « moi », d'autant plus légitime que le XVIe siècle a eu, plus que ceux qui l'ont précédé, le sens des individualités. Retrouver les cohérences — et parfois la logique cachée de certaines incohérences — au delà des thèmes que nous venons d'évoquer, c'est mettre en forme la notion si féconde de *vision du monde*, (rappelons le terme allemand *Weltanschauung*), en précisant dans quels sens (car nous en voyons au moins deux) l'historien peut lui donner une pleine valeur.

Contemporains de François Ier, de Henri IV, ou de Louis XIII, ces hommes qui ont vécu une partie de cette période fertile en innovations de tous genres, portent en eux assurément un univers mental fort différent de celui des compagnons de saint Louis : la vision du monde, même au sens littéral, géographique du mot, a été renouvelée — pour nombre d'entre eux du moins — à la fois par la découverte des Indes occidentales, les périples de Vasco de Gama et de Magellan, et par les révélations de Copernic et Galilée. Mais nous entendons par vision du monde, bien d'autres conceptions encore : rapports sociaux, place de l'homme dans la création, connaissance du passé et du présent des hommes, conception du devenir humain... *Weltanschauung* recouvre l'ensemble des cadres mentaux — aussi bien intellectuels qu'éthiques — dans lesquels individus et groupes, chaque jour, développent leur pensée ou leur action.

*

Sur le plan des individus, ce mode de recherche n'est pas, à proprement parler, neuf : avec plus ou moins de méthode, de continuité dans l'investigation, les historiens de la littérature, soucieux, par tradition, de rendre compte des antécédents, des « sources » de leurs auteurs — petits ou grands — se sont efforcés souvent de reconstituer de la sorte les horizons mentaux dans lesquels se sont formées, et ont vécu, les personnalités dont ils avaient à connaître. Ainsi possédons-nous, pour la période qui nous intéresse, toute une galerie de portraits (qui sont malheureusement trop souvent des portraits-robots), mais qui ne manquent pas d'intérêt dans la mesure où l'œuvre contribue largement à éclairer ce que des renseignements biographiques parcimonieux laissent dans l'ombre. Ronsard et Du Bellay, Montaigne, d'Aubigné, Jodelle, Marot..., ce sont autant de destinées et de caractères, autant de conceptions du monde également. Hors rang, en raison même de la richesse de leur sensibilité, de leur tempérament, ces grands hommes du panthéon littéraire ne peuvent, pour autant, être exclus de notre recherche : suivant une expression classique, ils « voient » souvent beaucoup mieux que leurs contemporains. Dans la mesure du moins où l'œuvre permet de retrouver positivement l'homme ; non seulement le Ronsard homme de cour et galant homme, mais le Ronsard du *Discours des Misères de ce temps*, de la *Response aux injures et calomnies de je ne sçai quels Prédicans et Ministres de Genève* ; le Tahureau des *Sonnets, Odes et Mignardises amoureuses de l'Admirée*, et celui des *Dialogues*. Dans cette mesure, les portraits psychologiques de l'histoire littéraire nous fournissent des éléments appréciables de reconstitution, et souvent plus d'un type de vision individuelle du monde.

Précisons pourtant que, sur ce plan, les auteurs de livres de raison nous offrent la possibilité d'une recherche tout aussi importante : un Gouberville, un Claude Haton, un Jacmon, qui ont consigné, des années durant, leurs faits et gestes, et leurs réflexions sur ce qu'ils voyaient autour d'eux, nous présentent une moisson imposante d'éléments valables, mais épars, qui doivent aider à la reconstitution de leurs propres horizons mentaux ; le gentilhomme normand, féru de pomiculture, qu'est Gouberville, a des notions précises de l'Europe, sinon des mondes nouveaux ; il sait situer le Canada, les Caraïbes, l'Afrique ; il s'informe de la vie politique du royaume ; en même temps, il se comporte en hobereau sur ses terres, dur pour ses paysans, « maître » exigeant pour ses domestiques. Jacmon est un petit artisan ponot, fier de sa ville, de ses processions, de ce petit monde urbain dont le collège et la cathédrale constituent les seuls hauts-lieux très vivants ; compatissant aussi aux misères des pauvres paysans, qui viennent mendier dans les fossés auprès des remparts pendant les famines. Jamais il ne parle vraiment d'autre chose que de cette plaine du Puy, la ville et ses dépendances immédiates ; ses horizons semblent aussi bornés mentalement qu'ils le sont géographiquement par les pitons volcaniques et les plateaux qui délimitent la dépression ponote.

Dans ce domaine, nous croyons cependant le champ de recherches inépuisable, au point de justifier, pour une exploitation valable, une méthode très systématisée de l'inventaire monographique. Expliquons ce point par un exemple. Voici quelques documents qui nous ouvrent de très larges perspectives : deux inventaires après décès, de 1617, à Amiens ; ici, un écuyer, là un notaire. Ces actes nous apprennent par la description de la maison et des champs hors de la ville, du mobilier et du personnel, quel a été le style de vie de ces deux hommes : une idée, assez bonne, de leur fortune, en premier lieu, — mais aussi une représentation acceptable de leurs goûts, de leurs préoccupations, de leurs activités ; le soin apporté au cellier ici, à l'entretien du carrosse et de l'écurie là, sont des éléments essentiels de leur vision sociale ; à tout le moins, une bonne approche de leurs options sociales : tenir son rang, chercher, plus ou moins habilement, une promotion... Nous ne faisons qu'indiquer du doigt la démarche. Ce que nous permet, mieux encore que ces notations sur le plan social, la bibliothèque, puisque l'un et l'autre laissent quelques livres. Notre écuyer possède quelques ouvrages d'Érasme, un Rabelais, la *Satyre Ménippée*, le texte imprimé de l'Édit de Nantes ; mais il a lu aussi sans doute, conservé près de lui, en tout cas, la *Guide des Chemins de France*, différentes histoires de l'Amérique, de la Floride, des Indes. Le notaire se contente, quant à lui, d'ouvrages de piété : les *Œuvres spirituelles* de Louis de Grenade, une Vie des Saints, le Bréviaire d'Amiens, les œuvres de Pellevé, le cardinal ligueur. Voilà, esquissés déjà, deux portraits, pouvons-nous dire deux types de Français, l'un gallican, loyaliste, ouvert aux nouveautés du siècle écoulé, l'autre disciple de ces moines « scopétins » qui ont fait le coup de feu contre le Béarnais, et ne lui ont pas pardonné l'Édit de Nantes... Deux types de Français au début du XVIIe siècle. Mais cette expression elle-même, qui vient spontanément sous la plume, est significative : au niveau des visions du monde, nous retrouvons, non seulement des hommes originaux, au sens où Pascal l'entendait, mais des modèles : la vision d'un groupe, au delà de la vision personnelle. Sans nul doute, la richesse concrète d'une individualité nous reste-t-elle précieuse, en ce domaine surtout où le trait humain savoureux vient compenser les nécessaires sécheresses de l'abstraction. Mais l'étude des individualités est une première étape.

*

Cette reconstitution de visions du monde individuelles prend sa pleine valeur dans la mesure où elle débouche sur une typologie, où elle permet de reconstruire des visions socialisées : c'est le groupe qui est important, car il pèse toujours de tout le poids des conformismes sociaux sur les individualités. Chaque classe sociale — mais aussi chaque profession, ou encore chaque groupe religieux — est porteur d'une vision caractéristique : là encore, il s'agit de systématiser les mille notations qu'une psychologie, depuis toujours nourrie de finesse, ne cesse de nous offrir à chaque page de nos lectures les plus disparates. Évoquerons-nous ici l'exemple du savetier et du financier de La Fontaine ? La simple description — qui n'a jamais été tentée — des horizons mentaux caractéristiques des différents groupes sociaux constitue ici également la première tâche : reconnaître tout ce qui sépare le paysan, fermier ou propriétaire, attaché à son bien, et jamais sorti de son petit « pays » (au sens ancien du mot) — du journalier, qui court les routes, mendie et joue au brigand à l'occasion, mais fournit la main-d'œuvre de la moisson de juin à août, du Languedoc à la Picardie — nous pensons en avoir fait sentir la nécessité tout au long de ce livre. Chaque groupe socio-professionnel mériterait peut-être, au terme de nos analyses, une sorte de présentation récapitulative : ce serait d'ailleurs, une fois de plus, faire jouer, les uns sur les autres, les trois cadres qui constituent le corps de ce livre ; faire converger, à propos, par exemple, des protestants face aux catholiques, ce qui concerne le conditionnement intellectuel de la foi, et les données ecclésiales ; à propos de la bourgeoisie d'affaires, les sécurités de la ville, et les aléas du grand commerce international, etc. Quinze, vingt tableaux, nuancés et subdivisés autant qu'il serait nécessaire, se déduiraient ainsi, de façon mathématique et subtile à la fois, des développements qui précèdent cette conclusion. Laissons cette entreprise pour le moment.

Que les déterminations sociologiques soient les plus lourdes, c'est le point à souligner : nos analyses le justifient, qui ont fait la place la plus large aux groupes sociaux et aux professions. Mais elles ne suffisent pas ; elles n'épuisent ni une description, ni une explication, qui se nourrit de la totalité des constructions mentales du groupe. Entendons par là que la vision du monde propre à un groupe, ne se définit pas limitativement ; en particulier, elle ne doit pas être étudiée en fonction des seules déterminations sociales que permet d'induire un schéma sociologique de lutte et de conscience de classes. Réduire l'horizon mental de la noblesse d'épée des années 1600 à 1630 à son double conflit avec la bourgeoisie et avec les robins, c'est rester en deçà de la réalité et des significations historiques : les modes de vie, la chasse, le duel, le tournoi, le domaine et son exploitation, la guerre larvée contre le pouvoir royal envahissant, entrent en ligne de compte, quelle que soit la fonction historique reconnue à cette conscience de classe et quelle que soit la place de la prise de conscience dans les antagonismes socio-économiques. Ceux-ci étant tels que nous pouvons les reconstituer, il reste assuré qu'ils ne constituent pas la totalité de la vision du monde du groupe ([344]).

Assurément, toute psychologie historique, toute histoire des mentalités est histoire sociale ; mais elle est dans le même mouvement histoire des cultures, l'époque moderne se caractérisant par l'énorme disparité des visions du monde que les crises intellectuelles et religieuses du XVIe siècle ont creusée au sein de la société française ; l'imprimerie et le progrès du livre, la multiplication des collèges, l'inégale diffusion des ouvrages pieux constituant les faits de référence principaux auxquels nous pouvons d'emblée rattacher cette disparité, ces inégalités flagrantes.

*

Mais allons un peu plus loin. Nous retrouverons, sous cet angle, un de ces traits qui, informant la totalité d'une société donnée, mérite d'être souligné dans cette conclusion ; recenser, inventorier les visions du monde d'un groupe, c'est retrouver les caractères originaux de sa culture, le volume de ses connaissances sur les hommes et sur la nature, la teneur de ses croyances et des instruments de sa foi, le bagage d'idées reçues, de préjugés acquis du fait de l'éducation familiale et sociale... C'est, en bref, retrouver une conception du monde et des hommes, avec ses cohérences et ses contradictions ; c'est comparer aussi avec d'autres conceptions, plus ou moins riches, plus ou moins compréhensives. Or, à cet égard, l'époque moderne est le moment capital de l'histoire française, voire occidentale, où s'accomplit un renversement dont les conséquences n'ont pas toujours été exactement mesurées par les historiens : le moment où le groupe des clercs réguliers, sinon séculiers, cesse de porter la vision du monde la plus élaborée, la plus riche, par ses tonalités nourries à la fois de textes sacrés et de l'enseignement transmis par l'antiquité païenne.

Sans doute, les XIIe et XIIIe siècles français avaient-ils connu une classe nobiliaire cultivée, qui, dans ses châteaux — rendez-vous des troubadours — entretenait une vie intellectuelle et artistique d'une richesse certaine. Même à cette époque cependant, cette culture laïque n'avait pas la variété et l'ampleur de vues dont pouvaient faire preuve le haut clergé et les moines, nourris des Pères de l'Église et d'une bonne part des traditions antiques. Avec l'époque moderne, cette primauté des clercs s'affaisse, au profit de groupes nouveaux d'intellectuels, qui ont certes pu être formés par les Universités et les collèges qu'anime l'Église, mais ne leur doivent qu'une partie de leur savoir ; ce sont les humanistes d'abord, et un peu plus tard les savants. Pour en prendre conscience, il suffit de plonger, à la fin de notre période, en plein milieu scientifique parisien, et de recenser, par exemple, l'entourage du père Mersenne ; certes les clercs sont encore là, puisque soixante de ses correspondants et amis sont des hommes d'Église (dont quatre archevêques, huit évêques, six docteurs de Sorbonne) ; mais cent dix laïcs constituent le gros de la troupe, où les hommes de loi (Parlementaires en tête) sont les plus nombreux : une quarantaine.

Ce renouvellement intellectuel, qui est en même temps le départ d'une laïcisation dont l'ampleur va croissant aux siècles suivants, est lié assurément au mouvement économique et social et à la transformation politique — beaucoup mieux connus (de l'afflux d'or et d'argent américains aux progrès de l'absolutisme) — dont l'élargissement et la nouvelle distribution des horizons mentaux est inséparable, nous l'avons assez souligné chemin faisant ; une évolution de longue durée s'esquisse donc dans les années de la Renaissance, et s'affirme, après l'intermède des guerres de religion, dans les trente premières années du XVIIe siècle, suivant ainsi une périodisation classique. La coïncidence n'est évidemment pas fortuite : elle tient à deux causes essentielles, dont nous avons encore à nous expliquer ; d'une part — et il n'y aura pas lieu d'en traiter longuement — toute reconstitution des visions du monde prend sa part des faits et gestes des hommes, — et non pas seulement de leurs paroles ; elle retrouve donc tout naturellement les cadres généraux d'une histoire compréhensive, embrassant toutes les activités humaines. D'autre part, dans ce domaine des mentalités, comme en tout autre, il n'y a pas de structures immuables ; mais une permanente dialectique anime les rapports des structures aux conjonctures.

*

Toute psychologie collective est aussi une psychologie du comportement : en ces temps où les hommes se racontent moins que maintenant, où les groupes n'ont pas toujours acquis les institutions bavardes (journaux, bulletins intérieurs, circulaires, lettres confidentielles...) que possède de nos jours le plus petit syndicat, ce sont les actes qui, à défaut de paroles, nous fournissent une part valable de ces représentations mentales structurelles que nous voulons délimiter.

Toute notre troisième partie en témoigne assurément ;

mais nous voudrions nous arrêter un instant à l'importance de ces analyses de comportement, dans la perspective de la définition des structures mentales que sont les visions du monde. Prenons en mains, un instant, le gros exemple de la bourgeoisie marchande française, qui, à la fin du XVIe siècle, se détourne des affaires au bénéfice des carrières d'État, des offices ou des achats de terre. De cette conversion certains historiens ont fait l'événement capital qui explique comment la France moderne a laissé passer sa chance de grande puissance économique, alors que l'Angleterre et les Provinces Unies tiraient parti du déclin commercial espagnol. A dire vrai, cette nouvelle orientation n'a jamais été mesurée avec la précision mathématique que requiert, de nos jours, l'histoire sociale ([345]) : combien de familles marchandes, année après année, abondonnent les affaires, ici, entre 1580 et 1590, là, entre 1610 et 1620 ? Nous nous fions surtout en ce domaine aux lamentations des contemporains, que ce soit Richelieu lui-même en son *Testament politique*, ou un simple gentilhomme soucieux de trafic et d'expansion coloniale, et contempteur de ses contemporains, comme Isaac de Razilly ([346]). Nous pouvons, certes, suivre la courbe des prix des offices à la veille et au lendemain de l'institution de la paulette, comme l'a fait Roland Mousnier en Normandie. L'enquête est à poursuivre, inlassablement, systématiquement, à travers toutes les archives. Mais peu importe pour notre raisonnement l'état actuel de l'enquête ; nous voulons indiquer d'abord, ici, combien cette recherche est en son fond une investigation sur les mentalités. Ce choix fait par une partie de la bourgeoisie marchande : renoncer à une forme d'activité qui a fait la fortune de la famille, ne traduit pas simplement les déboires d'une conjoncture économique devenue difficile ; elle exprime, dans le cas des achats de biens fonciers, l'attrait durable des valeurs terriennes, et à travers celles-ci, de la condition nobiliaire : à une époque où il est encore possible de devenir noble sans grand scandale, en achetant des terres réputées nobles, des fiefs tombés en déshérence ou abandonnés par une lignée famélique, le prestige de la classe dominante garde plus d'une vertu aux yeux des bourgeois ; décompter ces achats de biens nobles, c'est prendre la mesure de ce durable prestige.

Nous en dirons tout autant du transfert vers les offices royaux ; même avant l'institution de la paulette, ces charges, créatrices d'honneur social, n'ont jamais manqué d'amateurs, issus nécessairement de bourgeoisie ; après 1604 — et tout au long du XVIIe siècle — l'engouement ne se dément guère pour ces fonctions administratives devenues héréditaires. Leur attrait réel sur les banquiers et marchands se mesurera aux effectifs des transferts ; car il n'est évidemment pas tout à fait vrai, comme le prétend Razilly, que « *tous* les marchands se voyans riches... ont employé *tous* leurs biens en offices pour leurs enfans ([347]) »... Nul doute cependant qu'une telle recherche nous fournira sur les options, sur les opinions de la classe marchande, des éléments de réponse d'une solidité à toute épreuve.

Allons même un peu plus loin, puisque ce problème, que nous avons choisi comme exemple, éclaire largement l'évolution économique de la France moderne. Retrouver les effectifs, les proportions des marchands qui se détournent du commerce pour s'orienter vers les offices ou les biens fonciers, ce n'est pas seulement prendre la mesure de prestiges sociaux de longue durée — donc de structures mentales d'origine sociale — c'est aussi éclairer la vocation commerciale de la France à l'aube des temps modernes, apporter sur ce point des certitudes beaucoup plus acceptables que les élucubrations, si souvent remâchées, même par de bons auteurs, sur la propension des Français au fonctionnarisme, les harmonies préétablies entre calvinisme et capitalisme, et maintes généralisations abusives de la même veine, qui sont d'abord exercices de haute rhétorique. Aux lourdes machines d'un sociologisme sans contact avec le réel, l'historien oppose ici la lente, la difficile démarche qui ne sépare pas l'exploration du réel de tout effort de conceptualisation. R. Gascon dans son étude sur les marchands lyonnais au XVIe siècle en fournit une éclatante illustration, lorsqu'il met en cause, à propos du déclin lyonnais après 1560, les acquisitions d'offices et de terres ([348]).

C'est bien dans cet esprit que la notion « philosophique » de vision du monde nous est utile : elle résume en un seul mot — tout comme le ferait structure mentale — l'ensemble des cadres conceptuels acceptés par un individu, ou un groupe, et utilisés par eux dans l'exercice quotidien de leurs pensées et de leurs activités. Que la reconstitution de tels ensembles ne soit pas chose facile, nul n'en doutera : et nous en donnerons pour illustration le simple fait que leur approche doit se faire suivant différentes voies, comme nous l'avons montré dans tout ce livre. A quoi s'ajoute une difficulté supplémentaire : dans le domaine des mentalités, plus encore que dans les domaines économique et politique, il n'est pas toujours aisé d'identifier structures et conjonctures, et de faire leur part respective. Dans le domaine politique, par exemple, les institutions constituent une part importante des structures ; coutumes minutieusement respectées, ou constitutions savamment dosées, elles représentent toujours des éléments d'analyse aisée et de signification claire : qui discuterait le sens de la loi Le Chapelier du 17 juin 1791 ? Sur ce point encore quelques précisions nous paraissent nécessaires ; ce sont les dernières.

3. CLIMATS DE SENSIBILITÉ : LES CONJONCTURES MENTALES

Les conjonctures mentales, nous les avons utilisées sans cesse au long de ce livre, sans jamais en faire le cadre même de notre étude. L'expression est particulièrement bien venue pour désigner les climats successifs dans lesquels se manifestent les crises, dans lesquels mûrissent les grands problèmes qui expriment l'évolution de longue durée des mentalités. Sans doute la dialectique qui s'institue ainsi entre les structures à évolution lente et les climats conjoncturels, est-elle un mouvement particulièrement subtil. Il serait vain de voir dans ceux-ci, par exemple, une simple teinture de pessimisme, pour les années noires, — et d'optimisme confiant dans les destinées humaines pour les périodes qui nous paraissent plus heureuses ; le climat mental d'une époque n'est jamais réductible à une définition simple ; s'il est vrai que les années 1500 à 1530 nous paraissent une période d'audacieuse joie de vivre, il s'y mêle pourtant, par la progression même des idées luthériennes, une vision particulièrement pessimiste du monde et des hommes. Mais d'autre part — et le fait est encore plus important — nous appréhendons ces mutations de la sensibilité collective grâce à une partie seulement de la société : disons grâce aux structures les plus expressives et les plus réceptives. Ce ne sont pas les classes populaires, paysannes ou urbaines, de ces mêmes années, qui nous autorisent à parler d'un climat conquérant et libre. Ce sont les milieux d'affaires, et surtout les intellectuels, les artistes, cette cohorte nombreuse de Français, témoins et acteurs d'un grand renouvellement. En un sens, le domaine de la conjoncture mentale est celui de l'avant-garde, celui de la culture, plus ou moins raffinée, qui donne le ton — dans la mesure du moins où il n'y a pas discordance trop grande entre l'avant-garde et le gros de la troupe. Ainsi pouvons-nous, grâce aux milieux dotés d'une sensibilité particulièrement aiguë, déceler pour chaque époque une atmosphère qui lui est propre, dans le milieu étudié.

Nous avons à maintes reprises évoqué les deux grands mouvements du XVIe siècle, l'espérance audacieuse du premier tiers — et les sombres décennies des guerres civiles et religieuses. A vrai dire, une articulation plus fine (où interfèrent toutes les données, religieuses, politiques, économiques et sociales) peut être mise en place : les grandes espérances des années 1515-1535 se chargent d'inquiétude bien avant l'affaire des placards (1534) ; l'atmosphère s'alourdit assurément beaucoup plus vite ensuite, jusqu'aux premières persécutions de 1547-1560. Mais entre 1525 et 1530, les difficultés politiques qu'entraînent la captivité du Roi, les entreprises luthériennes à partir des frontières du Nord et de l'Est, jettent le trouble dans maints esprits, et préparent les raidissements postérieurs.

De même peut-on, dans la longue période des guerres civiles, de 1560 à 1598, faire la place à quelques périodes de rémission ; pensons aux débuts de Henri III, de 1574 à 1584, qui sont comme des intermèdes où se retrouvent les survivances des temps d'espérance. Nous userons de la même prudence, au delà de 1598, pour faire un sort particulier, et nuancé, à la période pacifique du règne de Henri IV de 1598 à 1610, ou encore pour marquer la place de la grande épidémie de peste de 1630 qui a ravagé la presque totalité du pays.

Mais, dans cette direction conjoncturelle, il est possible de s'avancer un peu plus loin, de retrouver la courte période que représente la génération. Suivons un instant l'essor du protestantisme français, pour en préciser le rythme autrement que par les jalons traditionnels : 1517 Luther, 1534 les Placards, 1537 l'*Institution chrétienne*, etc. La période héroïque du protestantisme est, à notre sens, celle des années 1520-1540, où clercs et laïcs ont eu à choisir pour ou contre une foi et une église nouvelles. Ce temps des fondateurs prend fin lorsqu'on naît protestant ; le choix a été fait par la génération précédente ; et un conformisme familial — voire un anticonformisme — apparaissent ensuite plus faciles que le choix lui-même. Puis, à partir de 1547-1549, commence la première période de persécutions : autre conjoncture, puisque les persécutés n'appartiennent pas à la génération des fondateurs. Ceux-ci ont fait le saut, sans avoir, dans l'immédiat, à se protéger physiquement. Ceux-là, attaqués avec violence, ont eu d'autres choix à faire : partir, se dissimuler, ruser, s'affirmer... Les problèmes étaient tout différents, qui en douterait ? De plus les persécutions prennent tout leur sens, pour les catholiques et pour les protestants, lorsque nous pouvons en retrouver toutes les significations. Si les réformés quittent la France par milliers pour Genève, entre 1549 et 1560, s'ils sont égorgés par milliers en août 1572, c'est que poursuites et meurtres mettent en question plus qu'une rivalité entre les deux groupes religieux ; ce qui est en jeu dès la création de la Chambre Ardente, c'est la défense d'une communautée menacée en ses principes mêmes ; les exécutions sont à la fois liquidation physique et expiation offerte à la colère divine. Il y a sans doute, dans la Saint-Barthélémy, une part importante de crime rituel. La précarité de l'Édit de Nantes ne se comprend-elle pas dans ce contexte, qui fait appel, en son fond, à de très vieilles traditions, insuffisamment identifiées encore... Là également, à chaque étape, que de contrastes d'une génération à l'autre ; de celles qui ont fait la guerre, à celle qui grandit dans la paix, bénéficiaire de l'Édit.

Et un peu plus tard, sous le régime de l'Édit de Nantes, quelle différence d'atmosphère entre les années d'organisation, d'installation, qui suivent immédiatement la signature et l'enregistrement de l'acte royal, et, entre 1620 et 1629, la fièvre inquiète avec laquelle est entreprise la lutte pour le maintien des libertés et privilèges acquis en 1598! La sagesse politique de Henri IV ou de Richelieu ne sont pas en question ici ; mais bien plutôt les sentiments nourris, à un moment précis, par les milliers de Français que touchent directement l'Édit de 1598, la paix de grâce de 1629. S'agissant d'un groupe restreint, ou de la société globale, il est bien évident que l'évolution conjoncturelle des attitudes mentales est du même ordre ; disons que les protestants français, ces révoltés qui aspiraient à une foi épurée, efficiente, ces hommes porteurs d'une nouvelle façon de sentir et de pratiquer le christianisme, se sont trouvés, de génération en génération, affrontés à des situations politiques, sociales et spirituelles différentes ; leurs conceptions de la religion et du monde — français et européen notamment — s'en sont trouvées modifiées, c'est sûr ; là est précisément le lien étroit entre structure et conjoncture.

Il en est des conjonctures mentales comme de celles des économistes ; elles sont plus ou moins longues. Nous venons de le voir par ces deux exemples : chercher la périodisation d'ensemble de la vie française entre 1500 et 1640, c'est reconnaître trois grands moments, trois climats successifs, qui « durent » quarante à cinquante ans chacun : 1500-1540-1560 ; puis 1560-1598 ; enfin 1598-1640. Entreprendre de suivre de près ce groupe social nouveau dans la vie française qu'est le groupe réformé, c'est découvrir un souffle plus court, où la génération joue le rôle essentiel : 1520-1545, les fondateurs ; 1545-1560, les martyrs ; 1560-1598, les combattants ; 1598-1615, les bénéficiaires de la légalité ;

1615-1629, les défenseurs de l'Édit, etc. De l'un à l'autre cadre, les liens sont évidents.

*

Conjonctures mentales, climats de sensibilité impliquent encore d'autres réalités ; nous dirions volontiers aussi, pour préciser encore notre point de vue, épidémies mentales ; ce ne sont pas les plus faciles à identifier, assurément. Leur existence n'en est pas moins certaine, comme des cas limites peuvent nous le montrer. Dans les pays de l'Est, de la Lorraine à la Franche-Comté, qui ne font pas partie formellement de la France d'alors, mais sont pourtant de langue française et subissent l'attraction du royaume, — aux luttes entre protestants et catholiques des années 1560-1590, étroitement liées à celles qui ont ravagé la France proprement dite, succède une épidémie de sorcellerie : la chasse aux sorcières prend le relais de la chasse aux protestants, pendant quelques décennies, de 1590 à 1630 environ. C'est le beau temps de Boguet, de Rémy, et leurs nombreux émules moins connus ([349]). Mais les écrits des juges soucieux d'appliquer avec zèle une jurisprudence multiséculaire ne sont pas tout ; instruments d'une justice implacable, ils ont facilité l'extension, pendant dix ou vingt ans, de cette frénésie répressive qui pourchasse à travers les plus petits villages tous ceux qui peuvent être soupçonnés de pacte avec le Démon. L'atmosphère de délation, de suspicion, qui anime alors une population entière, est un fait assurément passager ; dans beaucoup de villages vosgiens, c'est faute de combattants que cesse le combat, — c'est le cas limite ; la frénésie des poursuites a été telle que presque personne n'en réchappe. Mais plus souvent, la fièvre s'apaise, comme spontanément, après une longue série de procès ; un soubresaut parfois, un fils ou une fille de sorcière accusés à leur tour d'avoir traité avec le Démon ; et l'épidémie disparaît. Ne cherchons pas ici des explications hasardeuses : constatons simplement ce caractère cyclique, qui légitime l'emploi de notre terminologie : épidémie, contagion, conjoncture.

Autre aspect, autre exemple, qui représente, à nos yeux, plus exactement encore, la crise d'affectivité ; la fin du XVIe siècle, le temps de la Ligue et les années qui suivent le rétablissement de la paix, c'est une période de sensibilité larmoyante et cruelle, qui rappelle par bien des côtés le pathétique morbide de la fin du XVe siècle. L'exhibitionnisme des moines ligueurs, de leurs processions où larmes, sanglots, cris et pâmoisons tiennent une si grande place, en constitue un évident symptôme. Thomas Platter, à Marseille, en 1596, voit passer la confrérie des « Battus » qui se flagellent en public, certains jours : quatre mille marseillais défilent, accoutrés de sacs qui ne laissent voir que les yeux pleurant, la bouche gémissante et le dos marqué de coups. Aux beaux jours du Paris ligueur, il ne se passe pas de semaine où des flagellants n'ameutent la population de leurs cris et de leurs gesticulations. A cette propension au pathétique larmoyant, me paraissent étroitement liées les manifestations de cruauté de la même période, la longue litanie de massacres, de viols, de haine et d'horreur, qui caractérise les guerres civiles ; peut-être même les déséquilibres de la sexualité, depuis les « mignons » de Henri III jusqu'au crime de « bestialité », si répandu, méritent-ils d'entrer dans la même définition affective. C'est en réalité déjà la sensibilité de l'époque baroque qui est en cause ici.

Assurément, l'analyse de telles conjonctures postule le recours à tous les modes d'exploration dont nous avons eu à traiter jusqu'à maintenant. Les flagellations des Ligueurs, les violences des moines et du petit peuple des villes à la fin du XVIe siècle, tout ce pathétique est le fait de la société urbaine dans son ensemble — et non pas seulement des classes les plus cultivées : cette conjoncture touche au moins tous les citadins, alors que l'équilibre affectif et pacifique apparent de l'époque 1515-1530 se trouve défini en fonction de groupes très limités, humanistes, artistes, savants, représentatifs d'une élite culturelle, et en fonction de ces seuls groupes. Suivre pas à pas une conjoncture mentale, de 1515 à 1598, c'est donc aussi expliquer le relatif silence, en 1515-1530, de ces groupes populaires urbains si violents, si expressifs en 1589-1598...

Faire état de cette affectivité urbaine exacerbée, exaspérée, c'est donc s'engager dans une histoire urbaine, dans une histoire sociale longue et complexe ; les mêmes milieux populaires sont-ils en question, ici et là ? La conjoncture économique, dont les incidences psychologiques sont tellement évidentes lorsque la surcharge fiscale (impôts nouveaux, taxes et droits majorés, contrôles rénovés) vient accentuer les difficultés du marché et provoquer les émeutes de métiers, ne joue-t-elle pas son rôle, et en 1515-1530, et en 1589-1598 ?

Assurément la délimitation de ces climats affectifs fait appel aussi à une conjoncture matérielle : famines, bonnes récoltes, manque d'argent ou abondance, épidémies, équilibre sanitaire, c'est évident. Elle met enfin en question leurs limites géographiques : comme le romantisme au début du XIXe siècle, le baroque du premier tiers du XVIIe siècle est un fait européen, qui ne concerne pas la seule France; étroitement liée à une évolution sociale, et économique, dont l'Europe occidentale n'a pas encore connu l'équivalent dans son histoire, cette crise affective ne connaît pas de frontières, même si le poids du passé et les contingences des lieux colorent différemment, d'un bout à l'autre de l'Europe, cette mutation. La démonstration a été faite sur ce point à propos du XVe siècle finissant, tel que l'a magnifiquement décrit J. Huizinga...

Nous en avons un bel exemple dans la conjoncture pacifiste européenne des années qui suivent la proclamation de l'Édit de Nantes. Dans tous les pays qui connaissaient une division des esprits comparable à celle de la France, l'acte de 1598 est apparu comme la solution à imiter ; celle qui permettait, mieux que la formule allemande (cet émiettement à la mesure des principautés allemandes) d'assurer la survie pacifique des deux communautés : dans les cantons suisses, en Italie, Henri IV apparaît un moment comme le pacificateur de l'Église, et sa réussite a pendant quelques années alimenté tout un courant d'irénisme religieux.

Délimiter, aussi rapidement que nous avons voulu le faire ici, des conjonctures affectives et intellectuelles, c'est donc d'abord montrer que l'histoire des mentalités, comme toute histoire qui cherche à expliquer en profondeur, ne connaît pas de frontières ; elle ne se sépare surtout pas des autres secteurs historiques. Prétendre isoler une histoire psychologique, [même sous le beau nom d'histoire des idées et des sentiments, — ou encore d'histoire sociale des idées ([350])] est une entreprise sans grand espoir : l'histoire des mentalités est, à tout instant, partie inséparable d'une histoire totale, conçue non pas comme le rêve idéal et romantique d'un Michelet, mais comme une exigence méthodologique présente à chaque moment de la recherche.

*

Arrêtons-nous là : il est bien que cette exploration des perspectives selon lesquelles notre tentative de faire le point dans le domaine, si difficile, de l'histoire des mentalités s'élargit et prend sa place dans le jeu complexe du renouvellement historique, débouche sur une dialectique nécessaire entre tous les composants d'une histoire sociale. Nous ne prétendons certes pas, au demeurant, dans ce tableau de la France au début des temps modernes, épuiser le champ de la description et de l'explication, et nous l'avons à dessein sous-titré *Essai de psychologie historique*. Il n'est rien de plus : et, nous entendons le répéter pour terminer, nous y voyons essentiellement un point de départ pour de nouvelles recherches, indispensables, s'il est vrai qu'il s'agit, comme le réclamait Lucien Febvre ([351]) dès 1938, « d'intégrer une psychologie historique... (à créer) dans le puissant courant d'une histoire en marche ».

Notes

([1]) Nous n'oublions évidemment pas que, dans la périodisation traditionnelle en France, les Temps Modernes recouvrent trois siècles : du début du XVIe à la fin du XVIIIe siècle. Nous n'utilisons que la moitié de ce champ d'histoire, sans dénier pour autant la qualité de *modernes* aux hommes qui ont vécu au delà de 1650. La suite de notre propos justifiera assez ce *terminus ad quem*, de même que le refus d'une division purement arithmétique.

([2]) COURNOT, *Considérations sur la marche des idées et des événements dans les Temps Modernes*, Paris, 1872, livre VIII.

([3]) L'art de décrire, sinon de voyager, n'est pas encore né : un esprit fin, exercé à l'observation des choses et des gens comme l'est Montaigne, voyageant à travers la France, l'Allemagne et l'Italie, n'évoque en fait que les villes. Les paysages ruraux, que nous aimerions « voir », lui sont indifférents; il écrit : tant de lieues de telle ville à telle autre, et c'est tout.

([4]) *Œuvres* de G. DU VAIR, édition de 1636, p. 2.

([5]) Cf. la carte n° 1 de cet ouvrage : Esquisse d'une géographie humaine de la France au XVIe siècle, d'après Ch. Estienne, p. 24-25.

([6]) Cf. la monumentale et admirable *Histoire de la vigne et du vin en France* de R. DION, Paris, 1959.

([7]) Pour un homme comme Étienne Dolet, Toulouse et l'Aquitaine sont encore des pays barbares, sans culture française.

([8]) Toutes les villes de l'époque sont-elles retranchées derrière de hautes murailles? Il est difficile de le dire. Mais assurément, la très grosse majorité : en Normandie, on se gausse de Coutances enclose de « groseliers ».

([9]) René CLAIR le notait déjà dans l'*Encyclopédie française*, tome XVII, 1940, 17-88.

([10]) Les deux ouvrages les plus importants publiés en ce domaine sont L. STOUFF : *Ravitaillement et alimentation en Provence aux XIVe et XVe siècles*, Paris, 1970; J. J. HEMARDINQUER, *Pour une histoire de l'alimentation*, Paris, 1970. Le livre de F. BRAUDEL, *Civilisation matérielle et capitalisme*, Paris, 1967, fourmille de suggestions, mais est mal utilisable tant que les références n'en seront pas publiées.

([11]) « Un des nôtres... véquit quelques six semaines comme eux sans sel, sans pain et sans vin, couché à terre sur des peaux et ce en temps de neige », LESCARBOT, *Histoire de la Nouvelle France*, 1612, réédition de 1866, p. 555.

([12]) « Le plus nécessaire de tous les alimens que la Divine bonté a créez pour l'entretien de la vie des hommes », dit le *Dictionnaire économique* de Chomel de 1718.

([13]) P. Viret, *Office des morts*, 1552, p. 71, cité dans Ch. SCHNETZLER, *P. Viret d'après lui-même*, Lausanne, 1911, p. 4.

([14]) Exemple des difficultés rencontrées à ravitailler une ville qui a grandi très vite : Lyon au XVIe siècle, dans R. GASCON, *Grand commerce et vie urbaine*, p. 784-794 et notamment la carte de la page 785.

([15]) J. J. HEMARDINQUER, « Les inventions du Moyen Age et de la Renaissance d'après un nouvel atlas historique des cultures vivrières », in *Bulletin philologique et historique* (Comité des travaux historiques), Paris, 1971, p. 4 à 6.

([16]) Sa ration journalière a été souvent évaluée depuis MESSANCE (*Recherches sur la population*, 1756), jusqu'à LABROUSSE, *La crise de l'économie française à la veille de la Révolution*, 1944, p. XXIV. Citons Messance : « un chef de famille chargé de la nourriture et subsistance d'une femme et trois enfants est présumé consommer, dans le courant de l'année la quantité de 15 septiers mesure de Paris, sur le pied de 3 septiers par tête. Ce compte est beaucoup trop fort... », p. 286.

([17]) B. N., Mss, fds fs, 21 802, f° 81.

([18]) Poissons de mer ou d'eau douce ne représentent qu'une faible partie de l'alimentation : les salaisons mal faites, les transports trop lents expliquent les nombreuses plaintes contre les harengs « déffectifs et indignes de entrer au corps humain ».

([19]) G. Schmoller (en 1871) et W. Abel (en 1937) ont avancé naguère l'hypothèse que la consommation de viande était très forte dans les villes allemandes médiévales, et décroissante au XVIe siècle. Leurs démonstrations ont séduit plus d'un historien français notamment F. Braudel et E. Le Roy Ladurie. Aux réserves que nous avons exprimées dans les *Annales E. S. C.* en 1961 (sous le titre « Théorie ou hypothèse de travail »), le lecteur préférera la solide démonstration de L. Stouff dans son livre, notamment pages 111-117, 172-173 et 190-194.

([20]) Le miel lui-même ne sufs fit pas à suppléer le sucre danla fabrication des douceurs : selon les régions et leurs recettes locales, bien des substituts sont employés; par exemple, le cidre cuit en Normandie.

([21]) A en croire Scaliger, le marché des petites villes de province est souvent peu achalandé. Ne note-t-il pas à Chambéry : « Jamais je n'ay veu si beau et si grand marché en aucun lieu que là, une si grande quantité de païsans : tout y abonde ».

([22]) MAURIZIO, *Histoire de l'alimentation végétale*, passim.

([23]) FAZY, I, 82.

([24]) Les pays méditerranéens sont, là encore, des précurseurs : cf. le *Libro de cucina* du XIVe siècle cité par I. ORIGO, *Le marchand de Prato*, Paris, 1959.

([25]) C'est volontairement que nous n'employons pas dans ces domaines les expressions rebattues, mais trop ambitieuses de : civilisations du beurre, de l'huile, du vin...

([26]) Faut-il préciser que la bière n'est pas encore, en ce temps-là, cette boisson de café qu'elle est devenue aux XIXe et XXe siècles seulement — en France du moins. Il y a, d'autre part une bonne raison à la faible extension de la bière : elle consomme du grain, de l'orge, qu'il vaut mieux utiliser autrement. En période de pénurie, il est fréquent de voir réclamer et appliquer l'interdiction de brasser.

([27]) Julien PAULMIER, *Traité du cidre et du vin*, 1589, *passim.*

([28]) Cf. carte n° 2, p. 41.

([29]) Sur la pénurie d'excitants, cf. IIIe partie, ch. IX.

([30]) Donnons le détail, à titre d'exemple, d'après les comptes de Jean de Vandenesse :

Pour le 1er plat : Bœuf et mouton, jambon et langues, la soupe, teste de veau, venaison aux naveaulx, des pois passés, veau rousti, cigne chault, oyson, poulle d'Inde, pasté de veau, pasté de tetine et des entremets.

Le 2e plat : Poictrine de veau, saulcis roustis, trippes, costelles, venaison en poutaige, pasté de venaison chault, faisans roustis, chappons roustis, plouviers, hérons, pasté de perdrix, poussins roustis, pingeons et des entremets.

Le 3e plat : Pan (paon), perdrix, sarcelles, vulpes (renard), gelée de couchon, pasté de pingeons chault, pasté d'héron froid, blanc mangé, gelée clère, cannes rousties, canard rousti, pièce de mouton et des entremets.

Le 4e plat : Pasté de poulle d'Inde froid, pasté de venaison froid, pasté de lièvre, pasté de perdrix, pasté d'héron, hure de sanglier, cigne froid, outarde grue, pasté de faisan.

Le 5e plat : trois manières de gelée, trois manières de fruicts de passe, trois manières de confitures, un castreling (sorte de nougat), un flang, une tarte, poires crues et cuites, anis, nesples (nèfles), châtaignes, fromaige. Après le tout levé, saulf les nappes, oblies et biscuits, ypocras blanc et cleret. A l'entrée de table, rousties sèches et malvisé (malvoisie).

([31]) B. N., Mss, fds fs, 21 803, 234.

([32]) « Nous y avons fait ordinairement aussi bonne chère que nous seaurions faire en cette rue aux Ours... » LESCARBOT, en 1612, *Histoire de la Nouvelle-France*, p. 554. Cependant, Ch. Estienne dans sa *Guide des Chemins de France* (1552) cite déjà une dizaine de bonnes tables à travers la France.

([33]) Les régimes alimentaires explicités en pourcentages de protéines, hydrates de carbone, et en graphiques : l'opération n'est possible, pour cette époque, que pour les marines et les établissements hospitaliers (lorsque les comptes de bouche sont conservés). Quelques tentatives dans J. J. HEMARDINQUER, *Pour une histoire de l'alimentation*, pages 79 à 105; pour l'Assistance publique de Paris au XIXe siècle, notre article « Le ravitaillement d'une ville dans la ville... », *Jahrbücher für Nationalökonomie und Statistik*, 1966, p. 189 à 199.

([34]) Voir Ch. RICHET et A. MANS, *La famine*, Paris, 1965 (Publication du Centre de pathologie de la déportation).

([35]) Année 1624, p. 380.

([36]) Cf. notamment sur ce point, pour l'Europe centrale : F. CURSCHMANN, *Hungersnöte im Mittelalter*, Leipzig, 1900.

([37]) LESCARBOT, *op. cit.*, p. 196.

([38]) Nous reparlerons d'ailleurs aux chapitres 2 et 3 de la IIe partie, du vêtement et des constructions comme expressions de distinctions sociales.

([39]) E. LEROY LADURIE, *Histoire du climat depuis l'an mil*, Paris, 1967, notamment p. 223-237.

([40]) Elle aurait tenté saint François de Paule, dit encore Marot.

([41]) MONTAIGNE, *Journal de voyage en Italie*, première partie : visite de Baden.

([42]) Constructions souvent peu solides : en 1636 un bourgeois du Puy s'étonne qu'une maison se soit abattue un soir où il ne faisait ni vent ni pluie : « le jour de Saint-Crespin, sans aulcune pluye ni vantz, un mur... est venu à tomber d'haut en bas, quy a esté la cause que les couvertz et planchers et meubles, que le tout s'est enfoncé et miz en ruine et par grand acidant, toutes les personnes... les a miszes à mort » JACMON, *Livre de raison*, p. 104.

(43) Cf. RONSARD, *Amours*, CLXVII :

Fauche, garçon, d'une main pilleresse
Le bel esmail de la verte saison
Puis à plein poing enjonche la maison
Du beau tapis de leur meslange espaisse.

(44) Le sire de Louvencourt n'a pas oublié ce souvenir d'enfance et le cite dans *Amours*. Cf. LORGNIER, *La vie amiénoise*, Paris, 1942, p. 56.

(45) ORMESSON, *Mémoires*, I, 344.

(46) BAYLE, *Dictionnaire critique*, art. « Desbarreaux ».

(47) A qui se fier, en fait, pour fixer même tout simplement le poids et la taille? Point de conseil de révision! Peu de descriptions médicales. La peinture et la sculpture ne sont pas de bons guides malgré tout ce qu'il est tentant de déduire, de Callot par exemple. Mais ce sont au plus des indications morphologiques : genoux cagneux, stature déhanchée, goîtres ou faces vérolées, etc. Jusqu'à la prospection systématique, réalisée par des équipes de chercheurs dans les textes les moins connus, de toutes indications, même minimes, il faut admettre notre ignorance.

(48) *Essais*, II, XXXVII.

(49) Voir dans le recueil hétéroclite intitulé *Médecins, climat et épidémies à la fin du XVIIIe siècle*, Paris, 1972, la contribution de J. P. Peter (reproduisant un article de 1967) « Malades et maladies à la fin du XVIIIe siècle », qui annonce le prochain achèvement d'un grand livre sur cette question.

(50) Voici le Marquis de BEAUVAIS NANGIS (*Mémoires publiés par la Société d'Histoire de France*, 1862, p. 117) : « En arrivant je me trouvai fort mal; la fiebvre quarte me prist et je retournay à Parys où je demeuray avec la fiebvre quarte, double quarte, triple quarte, quarte continue. J'estays tellement mélancolique...»

(51) B. N., Mss, fds fs, 21 730, 153.

(52) B. N., Mss, fds fs, 21 630, 45.

(53) *Ibidem*, 55.

(54) « Bref moyen pour cognoistre quand le temps est dangereux de prendre la peste », dans : « Livre de Raison de Boisvert », publié par TAMIZEY DE LARROQUE, *Deux livres de raison de l'Agenais*, Auch et Paris, 1893.

(55) Là encore, il faudrait élaborer de solides monographies pour voir clair : cf. notre compte rendu sur la peste à Uelzen, *Annales E. S. C.*, 1959, 1, et l'admirable étude de Ch. CARRIÈRE sur la peste de Marseille en 1720, *Marseille ville morte*, Marseille, 1968.

(56) *Mémoires du comte de Souvigny*, publiés par la Société d'Histoire de France, Paris, 1906, I, p. 240.

(57) Une catégorie simple cependant : les dysenteries de vendanges : SOUVIGNY, *op. cit*, I, p. 78.

(58) Un mémoire relate par exemple : « nos deux paroisses ont esté fort incommodées par un brouillard qui fit le jour de l'assencion qui a inforté sous les seigles et ceux qui en ont mangé du pain se sont trouvés ivres et perclus de leurs membres avec un tremblement continuel. » (B. N. Mss, Nv. fonds fs, 21644, f° 267).

(59) M. BLOCH, *Les Rois Thaumaturges*, Strasbourg, 1924; réédition A. Colin, 1961.

(60) DU FOSSÉ, dans ses *Mémoires sur MM. de Port Royal*, en évoque peut-être un cas , p. 367 (édition d'Utrecht, 1734) : « Son mal qui fut d'abord une fluxion

qui se jetta sur ses jambes et qui devint si grande qu'il fallut lui faire de terribles incisions, en sorte qu'on lui tira quasi tout le gros os de la jambe qui était carié ».

(61) DU FOSSÉ, *Mémoires sur MM. de Port Royal*, éd. de 1734, p. 490.

(62) Voir J. M. DUREAU-LAPEYSSONNIE, « L'œuvre d'Antoine Ricart », in *Médecine humaine et vétérinaire*, Genève, 1966.

(63) Un exemple entre mille. A Mâcon en 1630, « la pluspart du peuple meurent de faim et de peste, ce qui est cause que la plus grande partie des habitans de la dicte ville ont esté contraintz de se retirer aux champs, pour éviter plus grand mal », AD, Saône-et-Loire, B, 1067.

(64) Dont le tour scientifique, voire mathématique, ne saurait faire illusion : si Laurent JOUBERT, dans ses *Erreurs populaires*, prescrit la tétée pour les enfants mâles toutes les trois heures, pour les filles toutes les quatre heures, c'est que le nombre impair est mâle, le pair femelle.

(65) Dès le XVe siècle, maints manuscrits médicaux, en français et en latin, sont en circulation, cf. *Médecine humaine et vétérinaire*, déjà citée.

(66) Une recette manuscrite distingue le parfum courant et celui des personnes de condition, B. N., Mss, nv fds fs, 21630, f° 212 et sq. : « drogues qui doivent entrer dans la composition du parfum général... : souffre 6 livres, poix raisine 6; antimoine 4; orpiment 4; sinabre 3; litarge 4; assa fétida 3; cumin 4; euphorbe 4; zingembre 4; son 57. Drogues qui doivent entrer dans un parfum plus doux pour les personnes de condition... Encens 4 livres, benjoin 2; storax 5; myrrhe 4; canelle 4; muscade 2; anis 6; iris de Florence 6; ladanum 2; geroffle 1; son 64... On peut demeurer dans ce parfum une bonne demie heure ; mais dans le premier, il n'y faut pas demeurer plus que la longueur d'un *Pater noster* ».

(67) Forges-les-Eaux, en Normandie, a trouvé son thuriféraire dès 1573 : « Recueil de la vertu de la fontaine médécinale de S. Eloy, dicte de Jouvence, trouvé au pays de Bray, au village de Forges, par M. de Verrenes, chevalier des deux ordres de Sa Majesté, l'an 1573. Mis en lumière par Maistre Pierre de Grousset, appotiquaire de Monseigneur le Prince, selon les effects qu'il a recogneu depuis dix ans en ça, pour y avoir pensé et médicamenté de plusieurs sortes de maladies depuis ledit temps », Paris, Pierre Vitray 1607. On y soigne pierres, graviers et sables de la vessie, douleurs d'estomac, maladies du cerveau...

(68) Pour arrêter une hémorragie, réciter « Sanguis Christi maneat in te sicut Christus fecit in se ». Pour guérir un mal de dents, réciter l'oraison de sainte Apolline : « Beata Apollonia grave tormentum pro Domino sustinuit. Primo, tiranni exruerunt dentes ejus cum multis afariis. Et cum esset in illo tormento grave ad Dominum Jesum Christum. Et quicumque nomen suum devote invocaret, malum in dentibus non sentiret. Versus. Ora pro nobis, beata Apollonia, ut digni efficiamur promissionibus Christi. Amen ». Les deux recettes dans L. GUILBERT, *Nouveau recueil de registres domestiques*, Limoges, 1895, p. 288 et 289.

(69) La mesure de cette carence, à la jauge commune? Cf. MONTAIGNE, *Essais*, II, le chapitre XXXVII consacré presque entièrement aux médecins et à la médecine.

(70) Cf. notre carte n° 3, p. 66-67.

(71) La thèse d'E. LEROY LADURIE, *Paysans de Languedoc*, Paris, 1966, est sans doute la plus audacieuse interprétation présentée à ce jour du rapport production-consommation-peuplement, à l'échelle d'une province.

(72) Riccioli, par exemple, donne, en 1661, 300 millions d'habitants à l'Amérique.

(73) Lescarbot, soucieux de peupler la Nouvelle France, constate que ce « surpeuplement » a ralenti les naissances (malgré la loi répressive de 1557); du moins en a-t-il l'impression : « Dans les premiers siècles auxquels la virginité était chose reprochable, pour ce qu'il y avait commandement de Dieu à l'homme et à la femme de croître et multiplier, et remplir la terre. Mais quand elle a esté remplie, cet amour s'est merveilleusement refroidi, et les enfans ont commencé d'estre un fardeau aux pères et aux mères, lesquels plusieurs ont dédaigné et bien souvent ont procuré leur mort » (*op. cit.*, p. 634).

(74) Bayle, à la fin du XVIIe siècle (article « Patin »), prétend que le mal n'a fait qu'empirer depuis 1557; Henri Estienne constate pour son compte que cette loi sévère ne fait périr que des servantes.

(75) Exemple de ces fluctuations: Dijon, étudiée par Roupnel, mesurée en feux : 1572, 3198 feux; 1580, 3591; 1602, 3029; 1626, 3984; 1653, 4007.

(76) Cardan relate tranquillement une tentative de meurtre avant naissance qui le touche de près : « Tentatis, ut audivi, abortivis medicamentis frusta, ortus sum anno MDI, VIII cal. octobris ».

(77) Les lecteurs de *Rabelais et le problème de l'incroyance au XVIe siècle* (derniers chapitres) le savent assurément. Mais ces découvertes de Lucien Febvre ne sont pas encore passées dans l'acquis commun des hommes cultivés.

(78) Indiquons-le en passant : au XVIIIe siècle encore, la vue reste mal considérée. Diderot écrit dans la *Lettre sur les sourds muets* : « Je trouvais que, de tous les sens, l'œil était le plus superficiel »; et Buffon dit du toucher « celui-ci est le sens solide, c'est la pierre de touche et la mesure de tous les autres » (*Histoire naturelle*, art. « Homme »).

(79) Nous avons gardé le terme jusqu'au XXe siècle, où les rapports sont plus souvent écrits que présentés oralement : auditeurs au Conseil d'État.

(80) M. LUTHER, *Commentaire sur l'Épître aux Hébreux*, édition Ficker, p. 105, 106.

(81) Pour MAROT, voir entre autres : *Temple de Cupido*, *Eglogue au roy*, *Elégie II*... Pour DU BELLAY, *L'Olive*, édition Chamard, I, 29, 45, 114, 121; II, 37, 59. Pour RONSARD, les *Odes*, T. I, 63; T. III, 72; T. II, 69; T. III, 77; IV, 133.

(82) Préface pour Charles IX de : *Le Mellange de chansons tant de vieux autheurs que des modernes*, Paris, 1572.

(83) Dans le livre cinq de Rabelais, chap. XXI, Quinte Essence guérit même des malades par chanson. Le livre de J. B. PORTA, *Magia naturalis* (Naples, 1588), comporte aussi un chapitre sur la musicothérapie (Livre XX, chap. VII) : « De lyra et multis quibusdam ejus proprietatibus ».

(84) « Et pour licher la gloire douce Qui emmielle ton renom ». RONSARD, *Odes à Du Bellay*, I, IX.

(85) *Amours*, Ier Livre, édition Blanchemain, I, 106.

(86) *Ibid.*, II, 403.

(87) Le vert, couleur des fous... L'Estoile signale en août 1589 qu'à la mort de Henri III, pour manifester sa joie, le peuple de Paris porte le deuil en vert.

(88) Comme il a été fait pour la langue latine dans une thèse remarquée : J. ANDRÉ, *Étude sur les termes de couleur dans la langue latine*, Paris, 1949.

(89) Ces pages sur le rapport respectif de l'ouïe et de la vue n'ont pas toujours été bien comprises. Un critique helvétique (qui n'a

guère aimé l'ensemble du livre) s'élève là contre avec des arguments de « haute graisse », écrivant « mais quoi, l'homme de la rue d'aujourd'hui n'est-il pas fort sensible aux sons, lui aussi » (compte rendu d'Humanisme et Renaissance repris dans un livre, composite recueil d'articles : *Histoire politique et psychologie historique*, Genève, 1966). Relevons en sens inverse la magnifique approbation donnée par Pierre Francastel à cette même idée exprimée par Lucien Febvre dans « le merveilleux Rabelais », *Annales E. S. C.*, janvier 1964, p. 6-7. Francastel écrit : « l'homme ne découvre pas, certes, alors la vue, mais il lui confère une importance plus grande... La vue, sens intellectuel, dit Lucien Febvre. Sens abstrait en somme ».

(90) RONSARD, *Odes*, *Amours*. Blanchemain, I, 124. *Amours*, à Cassandre, II, 431.

(91) RACAN, *Bergeries*, acte I, Scène I.

(92) « Musique sur un condamné à mort ». [Aldendorf, prétendu réformé, qui a brisé un crucifix à Lyon.] « Sur le chant : Adieu dédaigneuse beauté », publié à Lyon en 1627. Ce texte est la 6e des sept strophes. A. N., fonds Rondonneau, AD III, 2, 188.

(93) Ce goût cruel des supplices a duré longtemps. Encore au XIXe siècle, les exécutions attirent les foules, comme L. CHEVALIER l'a noté dans *Classes laborieuses et classes dangereuses*.

(94) AD, Aisne, B, 227 cité à l'inventaire imprimé, p. 31.

(95) Exemples parmi cent autres que conservent les registres secrets des Parlements, notamment à Pau, en 1637, AD, Basses Pyr., B, 4538; à Rouen en 1642, B. N., Mss, fds fs, 18939, f° 2.

(96) B. N., mss, fds fs, 18432, 95.

(97) Mis à part l'amour-vanité des courtisans, tel que le décrit Bussy.

(98) 6 déc. 1593. *Journal de Pierre de L'Estoile*.

(99) ORMESSON, *Mémoires*, I, 471.

(100) DUBUISSON AUBENAY, *Mémoires*, I, 46.

(101) « Quand j'engoule tout goulu
Ce blanc teton pommelu... », chante l'un d'eux.

(102) LESCARBOT, *Histoire de la Nouvelle France*, p. 631.

(103) Voilà même quarante ans qu'il l'a imposée dans l'*Encyclopédie Française*, cette grande œuvre méconnue ; cf. le tome 1er.

(104) *Rabelais et le problème de l'incroyance*, Paris, 1943, p. 384 et sv.

(105) J. ROU, dans ses *Mémoires*, raille et le latin des philosophes, les *entia rationis* de son Aristote, et celui des médecins, définissant l'opium *in eo virtus dormitiva cujus est natura sensus assoupire*, I, 24. Mais Descartes donne encore mieux la mesure de la rupture à long terme qui s'est ainsi produite : « Si j'écris en français qui est la langue de mon pays, plutôt qu'en latin qui est celle de mes précepteurs, c'est à cause que j'espère que ceux qui ne se servent que de leur raison naturelle toute pure jugeront mieux de mes opinions que ceux qui ne croient qu'aux livres anciens ».

(106) Sur cette question, cf. Lucien FEBVRE et H. J. MARTIN, *L'apparition du Livre*, « L'Évolution de l'Humanité », p. 405, 429 de l'édition de poche. Nous aurons à revenir plus loin sur ce point.

(107) Exemple, la langue d'Amyot, et ses redoublements : sa maison et son bien, sa puissance et son armée.

(108) Aux siècles précédents, le progrès du français est fonction de l'extension de l'autorité royale : c'est particulièrement net dans le Midi au XVe siècle, cf. A. BRUN, *Recherches historiques sur l'introduction du français dans les provinces du Midi*, Paris, 1923.

([109]) Selon toute vraisemblance, il y a aux yeux de ces hommes quelque chose d'un peu mystérieux dans le livre, un pouvoir occulte.

([110]) Lucien Febvre, après F. Brunot, en a fait la démonstration péremptoire, qu'il est inutile de recommencer; quiconque a pratiqué par exemple Vaugelas peut en reconnaître le bien-fondé : exemple, la discussion sur esclavage et esclavitude. La lenteur avec laquelle le français s'impose est certaine; rares sont les témoignages qui permettent de fixer les étapes. Un bon exemple est fourni par le livre de comptes de l'église de Fournes (Aude) rédigé en pure langue d'oc jusqu'en 1572, mêlée de gallicismes jusqu'en 1596, en bon français ensuite. Cf. J. ANGLADE, *Notice sur un livre de comptes*, Montpellier, 1900. Mais ce n'est qu'un exemple.

([111]) Cf. notre carte, p. 97 : l'espace d'un petit marchand.

([112]) Cf. SARDELLA, *Nouvelles et spéculations à Venise au début du XVIe siècle*, Cahier des Annales, n° 1, Paris, 1948; F. BRAUDEL, *La Méditerranée*, première édition, p. 310.

([113]) F. de NAVARRETTE, *Coleccion de los Viages y descubrimientos...*, Madrid, 1858, I, 300, Lettre à la reine Isabelle.

([114]) Techniquement, l'introduction de la perspective dans l'art pictural est plus que cela, sans nul doute; mais elle est aussi cet élargissement.

([115]) VIRET, *Exposition de la foy chrestienne*, Genève, T. Rivery, 1564, p. 179. « Les gendarmes et nommément les Alemans portent ordinairement des coqs avec eux quand ils vont en guerre, lesquels de nuict leur servent d'horloges ».

([116]) En Hainaut, l'expression populaire, un *ave*, est encore employée aujourd'hui pour désigner un court instant.

([117]) Rabelais voulant dater son arrivée en Touraine dit « lorsque les cigalles commencent à s'enrouer » — soit vers le milieu de septembre (LEFRANC, *Rabelais*, I, XV).

([118]) Archives municipales de Rouen, A, 25; *Inventaires*, tome I, Rouen, 1887, p. 323.

([119]) Cf. MONTAIGNE, *Essais*, II, XXXVII.

([120]) Les nombres même gardaient au XVIe siècle leurs valeurs symboliques : le pair, l'impair, le 3 et le 7, etc.

([121]) *Journal d'un bourgeois de Paris*, Ed. Bourrilly, Paris, 1910, p. 14.

([122]) L'entreprise en a été réussie pour la bourgeoisie et la noblesse : cf. Ph. ARIÈS, *L'enfant et la vie familiale sous l'Ancien Régime*, Paris, 1960.

([123]) Cf. F. de DAINVILLE, *Les Jésuites et l'éducation de la Société française* ; *la naissance de l'humanisme moderne*, Paris, 1942.

([124]) Sans parler du fait que moralistes et pédagogues s'intéressent aux garçons, et traitent les filles par prétérition.

([125]) Les batailles de rues entre étudiants, comme les solennités théâtrales des collègesj ésuites, sont de bons témoignages sur ce point précis.

([126]) Comme Ph. ARIÈS, *op. cit.*, le montre bien.

([127]) Sur ces nomadismes, cf. la fin de la Troisième Partie, chap. VIII.

([128]) Claude LEBRUN DE LA ROCHETTE, *Les procez criminels*, p. 23-24.

([129]) *Sonnet des pièces retranchées*, Édition Blanchemain, I, 418.

([130]) Les Juifs portugais de Bordeaux ont cependant subi des vexations, qui ont amené la royauté à leur accorder à deux reprises (1550 et 1574) des lettres de protection.

([131]) Cf. la carte p. 112-113 : les protestants réfugiés à Genève de 1549 à 1560.

(132) AD, Nord, B, 1817 — *Inventaire imprimé*, tome III, p. 308.

(133) Même si une évolution se dessine en faveur de cette dernière au cours de notre période, au moins dans les classes dominantes: cf. Ph. Ariès, *L'enfant et la vie familiale sous l'Ancien Régime*, Paris, 1960.

(134) *Mémoires* de Henri de Campion, Paris, 1857, p. 213.

(135) R. Aubenas, « Le contrat d'*affrairamentum* dans le droit provençal du moyen âge », *Revue Historique du droit*, 1933, p. 478, et « La famille dans l'ancienne Provence », *Annales d'histoire économique et sociale*, 1936, p. 523-540.

(136) Etienne Pasquier, *Lettres*, Lyon, 1607, livre III, lettre I; cf. aussi Rabelais...

(137) *Ibid.*, livre XI, lettre IX.

(138) *Essais*, livre III, chap. V; cf. aussi livre I, chap. I, chap. XXVIII et XXX.

(139) Cf. notre article, dans les *Annales E. S. C.*, 1958, 4.

(140) *Mémoires* du Comte de Souvigny, Paris, 1906, III, 85.

(141) Et. Pasquier, *Lettres*, livre I, lettre IX.

(142) Sur ce plan, la distance qui sépare la morale couramment prêchée ou revendiquée par l'Église définissant les normes et la pratique acceptées dans les différents groupes sociaux, échappe à l'investigation précise : ni les livres de raison ne sont assez prolixes, ni les moralistes assez précis dans leurs évocations. Il faut se contenter d'approximations.

(143) Ant. Heroët, « La Parfaicte Amye » 1er livre, dans *Œuvres poétiques* éditées par F. Gohin, Paris, 1909, p. 33.

(144) *Livre de raison* d'Antoine Jacmon, Le Puy, 1885, p. 213.

(145) Ainsi pour Paris le 19 juillet 1619, le 17 septembre 1644, etc. « déffences à toutes personnes de loger ou retirer en leurs maisons aucunes gens de mauvaise vie... Enjoint à toutes filles débauchées de vuider la ville et faux-bourgs de Paris dans 24 heures... » Et aussi que de condamnations d'hommes « pour avoir esté trouvé au bordeau de nuit avec une fille, combien qu'il(s) soient hommes mariés ». A croire que la réputation de Calvin à Genève, quant à la surveillance jalouse des mœurs, est en grande partie une outrance.

(146) Et même les petits nobles : au foyer du sire de Gouberville, vivent sa sœur naturelle Guillemette et un frère de celle-ci Symonnet. Gouberville marie sa demi-sœur; et son oncle, curé, contribue aux frais du mariage.

(147) Léon Lallemand, *Histoire des enfants abandonnés et délaissés*, Paris, 1885. Au XVIIIe siècle jusqu'à : 7 000 l'an, dans certaines années.

(148) Participation réclamée depuis longtemps, notamment aux États Généraux : ainsi à Orléans en 1560.

(149) La Réforme a apporté évidemment de lourdes perturbations dans cette organisation à la fois civile et religieuse : dans les paroisses rurales, des Cévennes notamment, c'est toute la communauté qui se convertit, et le problème est résolu. Dans les villes, il en va différemment. D'où l'embarras des autorités municipales devant une situation inextricable : créer des paroisses protestantes sans lien territorial, la solution paraît irréalisable; éliminer les non convertis en cas de transfert massif d'une paroisse paraît plus simple; pendant toute la période 1560-1685, le problème a été discuté et débattu, sans jamais faire apparaître de solution. Nous envisageons ici, répétons-le, la paroisse comme cadre territorial et civil.

(150) Tel qu'il peut être lu, observé avec soin, sur la carte publiée dans les *Annales E. S. C.*, 1958, n° 3, avec un commentaire de G. Duby.

(151) Par précaution pourtant, les ordres royaux sont adressés « aux membres de la communauté et aux habitants de la paroisse ».

(152) SOUVIGNY, *Mémoires*, I, 155.

(153) En 1524 un incendiaire « était le plus laid vilain que jamais homme ne vit « (*Journal d'un bourgeois de Paris*, sous le règne de François Ier, édition Bourrilly, p. 163, note 1).

(154) A la fin du XVIIe siècle, les calculs sur les feux donnent 400 000.

(155) Même lorsqu'ils sont paysans-artisans de village.

(156) Cf. HATON, *Mémoires*, t. II, p. 612.

(157) AM, Amiens, BB 61, f° 191.

(158) Dans bien des villes, c'est même un cloaque : à Amiens, en 1570, une femme est condamnée « pour avoir jetté une pottée d'eau et d'ordures par ses fenestres en la rue... sans avoir cryé : gare l'eaue ».

(159) Fréquemment édits et ordonnances rappellent les cabaretiers à leur devoir. Ainsi, à Forcalquier en 1619, ce texte est commun : « pour remédier aux désordres et grandes débauches ordinaires en ceste ville, que itératives défenses seront faites à tous hostes, taverniers et cabaretiers de Forcalquier de recevoir aucuns habitants de la ville pour manger, boire, ou jouer aux cartes, et à tous habitants de hanter ni fréquenter les dits cabarets ». AD, Basses-Alpes, B, 818.

(160) AD, Saône-et-Loire, B, 1642.

(161) Au sens strict : un bailli qui s'installe reçoit une pièce de bon vin de Bourgogne, de Bordeaux. Nombreux exemples à Amiens.

(162) Depuis une dizaine d'années, M. Roland MOUSNIER et ses disciples (Y. DURAND, R. PILLORGET) soutiennent vaillamment ces thèses. Voir entre autres ouvrages, R. MOUSNIER, *Les hiérarchies sociales de 1450 à nos jours*, Paris, 1969; du même, *La plume, la faucille et le marteau*, Paris, 1970; R. MOUSNIER et disciples, *Problèmes de stratification sociale, deux cahiers de la noblesse (1649-1651)*, Paris, 1965, etc.

(163) LOYSEAU, *Traité des Ordres*, éd. de 1701, avant-propos, par. 7.

(164) Exemple cité par B. PORCHNEV. *Les soulèvements populaires en France, 1623-1648*. Édition française, p. 595, «... douze ou quinze compagnies conduites par leurs curés... »

(165) Cf. Archives Nationales, les dossiers malheureusement très incomplets (cotés V7) de la Chambre de la Charité Chrétienne, instituée pour organiser ces secours.

(166) LA FARE (C. A. de), *Mémoires et réflexions sur les principaux événements du règne de Louis XIV*, édition de Rotterdam, 1716, p. 14.

(167) Cl. HATON, *Mémoires*, II, 854-855; ajoutons qu'il précise pourtant : « Je ne parle que des meschans le nombre desquels excède de plus des trois quarts le nombre des bons et vertueux. »

(168) A vrai dire, les nobles s'arrachent les bénéfices; le cardinal de Guise et le duc de Nevers plaident l'un contre l'autre pour la collation d'un prieuré; finalement le cardinal saute sur le duc, ils se battent sans merci, et il faut les séparer.

(169) Les mémorialistes le notent, non sans amertume, au XVIIe siècle. Ainsi DUBUISSON AUBENAY dans son *Journal des guerres civiles*, édition de 1883, tome I, p. 7 : « Samedi 1er février 1648, le chevalier de Chemerault épouse la fille de Tabouret, partisan, homme venu de peu, qui lui donne cent mille écus comptants et deux cent mille livres d'attente ».

(170) Bel exemple, dans le Sud-Est en 1638 : « On ne voit jamais en justice un gentilhomme de cinq ou six mille livres de rentes plus subtil plaideur que le sieur de Pierregrosse, car pour vingt-

cinq écus qu'il leur doit, par bonnes et justes causes, il a tenu deux paysans illettrés, ses créanciers, en continuels procès depouis 1633, et les a contraints de subir en iceulx quatre instances et autant de sentences ». AD, Drôme, B, 48 (inventaire imprimé, p. 14).

(171) Archives Nationales, AD, III, 29, 78.

(172) Loyseau dit pourtant : ne sont bourgeois ni « les nobles : ores qu'ils facent leur demeure dans les villes, ne se qualifient pas bourgeois », ni « les viles personnes du menu peuple », mais le sont les habitants « qui ont part aux honneurs de la cité et voix aux assemblées ».

(173) Ormesson évoque souvent ces richesses scandaleuses; en 1645, il écrit : « estant honteux de voir qu'un Lambert soit mort riche de 4 milions et plus, sans enfans; qu'un Ragois ait laissé des biens prodigieux; qu'un Galand soit mort riche de douze millions sans que le roy en ait pris une partie, dont chacun luy eut donné des bénédictions; qu'il estait odieux que ceux qui estaient dans le maniement des finances s'enrichissent si prodigieusement».

(174) La Bourgogne prise comme exemple; il en va de même en Ile de France, en Poitou, etc.; M. VENARD, *Bourgeois et paysans dans la région au Sud de Paris au XVIIe siècle*. P. RAVEAU, *L'agriculture et les classes paysannes. La transformation de la propriété dans le Haut Poitou au XVIe siècle*, 1926.

(175) Brigues non désintéressées: elles se payaient largement, et permettaient de se faire des clientèles. Henri IV aurait voulu, en instituant l'annuel, éviter le retour de cette pratique : « Ayant vu que MM. de Guise, pour avoir pu faire donner durant leur faveur tous les offices qui vaquaient, à des gens dépendant d'eux, s'étaient acquis un tel crédit parmi les officiers qu'ils les connaissaient plus que le roi et que c'était ce qui leur avait le plus aidé à faire la Ligue ».

(176) LOYSEAU, *Droit des offices*, III, II.

(177) Scène courante qu'Omer Talon dans ses *Mémoires* (I, 241, de l'édition de La Haye, 1732) relate sans trace d'émotion : « Ce 24 mars (1638), se tint Direction chez M. le chancelier en la manière accoutumée... pour traiter du payement des rentes de l'Hôtel de Ville, duquel plusieurs particuliers se plaignaient; au sortir de laquelle Direction, aucuns desdits rentiers, voyant qu'on ne leur donnait pas contentement, firent du bruit dans le logis de M. le Chancelier, usèrent de paroles insolentes et menaces... »

(178) Cf. B. PORCHNEV et G. ROUPNEL, déjà cités, mais aussi les témoins comme Bigot de Monville pour la Normandie.

(179) L'inquiétude sociale est assez grande dans les villes pour qu'un simple afflux de pauvres en temps de famine suscite la peur. Haton note à Troyes en 1573 que « les plus riches commencèrent à vivre en crainte d'une émotion et sédition populaire desdits pauvres sur eux ».

(180) Au delà de la période envisagée ici, au delà de la Fronde, la noblesse de robe se détache plus nettement de la bourgeoisie, constitue une classe sociale qui trouve en partie son idéologie propre dans certains aspects du jansénisme, selon L. GOLDMANN, *Le Dieu caché*, Paris, 1955.

(181) Cf. L. CHEVALIER *Classes laborieuses et classes dangereuses à Paris pendant la première moitié du XIXe siècle*, Paris, 1959.

(182) Cf. PORCHNEV, déjà cité, dont la traduction française est parue en 1963 au Centre de Recherches historiques.

(183) LESCARBOT, *Histoire de la Nouvelle France*, édition de 1866, p. 493.

(184) MONTAIGNE, *Essais*, I, XV.

(185) Sur ces points, voir Ro-

land MOUSNIER, *Fureurs paysannes*, Paris, 1967, et notre note dans la *Revue historique*, juillet-septembre 1969.

(186) B. N., Mss., Nv, fds fs, 18976, f° 475.

(187) Si ce n'est, peut-être, la question du domicile : les gens sans aveu ne peuvent déclarer de toit...

(188) Haton le note en 1573 : « ils remplirent la ville de Provins de poux si perfectement que les habitans n'eussent osé s'asseoir sur les sièges des étaux et aultres qui étaient dans les rues... La grange du prieuré de S. Agnoul dans laquelle se retirait de nuict grand nombre desd. pauvres à cause du foin qui y était, fut si remplie de poux et de pulses que ung personnage qui y eust arresté autant que dure à dire l'*Ave Maria* en eust été tout couvert par les jambes et en ses habillemens ».

(189) J. P. GUTTON, *La société et les pauvres. L'exemple de la généralité de Lyon (1534-1789)*, Paris, 1971, p. 295-303.

(190) Omer TALON, *Mémoires*, tome I, 71.

(191) Cette alliance est à la fois un lien mystique et un pacte juridique très précis, dont la dernière forme est le Concordat de Bologne (1516).

(192) Compte tenu de la disparition (politique) des grands fiefs : le dernier, le bourguignon, a baissé pavillon à la fin du XVe siècle, comme chacun sait.

(193) La Cour et le service de Cour expriment également cette primauté. Il faut l'esprit retors de Montaigne pour critiquer : « Ne m'est jamais tombé en fantaisie que ce fut quelque notable commodité à la vie d'un homme d'entendement, d'avoir une vingtaine de contrôlleurs à sa chaise percée; ni que les services d'un homme qui a dix mille livres de rente, ou qui a pris Casal, ou défendu Siene, luy soient plus commodes et acceptables que d'un bon valet », *Essais*, I, XLII.

(194) L'hérédité est si bien acceptée au XVIe siècle, qu'elle est l'argument essentiel des partisans de Henri IV en 1589-1598. D'Aubray, dans la *Satyre Ménippée*, déclare : « Nous demandions un roi et un chef naturel, non artificiel, un roi déjà fait et non à faire... Le roi que nous demandons est déjà fait par la nature, né au vrai parterre des fleurs de lys de France, jetton droit et verdoyant du tige de saint Louis. »

(195) Les seuls problèmes débattus devant l'opinion sont ceux — fort différents — des relations avec la Papauté, au temps de Philippe le Bel. La représentation du peuple auprès du roi a été épisodiquement évoquée aux États Généraux, de façon assez discrète d'ailleurs : en 1355 et en 1484 notamment.

(196) Sur « l'horrible impudence » de cette alternance, cf. MONTAIGNE, *Essais*, II, XII.

(197) Les polémiques sur l'autorité royale ne sont pourtant qu'assoupies : pendant la Fronde notamment, une nouvelle floraison de pamphlets voit le jour (sans parler des mazarinades); les protestants sont alors les défenseurs de l'autorité royale (cf. Moïse Amyraut).

(198) François Ier en 1532 : janvier, Abbeville, Dieppe, Rouen ; février, Rouen; mars, Argentan; avril, Caen, Saint-Lô, Coutances; mai-juin, Châteaubriant; juillet, Bretagne; août, Nantes; septembre, Val de Loire et Fontainebleau ; octobre, Paris, Chantilly, Amiens, Boulogne, Calais; novembre, Amiens, Compiègne, Chantilly; décembre, Paris, où il reste jusqu'en février 1533; puis à nouveau : mars, Reims...

(199) Marot fait écho à Claude Chappuys.

Marot :

« Peut-être ce jour
Prendrons-nous d'assaut quelque [rural séjour,

Où les plus grands logeront en
[greniers
De toutes parts percés comme
[paniers ».
Chappuys :
« M'ont fait coucher dedans des
[draps sans toile
Dessuz un banc, quelque foys suz
[la terre
Sans adviser a esclairs ny ton-
[naire... »

(200) *Essais*, I, XLII.

(201) Sur le sentiment national des paysans provençaux, cf. l'article de G. PROCACCI, « La Provence à la veille des guerres de religion », *Revue d'Histoire moderne et contemporaine*, oct.-déc. 1958, p. 246.

(202) « La nation française se peut bien vanter aujourd'hui que la présente traduction du Décaméron nous est une très grande preuve et témoignage certain de la richesse et abondance de nostre vulgaire Français ». Avis au lecteur, de G. ROUILLÉ, Éditeur du Décaméron, Lyon 1558.

(203) RONSARD, *Odes*, I, XV.

(204) RONSARD, *Premières poésies*, édit. Laumonier, I, 24.

(205) Cette recherche, prolongée jusqu'au siècle suivant à travers d'autres milieux, n'est pas achevée; elle donnera lieu à publication.

(206) Les députés royaux s'adressent aux envoyés du duc de Mayenne, le 23 juin 1593 à Saint-Denis, demandant la fin de la guerre qui ruine la Religion catholique, ruine non moins tous les ordres, remplit la nation de tous les vices... Et ils affirment leur « extrême compassion du pauvre peuple des champs, du tout innocent de ce qui se remue en ces guerres ».

(207) *Bulletin de la Société d'Histoire du Protestantisme français*, XXXVIII, p. 551.

(208) Cf. la carte nº 6, p. 175 : répartition des églises protestantes en 1562.

(209) Lettre à d'Épernon, 5 mai 1600. *Lettres missives*, V, 230.

(210) R. P. GONTIER, *La vraie procédure pour terminer le différend de religion*, 1607; RABIER, *Discours au roi*, 1607; réimpression de MELANCHTON, *De Pace Ecclesiae*, 1607; TURQUET, *Advis sur le synode*, 1608, etc.

(211) FLÉCHIER, *Mémoires sur les Grands Jours d'Auvergne*, édition de 1856, p. 136.

(212) L'abbaye de Thélème du Gargantua n'est-elle pas une abbaye de jeunesse « idéalisée »?

(213) *Bull. de la Société d'Histoire du Protestantisme français*, XLIII, 1894, p. 594. Cf. aussi HERMINJARD, *Correspondance des réformateurs dans les pays de langue française...*, Genève, 1866-1897, IV, p. 33, 34, 52.

(214) DU TILLIOT, *Mémoires pour servir à l'Histoire de la Fête des Foux, qui se faisait autrefois dans plusieurs églises* (dédiées au Président Bouhier), Lausanne, 1751.

(215) Cité dans J. B. THIERS, *Traité des Jeux et divertissements*, Paris, 1686, p. 450.

(216) Notamment les conciles provinciaux de Bordeaux (1583), Tours (1583), Reims (1583), Bourges (1584), Aix (1585).

(217) Une psychologie collective des hommes au travail n'est pas encore constituée avec toute l'ampleur souhaitable : pour la période contemporaine, de tels travaux, à base expérimentale, devraient s'imposer. Ils rendraient d'immenses services aux historiens des mentalités d'autrefois.

(218) Abel HUGO dans *La France pittoresque* (1835) oppose industrie agricole et industrie commerciale.

(219) En 1610, Claude Caire, entrepreneur général des Minières de France, prétend avoir un secret de four et fourneau qui permet d'épargner environ la moitié du bois « qu'ont accoustumé consommer les boulangers, paticiers,

teinturiers, brasseurs de bière ».

([220]) Les artisans et les laboureurs « sont réputez viles personnes », dit Loyseau en 1613.

([221]) Au XVIe siècle, le « moyne refuys du monde » et soucieux surtout de contemplation n'a pas bonne réputation : cf. Rabelais; mais c'est tout le clergé régulier qui est alors discrédité.

([222]) Sauf la vigne, pour une partie de son année agricole et le jardin derrière la maison, dont la production reste marginale et « autoconsommée ».

([223]) Sans parler des prélèvements frauduleux : Gouberville ne cache pas sa méfiance à l'encontre du meunier, il fait moudre en sa présence.

([224]) Dans une certaine mesure, cette contrainte rend également compte de l'ardeur procédurière des ruraux, dont témoigne le dicton souvent cité : « Il n'y a journal de terre en France qui ne soit plaidé et mis en controverse une fois l'an ».

([225]) Le plus connu est sans doute « Le grant kalendrier et compost des Bergiers avec leur astrologie, et plusieurs aultres choses » imprimé à Troyes par Nicolas Le Rouge, s. d., [en fait 1529], et réédité en 1925 à Paris.

([226]) *Les travaux et les jours de l'ancienne France*, Bibliothèque Nationale, Paris, juin 1939.

([227]) Cf. la monographie de P. GOUBERT, *Familles de marchands de Beauvais sous l'Ancien Régime*, Paris, S.E.V.P.E.N., 1958, p. 45-48.

([228]) Dans ce domaine historique peu fréquenté, les rares historiens des techniques ne nous fournissent pas une ample moisson : selon les types de métier (verriers, corroyeurs, faïenciers, tapissiers, teinturiers, etc.), l'initiative est sans doute plus ou moins aisée...

([229]) Aussi bien, une manufacture se déplace-t-elle sans frais; lorsque le Rouennais Montchrestien est envoyé par le roi à Châtillon-sur-Loire, il y transporte sa fabrique de couteaux, lancettes, ciseaux.

([230]) La seule réponse artisanale à l'accroissement de la demande, c'est la construction de nouveaux métiers : dans le Conflent, au XVIe siècle, le nombre des forges et des scieries double. La méthode a ses limites.

([231]) La recette est simple, et assez remarquable : louer près de Paris une maison, une étable, et quelques arpents, construire des poulaillers, acheter 1 200 poules et 120 coqs (coût de la volaille, 348 livres); les 1 200 poules produisent 800 œufs par jour vendus à Paris avec l'aide de regrattiers et médecins. L'œuf vendu 6 deniers, la recette brute sera de 7 300 livres par an, soit frais déduits 4 500 livres. Le grand problème d'ailleurs, aux yeux de l'auteur, n'est pas de produire huit cents œufs par jour, mais de trouver les revendeurs, les médecins fournisseurs de bonnes adresses, pour assurer l'écoulement de la production.

([232]) Ch. DE RIBBE, *La Société provençale à la fin du moyen âge*, Paris, 1898, p. 151.

([233]) Fazy de Rame, ce petit noble embrunais, donne tout au long de son livre de raison un bon exemple des embarras que suscitait la manipulation des espèces monétaires au début du XVIe siècle.

([234]) Qui ne connaît le commentaire : « En chassant du Temple vendeurs et acheteurs, le Seigneur a signifié que le marchand, presque jamais ou même jamais, ne peut plaire à Dieu ».

([235]) Notamment *Exode* 22, 25; *Lévitique*, 25, 37; *Deutéronome*, 23, 19.

([236]) Dans la législation française, la première autorisation officielle de l'intérêt est la loi du 12 octobre 1789.

([237]) En réalité, il est difficile de distinguer les cas où il est utilisé sans scrupules, ceux où il est pratiqué avec les autorisations de l'Église (*damnum emergens*), ceux enfin où il est tourné, de façon très formaliste : c'est celui de l'usure royale, par la constitution de rentes. De Roover dit bien à propos des contrats de change étudiés par les docteurs scolastiques au XVIe siècle : « les arguties parviennent mal à cacher la faiblesse d'une classification qui, au fond, ne repose que sur des sophismes et des contradictions ».

(238) Point n'est besoin cependant de faire un sort aux aptitudes minimales de tout marchand : il sait compter, écrire, lire... Il sait utiliser une lettre de change : c'est évident.

(239) Une récente traduction française (1964) lui a donné un regain de jouvence; recueil intéressant de positions contradictoires dans Ph. BESNARD, *Protestantisme et capitalisme*, Paris, 1970; cf. dans la *Revue historique*, 1966 janvier-mars, compte rendu sous le titre « la Science et le Mythe ».

(240) Pendant toute notre période, Lyon est la grande place « capitaliste » française : c'est en fait la seule ville à publier des livres traitant de la pratique du commerce, l'arithmétique (Pierre Savonne, Jean Tranchant), l'usure (Juan Azor, Gabriel Biel, V. Candido, L. Caspensis, V. Figliucci, Juan de Lugo, Fernão Rebelo, Valère Regnault, Juan de Salas, G. Scorza); en dehors de Lyon, les listes de R. de Roover mentionnent Paris (2 fois) et Douai.

(241) Extrait de R. GASCON, *Grand commerce et vie urbaine au XVIe siècle, Lyon et ses marchands*, Paris, 1971, p. 945. Grand livre où les pratiques de la première place commerciale française au XVIe siècle sont analysées avec la plus grande minutie et compréhension.

(242) Cf. la carte p. 212-213,

(243). J. SAVARY, *Le parfait négociant*, première édition 1675; traduit en toutes langues européennes.

(244) De même, Savary se justifie dans sa préface d'avoir révélé les secrets du commerce en prétendant que cette connaissance du négoce découragera les esprits aventureux de s'y lancer « à moins de se vouloir ruiner ».

(245) Un bel exemple à Beauvais en 1548 dans LEBLOND, *Documents relatifs à l'histoire économique de Beauvais au XVIe siècle*, Paris, 1925, n° 222.

(246) MONTCHRESTIEN dit pour son compte : « Ceux qui sont appelez au gouvernement des Estats doyvent en avoir la gloire, l'augmentation et l'*enrichissement* pour leur principal but ». *Traicté de l'économie politique*, 1615, p. 11.

(247) Malgré bien des prospections au XVe siècle en Berry, Auvergne, Lyonnais, Bretagne; efforts renouvelés par Henri IV et Sully en 1597, 1601, 1604.

(248) En Cotentin (Gouberville) elle reste très pratiquée cependant : on « choule » tous les dimanches, paroisses contre paroisses, mariés contre non mariés, et les curés aussi « bastonnent à la choulle ».

(249) C'est laisser de côté beaucoup de jeux populaires très répandus comme les boules, le palet, le paume, la marelle, les combats de bêtes; et le théâtre qui appartient à la fois aux fêtes solennelles, organisées avec soin, et à la distraction inpromptue, grâce aux bateleurs qui plantent leurs tréteaux sur une place nouvelle chaque après-midi; or le succès du théâtre, surtout aux XVIe et XVIIe siècles, est indéniable : tous y accourent, et les statuts synodaux de l'époque ne cessent de rappeler aux prêtres que ces spectacles leur sont interdits... (De même ne doivent-ils pas jouer à la paume par exemple, à cause de la tenue de rigueur : chemise et caleçon...) Pour le théâtre, voir chap. IX.

(250) Les braconniers existent, c'est sûr : mais ce sont des paysans qui protègent tant bien que mal leurs récoltes; et surtout, ils ne pratiquent pas la chasse à courre!

(251) En de savants traités : *La Vènerie*, de Jacques du FOUILLOUX, (Poitiers, 1561); de même la chasse aux oiseaux, cf. *La Fauconnerie*, de Jean de FRANCHIÈRES, (Poitiers, 1567).

(252) Ainsi nous dit-on que les loups et loups « xerviers » « sont bestes cruelles et qu'il faut gens de hault couraige à les conquérir ».

(253) FLÉCHIER, *Grands jours d'Auvergne*, édition de 1856, p. 243.

(254) *Introduction à la vie dévote*, 3e partie, chap. 33 et 34.

(255) *La Maison des jeux académiques...*, Paris, 1668, p. 109.

(256) Jusqu'au XVIIIe siècle, pour le moins, où chaque salon avait sa table de jeu toujours dressée.

(257) Malheureusement les « joueurs » de l'époque n'ont guère laissé de témoignages sur leurs motivations et les foudres des prédicateurs ne peuvent suppléer à ce silence.

(258) Mais les Italiens ne sont pas seuls en cause; les ateliers dijonnais réunissent Flamands, Hollandais, Lyonnais, Espagnols. De même à Avignon, à Paris, etc.

(259) Qui a ses canons très précis : par exemple l'être le plus beau qui ait été créé par Dieu, c'est l'homme (ou la femme) nu, dans sa perfection divine et naturelle.

(260) La comparaison est de règle dans tous les traités d'architecture de l'époque.

(261) Préoccupation que partagent les poètes : d'Aubigné invoque son « cœur haletant », son « estommac pillé », ses « entrailles ». Cf. *Stances*, III, VI, VII.

(262) Nous laissons de côté le problème très technique de l'utilisation de l'huile dans la peinture.

(263) Pierre FRANCASTEL a nettement délimité cette transformation dans *Peinture et Société*, démonstration qu'il a reprise et menée plus avant dans un de ses derniers (et plus beaux) livres, *La figure et le lieu, l'ordre visuel du Quattrocento*, Paris, 1967.

(264) Cf. le livre de Jean SEZNEC, *La survivance des dieux antiques*, Londres, 1939 et 1954, et le compte rendu de L. FEBVRE, *Annales*, 1956, p. 280.

(265) Cependant l'étude statistique des œuvres des peintres est assez parlante, hors de France même : Titien traite 23 sujets païens, 114 chrétiens.

(266) Un exemple : à Dijon, l'abbé de Saint-Étienne est un Italien en 1511; en 1525, c'est celui de Saint-Bénigne.

(267) C'est assez dire que nous ne reprenons pas à notre compte les théories du Baroque publiées depuis cinquante ans en Allemagne et ailleurs, par Wölflin, Reymond et tant d'autres; dans un récent livre, V. TAPIÉ a fait le point de cette abondante littérature : *Baroque et Classicisme*, nouvelle édition revue et augmentée, Paris, 1972; cf. aussi notre article, *Annales E. S. C.* 1960, n° 5.

(268) Combien de plaidoyers ne faudrait-il pas citer — et éliminer aussitôt — qui confrontent, délimitent, discutent ancien et nouvel humanisme, humanismes dantesque, chrétien, marxiste, etc. Le terme lui-même est marqué depuis quelques années d'une connotation péjorative, qui mériterait une analyse : elle n'a pas sa place ici.

(269) CASTIGLIONE, *Cortegiano*, trad. de Jacques Colin, chez Lougis et Sartenas, Paris, 1537, p. 51.

(270) *Catalogues des Actes...* tome I, p. 257. A la fin de la traduction de Thucydide, il est même mentionné que l'ouvrage est publié « par le commandement du très chrétien roy François Ier de ce nom, au prouffit et éducation de la noblesse et subjects de son royaulme ».

([271]) Cf. L. FEBVRE, dans *Au cœur religieux du XVIe siècle* : le cas Dolet.

([272]) Au delà même de l'époque considérée, c'est trop évident.

([273]) Notre propos ne peut être ici de tracer une histoire du livre ou des bibliothèques : la connaissance du public des humanistes n'est pas négligeable, elle n'est encore qu'ébauchée : cf. L. FEBVRE et H. J. MARTIN, *L'apparition du livre*, Paris, 1958.

([274]) Il écrit à Peiresc (15 sept. 1635) : « Monsieur Haultin m'écrit avoir un manuscrit de la Chine où sont toutes les postures de l'Arétin qu'il m'a promis de me faire voir ».

([275]) Le monde lettré ne s'est cependant pas constamment nourri de grec et de latin : déjà Montaigne avoue qu'il ne connaît que Virgile et ne peut le comparer à Homère. Plus tard Corneille, Pascal, le grand Arnauld, Molière ne pratiquent pas le grec.

([276]) Rabelais a conservé les deux thèmes qui permettraient de jalonner la distinction entre humanistes et réformateurs : Pantagruel montre l'homme qui ne peut rien par lui-même et est dans la main de Dieu; mais, à Thélème, il forge l'homme à nouveau.

([277]) Cf. L. FEBVRE, *Le problème de l'incroyance, au XVIe siècle*, déjà cité, p. 20 et suiv.

([278]) Chiffres publiés par L. FEBVRE et H. J. MARTIN, *op. cit.*, p. 371.

([279]) Sur ces 204, 33 sont en grec, 40 en latin; le reste est constitué par des traductions et des études.

([280]) Cf. HOOYKAAS, *Humanisme, Science et Réforme... Pierre de La Ramée*, Leyde, 1958; sur le mouvement scientifique, cf. plus loin, chap. VI.

([281]) Les présidents et conseillers des Parlements, à Paris et ailleurs, possèdent couramment des bibliothèques de 700 à 1 000 volumes. Cf. L. FEBVRE et H. J. MARTIN, *op. cit.*

([282]) Rigueur qui, dans le cas des juristes, ne se confond pas avec l'autorité de la jurisprudence, principe fondamental de notre pratique judiciaire aujourd'hui. Malgré la souveraineté royale, le juge de cette époque dispose d'une grande liberté de fait, qui tient à l'inorganisation de la profession. La *disputatio* est un exercice d'école, et rien de plus.

([283]) A Amiens, les inventaires après décès, à partir de 1587, présentent des quantités de « curiositez » de cet ordre chez des médecins et magistrats, mais aussi chez de simples bourgeois et marchands. Cette forme mineure d'esprit scientifique n'a cessé de se développer ensuite jusqu'au XVIIIe siècle, où elle prend tournure de véritable passion collective.

([284]) *Discours de la Licorne*, 1579.

([285]) L. ROMIER en témoigne à propos de l'épouse de Henri II : *Le royaume de Catherine de Médicis*, 1922, I, 73.

([286]) Paracelse et ses nombreux disciples sont des alchimistes-pharmaciens, qui ouvrent la voie, de fort loin, à la biochimie d'aujourd'hui.

([287]) *Magia Naturalis*, Livre XVII, chap. X.

([288]) La correspondance du Père Mersenne, dont la publication est poursuivie avec persévérance par le C. N. R. S., fournit un bel exemple de la passion mathématique, qui anime tous les savants du début du XVIIe siècle.

([289]) Palissy dit fort bien : « Les fautes que j'ay faites en mettant mes esmaux en doze m'ont plus apprins que non pas les choses qui se sont bien trouvées. »

([290]) Cl. HATON, *Mémoires*, II 823.

([291]) Au sens large — et d'époque — du terme, celui qui fait considérer une « pierre d'ayman » ou une « lunette d'observation » comme des « instrumens de mathématiques ».

(292) A leurs yeux, s'entend; une telle expression n'aurait évidemment pas cours aujourd'hui.

(293) Publiés par PINTARD, dans son étude *La Mothe le Vayer, Gassendi, Guy Patin*, Paris, 1942.

(294) Les évêques, prêtres et moines étaient presque aussi nombreux dans l'entourage de Mersenne que les laïcs; et des disciples de Loyola y figuraient aussi en bonne place.

(295) Dans cette collection est prévu d'ailleurs un ouvrage consacré aux religions du XVIe siècle, dont L. Febvre avait préparé les éléments.

(296) Faut-il préciser que ces noms figurent ici comme des repères, non comme des types? La personnalité d'Érasme échappe aux prises d'une recherche de psychologie collective : l'homme qui refusa le chapeau, et a déclaré faire sienne la devise socratique : « je ne sais qu'une chose, c'est que je ne sais rien », est hors série. A son propos se pose, plus encore que pour Rabelais, le problème du précurseur : cf. l'avant-propos d'Henri Berr au livre de L. FEBVRE, *Le problème de l'incroyance au* XVIe *siècle. La religion de Rabelais.*

(297) De même, les théologiens de Trente ont-ils pour longtemps tué le goût et le sens du dialogue, si vivants chez les humanistes nourris de Platon : pourtant les pacifistes, catholiques et protestants, désireux de poursuivre encore la discussion sont nombreux, dans l'Europe entière, au lendemain de l'Édit de Nantes.

(298) Claude HATON, *Mémoires*, II, 597.

(299) Nous prenons cet exemple parmi d'autres : dans le nord de la France au début du XVIIe siècle, l'enterrement d'un enfant tout jeune est suivi d'une fête qui célèbre l'arrivée d'un ange nouveau dans le ciel. L'exploration systématique de ces décalages entre les exigences des théologiens et la morale courante mériterait l'attention des chercheurs.

(300) Cf. aussi Marot démarquant Érasme, *Colloque de la Vierge méprisant mariage.*

(301) Rappelons seulement un « cas », celui de l'évêque de Lodève.

(302) Situation dont on s'est inquiété bien avant le concile de Trente; mais les petits traités publiés à la fin du XVe siècle et au début du XVIe à l'intention des curés (« manipulus curatorum, instructio sacerdotum ») porteurs d'une théologie simplifiée, insistent surtout sur le rituel; cette pauvre littérature édifiante passe sans doute à côté du but qui lui est assigné.

(303) Ne parlons pas du vœu de chasteté. Quant à l'obéissance, elle a d'autant moins de sens que les supérieurs hiérarchiques des curés se soucient généralement peu de leurs surbordonnés.

(304) La fréquente communion reste recommandée par Arnauld pour les dévôts, mais pour eux seuls.

(305) Cf. p. 275 la carte n° 8 : grands pèlerinages du XVIe siècle; elle ne doit pas faire oublier que chaque diocèse comptait des dizaines de « petits » pèlerinages.

(306) Du style : Tel père, tel fils; l'argent ne fait pas le bonheur...

(307) Ce contrôle est l'objet des seules publications que les clercs confient volontiers aux fidèles instruits au début du XVIe siècle : nombreux manuels de confession et pénitence (*Manuale confessorum*, *De Modo poenitendi et confitendi*, *Examens de conscience*, ou encore les *Arts de bien mourir*).

(308) Cf. « L'excommunication pour dettes en Franche Comté », dans *Au cœur religieux du XVIe siècle*, p. 225, et la petite thèse :

Notes et Documents pour servir à l'histoire de la Réforme et de l'Inquisition en Franche Comté, Paris, 1912.

(309) *Toutes les œuvres de P. Charron, Parisien*, Paris, 1635, tome II, p. 64 et 65. Cf. sur le même thème, MONTAIGNE, *passim.*

(310) La direction de conscience, pratiquée avec tant de constance par la Compagnie de Jésus, a été cependant un moyen de rapprocher clercs et fidèles, en élevant le fidèle à une vie spirituelle plus proche de celle des clercs. L'insuffisance de cet effort, réservé en fait à une élite urbaine, est évidente; elle l'était aux yeux mêmes des contemporains. Les Jansénistes plus tard ont été fort préoccupés de ce problème.

(311) A la grande indignation de Calvin, ou Bucer, qui voient là uniquement prudence, sinon couardise.

(312) Ce serait sans doute moins vrai évidemment du luthérien, mais les groupes luthériens constitués avant l'*Institution Chrétienne* ont été, au moins à l'intérieur des frontières de l'époque, entraînés vers le calvinisme.

(313) Exemple (de 1567) dans Claude HATON, *Mémoires*, I, 509.

(314) Aussi bien l'Église catholique, pour sa défense, n'a pu faire autrement qu'entrer dans le jeu : les décrets et canons du concile de Trente réfutent les doctrines « erronnées » avec force références aux sources invoquées par les réformés, et qui prêtent à contestation (et évidemment aussi aux textes de la Tradition).

(315) L'interprétation de ces choix, par les théologiens de chaque orthodoxie, n'entre pas en question ici, évidemment.

(316) Claude HATON, *Mémoires*, I, 442.

(317) *Origène et Des Periers ou l'énigme du Cymbalum Mundi*, Paris, 1942.

(318) Cf. la carte p. 291.

(319) Sans frontières, non plus : l'équipage de Magellan compte dix marins français.

(320) Qui ne sont pas exactement des nomades au demeurant; les persécutions religieuses suscitent des migrations plus définitives que temporaires. Ce qui n'infirme pas notre raisonnement. Cf. la carte p. 112-113.

(321) Cf. la carte p. 296-297.

(322) « Le jeudi 3 sept. 1609, un des principaux officiers de la justice de Messieurs les volleurs et coupeurs de bourse de Paris qu'ils avaient établie et se tenaient vers le port au foing condamnant les uns à l'amande, les autres au fouet et les autres à la mort... ayant été découvert et attrapé... fut pendu. Les uns disaient que c'estait leur président, les autres leur général » A. N., AD, III, 2, 86.

(323) Cf. Première partie, chap. Ier, p. 40-42.

(324) *Théâtre d'agriculture et mesnage des champs*, édition de 1600, p. 572.

(325) Cf. plus haut, au chap. II de cette Troisième partie.

(326) Cf. F. de DAINVILLE, *La Géographie des humanistes*, p. 370.

(327) Dans sa première année (1605), la Moscovie.

(328) Les Jésuites transposent même cet exotisme sur leurs théâtres scolaires. Cf. F. de DAINVILLE, *op. cit.*, p. 393.

(329) L'élan mystique du fidèle plutôt que du clerc, pour reprendre la distinction faite plus haut.

(330) C'est bien en ce sens aussi que l'auteur de l'*Introduction à la vie dévote* écrit en 1612 : « Si en France les prélats, la Sorbonne, et les religieux étaient bien unis, c'en serait fait de l'hérésie en dix ans. »

(331) H. BREMOND, tome I, début.

(332) Cf. l'article de L. FEBVRE dans *Annales E. S. C.*, 1958, n° 4.

(333) Notre propos n'est pas ici de déterminer les raisons d'être

de cette épidémie : nous la mentionnons comme une des traductions de ce recours fréquent — tout en étant imaginaire — au Démon. Nous n'avons pas à « expliquer » l'aspect judiciaire de la question: cf. R. MANDROU, *Magistrats et sorciers en France au XVIIe siècle*, Paris, 1968.

(334) RONSARD, *Hymnes*, I, *Les Daimons*. Ronsard est intarissable dans ses descriptions des Démons, bons (les anges) et mauvais : ces derniers, dit-il

apportent sur la Terre
Pestes, fiebvres, langueurs, orages [et tonnerre.
Ils font des sons en l'air pour nous [espoüanter.
Ils font aux yeux humains deux [soleils présenter,
Ils font noircir la Lune horrible-[ment hydeuse
Et font pleurer le ciel d'une pluie [saigneuse...

(335) Crédulité des XVIe et XVIIe siècles : admettons l'expression à condition de ne pas oublier celle du XXe siècle, la fréquence dans nos annales judiciaires des maisons hantées, des messes noires, l'abondante clientèle d'avocats, d'officiers supérieurs, d'hommes politiques qui hantent les cabinets des voyantes « extra-lucides », etc.

(336) Sur ce point, revenir à J. MICHELET, *La sorcière*, Paris, 1862, et en particulier notre présentation de l'édition parue en 1964.

(337) Cf. dans A. TENENTI, *La vie et la mort à travers l'art du XVe siècle*, Paris, 1952, p. 90-91, la liste des danses macabres inventoriées pour l'ensemble de l'Europe occidentale; pour la France : Paris (Saints-Innocents), Dijon (chapelle ducale), Amiens (cathédrale), Saint-Omer (abbatiale), Strasbourg (Dominicains), Kermaria, La Chaise-Dieu, La Ferté-Loupière (Yonne), Rouen (Saint-Maclou), Montivilliers (Somme), Fécamp, Lisieux (Sainte-Marie des Anglais), Angers (Saint-Maurice).

(338) L'Allemagne paraît particulièrement touchée, s'il faut en croire les témoignages très limités de Luther en 1542, de l'évêque de Mayence en 1548; l'un et l'autre font de cette épidémie de désespoir l'œuvre du Diable; cf. Luther, *Lettre à Lauterbach*, 25, VII (1542); Michel Helding, *Fünfzehn Predige*, Ingolstadt, 1548. En 1569, 14 suicides en trois semaines à Nuremberg.

(339) Cf. sur ce propos, l'article de J. LE GOFF, dans *Annales* E.S.C., 1960, n° 3, « Au Moyen Age : temps de l'Église et temps du marchand. »

(340) Les mots ne sont pas synonymes assurément; mais la réalité se trouve entre les deux : nous en avons montré dans la Première partie les conditions physiques.

(341) Montaigne, Descartes, réfugiés l'un et l'autre dans une retraite sûre, loin des passions communes, semblent, à première vue, y échapper à force de volonté et de lucidité. Encore ces exceptions mériteraient-elles plus ample examen, s'il était entrepris de pousser l'enquête jusqu'au plan individuel.

(342) Cf. le chapitre II de la Première partie.

(343) Cf. R. MANDROU, *Classes et luttes de classes en France au début du XVIIe siècle*, Florence 1965.

(344) En ce sens, L. GOLDMANN, dans *Le Dieu caché*, a abusivement « réduit » la vision du monde des jansénistes des années 1640-1660 à la conscience *possible* d'une classe, la noblesse de robe.

(345) Mise à part, touchant les offices, la grande thèse de R. MOUSNIER, *La vénalité des offices au temps de Henri IV et de Louis XIII*, récemment rééditée (1971).

(346) Cf. ce « grossier discours

de mathelot » dans *Critica Storica*, mars 1967, p. 230 à 247.

(347) I. de RAZILLY, Mémoire au Cardinal de Richelieu, cité ci-dessus,

(348) R. GASCON, *op. cit.*, p. 875.

(349) Cf. F. BAVOUX, *Les procès inédits de Boguet en matière de sorcellerie dans la grande judicature de Saint-Claude*, Dijon, 1958.

(350) Comme L. TRÉNARD l'a tenté pour *Lyon, de l'Encyclopédie au romantisme*, Paris, 1958.

(351) Lucien FEBVRE, *Histoire et psychologie*, Encyclopédie française, tome VIII. Repris dans *Combats pour l'histoire*, p. 207.

Bibliographie

Il va de soi que la bibliographie d'un tel volume est inépuisable, au moins sur certains aspects du sujet. L'érudit soucieux de la Réforme ne doit pas venir chercher ici la bibliographie exhaustive de la question. Nous ne citons que les ouvrages dont nous nous sommes servis et qui ont pu nous aider à éclairer cette conception de l'histoire des psychologies collectives.

Mais il faut bien préciser aussi qu'à côté de rayons particulièrement fournis, parfois trop garnis, d'autres secteurs n'offrent pas grande richesse. Humanisme, renaissance, réforme, institutions ou vie de Cour, offrent l'embarras du choix, et nous avons là volontairement laissé de côté quantité de très bons livres, pour ne pas exagérer les disproportions et alourdir cet appareil bibliographique. Par contre sur les jeux et divertissements, sur l'habitation, sur l'alimentation même, documents et études (*) sont beaucoup plus rares.

Cette bibliographie raisonnable et raisonnée comprend deux parties : d'une part, le répertoire géographique des livres de raison et mémoires imprimés (**) qui ont constitué, en quelque sorte, le dossier référentiel de nos recherches; d'autre part, selon le plan même du livre, et en respectant ses principales articulations, le choix de documents et surtout d'études, que nous venons d'essayer de justifier.

A. LIVRES DE RAISON ET MÉMOIRES

Région parisienne :

BOURRILLY, *Le Journal d'un bourgeois de Paris sous le règne de François Ier (1515-1536)*, Paris, 1910, in-8°.

DE L'ESTOILE (Pierre), *Journal* [pour les règnes de Henri III et de Henri IV], nouvelle édition par L. R. Lefèvre, 3 vol. Paris, 1958.

DUBUISSON-AUBENAY, *Journal des guerres civiles*, S. H. F., (***), 1883.

(*) La bibliographie, dans l'ordre des chapitres du livre, respecte cette division : I Textes et documents; II Études.

(**) Nous n'ignorons pas que des dizaines de livres de raison manuscrits dorment encore dans maints dépôts d'archives...

(***) A la suite d'un titre, S. H. F. signifie : Société d'Histoire de France.

De Campion (Henri), *Mémoires*, S. H. F., Paris, 1857.
Du Fossé, *Mémoires sur MM. de Port-Royal*, édition d'Amsterdam, 1739.
Fagniez, *Livre de raison de Me Nicolas Versoles, avocat au Parlement de Paris, 1519-1530* (« Mém. Soc. Hist. Paris », t. XII), 1885.
Haton (Cl.), *Mémoires*, Paris, 1857, 2 vol., in-4°.
Pradel (Ch.), *Un marchand de Paris au XVIe siècle* (*1564-1588*), (d'après les papiers de Simon Leconte), (Mém. Acad. des Sciences, Toulouse, 1889).
Rou (J.), *Mémoires* (*1639-1711*), S. H. F., Paris, 1857.
Mémoires du Marquis de Beauvais Nangis, S. H. F., Paris, 1862.

Ouest :

Abbé Aubert, *Notes extraites de trois livres de raison de 1473 à 1550. Comptes d'une famille de gentilshommes campagnards normands* (« Bulletin historique et philologique du Comité des travaux historiques », 1898).
Chatenay (L.), *Vie de Jacques Esprinchard, Rochelais, et Journal de ses voyages au XVIe siècle*, Paris, 1957.
Clouard (E.), *Livre de raison de deux bourgeois de Vitré, 1490-1583*, « Rev. de Bretagne », 1914.
Journal du sire de Gouberville (*1553-1564*), « Mém. Soc. Ant. Normandie », t. XXXI, Caen, 1892.
Journal de Gilles de Gouberville pour les années 1549-1552. « Soc. Antiq. de Normandie », Caen, 1895.
Laigne (R. de), *Livre de comptes de Claude de la Landelle* (*1553-1556*). Rennes, « Les bibliophiles bretons », 1906, in-8.

Centre :

Guibert (L.), *Livres de raison, registres de famille et journaux individuels limousins et marchois*, 2 vol., Limoges, Paris, 1888.
Guibert (L.), *Nouveau recueil de registres domestiques limousins et marchois*, Limoges, 1895-1903.
Guibert (L.), *Registre domestique des La Garde de Tulle* (*1569-1645*). « Bull. soc. scient. de la Corrèze » Tulle, 1892.
Guibert (L.), *Registre domestique de la famille de Burguet de Chauffailles* (*1602-1702*). « Bull. soc. archéol. du Limousin », XXXVIII, 1891.
Guibert (L.), *Mémorial de Jean et Pierre Roques frères, bourgeois de Beaulieu* (*1478-1525*). « Bull. soc. scient. de la Corrèze », Brive, 1890.
Guibert (L.), *Journal domestique de Martial de Guy de Nexon, lieutenant général à Limoges* (*1591-1603*). « Bull. soc. scientif. de la Corrèze », Brive, 1893.
Guibert (L.), *Notes d'Antoine Raymond, notaire de la Vicomté de Rochechouart 1572-1620.* « Bull. soc. scientif. de la Corrèze », Brive, 1893.
Guibert (L.), *Journal historique d'Elie de Rouffignac* (*1588-1589*). *Ibid.*
Leroux (A.), *Livre de raison et registre de famille des sieurs Terrade, notaires à Chaumeil* (*1548-1685*). « Bull. Soc. scientif. de la Corrèze », Brive, 1892.
Leroux (A.), *Registre de la famille Salignac de Rochefort près Limoges 1571-1626*, Paris, Limoges, 1888.
Leroux (A.), *Livre de raison et registre de la famille de Pierre de Sainte-Feyre* (*1497-1533*). « Bull. soc. scientif. de la Corrèze », Brive, 1890.
Leroux (A.), *Livre de raison et registre de famille d'Antoine de Sainte-Feyre* (*1570-1597*). « Bull. soc. scient. de la Corrèze », Brive, 1892.
Leroux (A.), *Journal de Vielbans, conseiller au présidial de Brive 1571-1598.* « Bull. soc. scientif. de la Corrèze », Brive, 1893.

Mémoires de Jean Burel, bourgeois du Puy (1601-1629), Le Puy, 1875.
Mémoires du comte de Souvigny (1618-1660), S. H. F., Paris, 1906.
Journal d'Antoine Jacmon (1627-1651), Le Puy, 1885.
Le Livre de raison d'Ant. de Thales, seigneur des Farges et de Cornilhon (1514-1551), « Bull. La Diana », Saint-Étienne, 1895.

Sud-Ouest et Languedoc :

FABRE (E.), *Deux livres de raison de l'Albigeois (1517-1550)*, Paris, 1896
Livres de raison des du Pouget, bourgeois de Cahors (1522-1598), « Bull. soc. des Études du Lot », Cahors, 1895-1896.
FORESTIÉ, *Les livres de comptes des frères Boysset, marchands de S. Antonin de Rouergue (1520-1528)*. « Bull. Soc. Archéol. du Tarn et Garonne », Montauban, 1892.
TAMIZEY DE LARROQUE, *Livre de raison de la famille de Fontainemarie (1740-1774)* (avec une bibliographie générale des livres de raison connus de l'auteur), Agen, 1889.
TAMIZEY DE LARROQUE, *Deux livres de raison de l'Agenais*, Auch et Paris, in-8°, 1893.
TAMIZEY DE LARROQUE, *Le livre de raison de la famille Dudrot de Capdebosc (1522-1675)*, Paris, Picard, 1891.
TAMIZEY DE LARROQUE, *Livre journal P. de Bessot (1609-1652)*. « Bull. Soc. hist. du Périgord », 1893 et Paris, Picard, 1893.

Sud-Est :

BRUN-DURAND, *Mémoires d'Achille Gamon, avocat d'Annonay (1552-1586)*, Valence, 1888.
GUILLAUME (Paul), *Livre de raison de Martin de la Villette seigneur majeur des Crottes (1500-1525)*. « Annales des Alpes », IX, 1905-1906.
LUBAC (J. DE), *Le journal d'un vieux gentilhomme (Guillaume de Chalendar de La Motte, 1583-1597)*, « Revue du Vivarais », V, 1897.
MANTEYER (G. DE), *Le livre journal tenu par Fazy de Rame en langage embrunais, 1471-1507*, Gap, 1932.
La vie de Thomas Platter écrite par lui-même, traduit de l'allemand, Genève, 1862.
RIBBE (Ch. DE), *La famille et la société en France avant la Révolution, d'après des documents originaux*, 4e édition, Tours, 1879 (le chap. II : *Les livres de raison en Provence et dans l'ancienne France*).
TEIL (T. DU), *Le livre de raison de noble Honoré du Teil (1541-1586)*, « Annales des Basses-Alpes », 1893.
VACHEZ (A.), *Les livres de raison dans le Lyonnais et les provinces voisines*, Lyon, 1892.

Est :

BRENEAU (Ch.), *La chronique de Philippe de Vigneulles*, Metz, 1933, 4 vol., in-8°.
FEUVRIER (J.), *Feuillets de garde : les Mairot (1535-1769)*, « Mém. soc. Emul. du Jura », 1901.
Livre de raison de la famille Froissard de Broissia (1532-1701), « Mém. soc. Emul. du Jura », 1886.
MICHELANT (H.), *Gedenkbuch der Metzer Burgers, Philippe von Vigneulles, 1471-1527*, « Bibl. des Literatur Vereins in Stuttgart », 1852.
PROST (B.), *Extraits d'un livre journal tenu par une famille bourgeoise de Bletterans (1542-1661)*, « Bull. soc. Agric. de Poligny », 1877.
PROST (B.), *Journal de Guill. Durand, chirurgien à Poligny (1661-1623)*, « Bull. soc. Agric de Poligny » (1881-1882).

Nord :

JADART (H.), *Mémoires de Jean Maillefer, bourgeois et marchand de Reims (1611-1684)*, Paris, Picard, 1890.

LEDIEU (A.), *Le livre de raison d'un magistrat picard, Philippe deLavernot, (1601-1602)*, Abbeville, 1889.

A cette liste, il convient d'ajouter (bien qu'il ne relève pas, au sens strict, de cette catégorie), le gros livre d'Étienne PASQUIER, *Recherches de la France*, édition de 1621, qui fourmille de notations précieuses pour notre propos.

B. MESURES HUMAINES INDIVIDUELLES

I. ALIMENTATION

1° *Textes et Documents :*

BRUYERIN-CHAMPIER, *De re cibaria*, Lyon, 1560.

CURTI (Matteo), *De prandii de Caenae modo libellus*, Rome, 1688.

DURANTE (C.), *Il tesoro della sanità*, Venise, 1588.

HAGECIUS (Th.), *De Cervisia ejusque conficiendi ratione natura, viribus et facultatibus opusculum*, Francfort, 1585, 8°.

PALMAIRI (J.), *De vino et Pomaceo libri duo*, Paris, 1588. 2e édition traduite : *Traité du vin et du cidre*, par Julien LE PAULNIER, docteur en la faculté de Médecine de Paris, Caen, 1589, 3e éd., 1607.

PLATOCOMUS, *De natura et viribus carevisiarum et mulsarum opusculum*, Wittenberg, 1551, 8°.

QUERCETANI (J.), *Diaeteticon polyhistoricon opus utique varium magnae utilitatis ac delectationis quod multa historica, philosophica et medica tam conservandae sanitari quam variis curandis morbis necessaria contineat*, Paris, 1606.

2° *Études :*

ASHLEY (Sir W.), *The bread of our forefathers : an enquiry in economic history*, Oxford, 1928.

BOURDEAU (L.), *Études d'histoire générale. Histoire de l'Alimentation*, Paris, 1894.

CASTRO (J. DE), *Géographie de la Faim. La faim au Brésil*, Paris, 1949.

CHRISTOFFEL (K.), *Durch die Zeiten strömt der Wein*, Hambourg, 1957.

DENIAU (J.), *La vigne et le vin à Lyon au XVe siècle* (« Études Rhodaniennes », 1930, 3).

DRUMMOND (J. C.), *The Englishman's food. An history of five centuries of English diet*, Londres, 1955.

GIBAULT (G.), *Histoire des Légumes*, Paris, 1912.

GOTTSCHALK (Dr F.), *Histoire de l'Alimentation et de la Gastronomie, depuis la préhistoire jusqu'à nos jours*, Paris, 1948.

HABASQUE (F.), *La vie en province au XVIe siècle. Comment Agen mangeait au temps des derniers Valois*, Agen, 1887.

HEMARDINQUER (J. J.) et coll., *Pour une histoire de l'alimentation*, Paris, 1970.

JACOB (H. E.), *Histoire du pain depuis 6000 ans*, trad. de l'allemand, Paris, Éd. du Seuil, 1958.

LIPPMANN (E. von), *Geschichte des Zuckers, seit den ältesten Zeiten bis zum Beginn der Rübenzucker — Fabrikation. Ein Beitrag zur Kulturgeschichte*, Berlin, 1928.

MAURIZIO (A.), *Histoire de l'alimentation végétale depuis la préhistoire jusqu'à nos jours*, trad. franç., Paris, 1932.

SCHOELLHORN (Fr.), *Bibliographie des Brauwesens*, Berlin, 1928.
SOEPPER (D. K.), *L'alimentation de l'humanité. Son économie, sa répartition, ses possibilités*, Paris, Dunod, 1942.
SORRE (M.), *Les bases biologiques de la géographie humaine*, I, Paris, 1943.
STOUFF (L.), *Ravitaillement et alimentation en Provence aux XIVe et XVe siècles*, Paris, 1970.
WEBER (F.), *Essai historique sur la brasserie française*, Soissons, 1900.

II. L'ENVIRONNEMENT

1° *Textes et Documents :*

BESSON (J.), *Théâtre des instruments mathématiques et méchaniques...*, Lyon, 1578.
BOUDEAU (N.), *Principes de la Science morale et politique sur le luxe et les lois somptuaires*, publié par A. DUBOC, 8°, XX-34 p., Paris, Rivière, 1912.
COLYN (Michiel), *Habits de diverses nations de l'Europe, Asie, Afrique et Amérique*, Anvers, 1581, in fol.
VECELLIO (Ces.), *Degli habiti antichi e moderni di diverse parti del mondo*, libri II, Venetia, 1590, in-8°.

2° *Études :*

D'ALLEMAGNE (H. R.), *Histoire du luminaire depuis l'époque romaine jusqu'au XIXe siècle*, Paris, Picard, 4°, 704 p., 1891.
ARAGON (H.), *Les lois somptuaires en France. De Louis XI à Louis XIV*, Perpignan, Barrière, in-16, 80 p., 1921.
QUENEDEY (R.), *L'habitation rouennaise*, Rouen, 1926.
QUICHERAT (J.), *Histoire du costume en France, depuis les temps les plus reculés jusqu'à la fin du XVIIIe siècle*, Paris, 1875.

III. SANTÉ ET MALADIES

1° *Documents :*

Les traités qui concernent maladies et médecines sont innombrables; dès le Moyen Age, les médecins ont consigné dans de petits recueils savants les signes de contagion, et les cures réussies par toutes sortes de procédés. Un chercheur a commencé récemment le recensement des manuscrits médiévaux conservés dans les fonds latins de la Bibliothèque Nationale : l'enquête est à poursuivre dans le temps — et surtout au delà du simple recensement des textes. Un dépouillement systématique de cette immense littérature, où se côtoient recettes de guérisseurs, traités de médecins, études sur le vif, est indispensable pour la reconstitution des données « physiques » sur l'homme d'autrefois. En ce domaine assurément, les grandes œuvres qui ont atteint le renom littéraire — je pense aux *Œuvres* d'AMBROISE PARÉ, si constamment rééditées (en 1641, une 10e édition paraît à Lyon) — importent moins que les petits mémoires composés à l'occasion d'une épidémie très meurtrière ou publiés à la gloire d'une eau thermale, d'un sanctuaire miraculaire.

Nous citons ici pour exemples, et sans prétendre donner plus que des échantillons :

NICOLAS ABRAHAM, sieur de la FRAMBOISIÈRE, *Le gouvernement nécessaire à chacun pour vivre longuement en santé*, Paris, 1600.
Brevis facilisque methodus curandarum febrium, authore JACOBO CAHAGNESIO *Cadomensi, medicinae regis professore*, Cadomi, 1616.

Brosse (Guy de la), *De la nature, vertu et utilité des plantes...*, Paris, 1628.
Capivaccio (Jér.), *Methodus practicae medicinae omnium humani corporis affectum causas signas, et curationes exhibens*, Lyon, 1596.
Du Chesne (Quercetanus), *Pharmacopea dogmaticorum restituta*, Paris, 1607; Francfort, 1615; Genève, 1620.
Duval (Claude), *Libellus Alexiterius de peste precavenda et curanda*, Paris, 1623.
Joubert (Laurent), *Erreurs populaires au faict de la médecine et régime de santé*, Avignon, 1586 (1re éd., Bordeaux, 1578).
Juliani Palmarii, Medici Parisiensis, *De morbis contagiosis libri septem ad amplissimum Senatum Parisiensem*, Parisiis, 1578; 2e éd., Francfort, 1601; 3e éd., La Haye, 1664.
Le Paulmier (Julien), *Bref discours de la praeservation et curation de la peste*, Caen, 29 p., 1580; 2e éd., Angers, 1584.
de Nancel (Nicolas), *Discours très ample de la peste, divisé en 3 parties, adressant à M. M. de Tours*, Paris, 1581.
Riolan (Jean), *Generalis Methodus Medendi*, Paris, 1580.
Riolan (Jean), *Les œuvres anatomiques*, 1626.
Van der Heyden, *Du Trousse galant, dit choléra morbus*, Gand, 1645.

2° *Études :*

Les histoires encyclopédiques de la Médecine ne manquent assurément pas, inégalement utiles aux historiens, si ce n'est celle de M. Laignel-Lavastine, *Histoire générale de la Médecine*, Paris, 1938-1949, 3 vol.

Cf. aussi : Delaunay (P.), *La vie médicale aux XVIe, XVIIe, XVIIIe siècles*, Paris, 1935.
Lévy-Valensi (J.), *La Médecine et les Médecins français au XVIIe siècle*, Paris, 1933.
Wickersheimer (E.), *La Médecine et les Médecins en France à l'époque de la Renaissance*, Paris, 1906.
Cf. début d'une grande enquête, B. Quemada, *Introduction à l'étude du vocabulaire médical (1600-1710)*, Besançon, 1955.

Sur les problèmes de démographie, quelques études, encore rares, sont à citer :

Braudel (F.), *La Méditerranée et le monde méditerranéen au temps de Philippe II*, Paris, 1948, p. 347 et suiv.
Goubert (P.), *Beauvais et le Beauvaisis de 1600 à 1730*, Paris, 1960.
Meuvret (J.), *Les crises de subsistance et la démographie de la France d'ancien régime*, « Population », oct.-déc. 1947 repris dans le précieux recueil d'articles : J. Meuvret, *Études d'histoire économique*, Paris, 1971.
Reinhard (M.), *Histoire de la population mondiale de 1700 à 1948*, Paris, 1949.
Roupnel (G.), *La ville et la campagne au XVIIe siècle. Étude sur les populations du pays dijonnais*, Paris, Colin, 1956 (p. 109 et suiv.).

IV. VIE PSYCHIQUE : PASSIONS, SENTIMENTS

1° *Textes :*

Les documents des contemporains, outre les notations des livres de raison, sont de deux sortes : d'une part la littérature poétique, attachée à l'expression du sentiment, d'autre part les écrits de moralistes dont

émergent, au XVIIe siècle le DESCARTES du *Traité des Passions*, et PASCAL.
Nous avons utilisé ainsi :
MAROT (Cl.), dans l'édition de 1554, Paris.
RONSARD (P. de), dans l'édition de 1571, Paris, et dans l'édition Blanchemain.
BELLAY (J. DU), dans l'édition de 1558, Paris.
D'AUBIGNÉ (A.), *Les Tragiques*, dans l'édition Schuhmann, 1911, Paris, etc.
HEROËT (Ant.), *Œuvres poétiques*, édition Gohin, Paris, 1909.
En outre, quelques traités peu connus ont été mis à contribution :
MARANDÉ (Léonard), *Le Jugement des actions humaines*, Paris, 1624.
LEMOYNE (R. P.), *Les Peintures morales, où les passions sont représentées par tableaux, par charactères et par questions nouvelles et curieuses*, 2 vol. Paris, 1640-1643.
SENAULT (R. P. J. F.), *De l'usage des passions*, Paris, 1641.

2° *Études :*

Il n'existe aucune histoire de la sensibilité. Seul L. FEBVRE en a esquissé le plan de recherche dans la dernière partie de son *Rabelais et le problème de l'incroyance au XVIe siècle*, paru en 1942, dans « L'Évolution de l'humanité ». Voir notamment les pages 461 à 473. Il a également donné un exemple de monographie avec :
FEBVRE (L.), *Autour de l'Heptaméron : Amour sacré, amour profane*, Paris, 1944.

V. VIE PSYCHIQUE : OUTILLAGE MENTAL

1° *Textes et documents :*

SALOMON DE LA BROSSE, *Le cavalier françois*, Paris, 1602.
DU BELLAY (J.), *Défense et illustration de la langue française*, réédition, Paris, 1904.
ESTIENNE (Robert), *Dictionnaire français-latin*, Paris, 1539.
GRISON (Fédéric), *L'écurie du sieur Fédéric Grison*, trad. de l'italien en français, Paris, 1579.
MEIGRET (Louis), *Traité touchant le commun usage de l'escriture françoise, auquel est débattu des faultes et abus en la vraye et ancienne puissance des lettres*, Paris, 1542.
PARÉ (Ambroise), *Les œuvres d'Ambroise Paré reveues et corrigées en plusieurs endroits et augmentées d'un fort ample traicté des fiebvres, nouvellement treuvé dans les manuscrits de l'auteur*, Paris, 1628.
TORY (Geoffroy), *Briesve doctrine pour deument escripre selon la propriété du langaige français*, Paris, 1533.
VAUGELAS, *Remarques sur la langue française, utiles à tous ceux qui veulent bien parler et bien écrire*, Paris, 1646.

2° *Études :*

AUDIN (M.), *Histoire de l'imprimerie par l'image*, 4 vol., Lyon, 1930.
COUDERC (P.), *Étapes de l'Astronomie*, Paris, 1955.
COURNOT (A.), *Considérations sur la marche des idées et des événements dans les temps modernes*, Paris, 1934.
BILFINGER (G.), *Die mittelalterlichen Uhren und die modernen Stunden*, Stuttgart, 1892.
BERTHOUD (F.), *Histoire de la mesure du temps par les horloges*, Paris, Imprimerie de la République, An X (1802).

BRUN (A.), *Recherches historiques sur l'introduction du français dans les provinces du Midi*, Paris, 1923.
BRUNOT (F.), *Histoire de la langue française*, tome II : *Le XVIe siècle*, Paris, 1931; tome III : *La formation de la langue classique*, Paris, 1933.
CALLOT (E.), *La renaissance des sciences de la vie au XVIe siècle*, Paris, Presses Universitaires de France, 1949.
Encyclopédie française, tome I. *L'outillage mental*, Paris, 1935.
HUGUET (H.), *La syntaxe de Rabelais*, Paris, 1894.
HUMBOLDT (A. DE), *Cosmos. Essai d'une description physique du monde*, 2 vol. Paris, 1846.

C. MILIEUX SOCIAUX

I. LE COUPLE ET LA FAMILLE

1° *Textes et Documents :*

ÉRASME, *Le mariage chrétien*, traduction de 1714.
Petite instruction et manière de vivre pour une femme séculière, Paris, s. d., rue Neuve N. D., à l'écu de France, in 8°, 32 p.
Le protocole des notaires... contenant la manière de rédiger par escript tous contractz, instrumens, partages, inventaires, comptes, commissions, rappors, demandes et autres actes et exploictz de justice. Avec le Guydon des secrétaires, contenant la manière d'escripre et adresser toutes lettres missives. Nouvellement composé à Lyon (G. Rose), 1531.
Le protocole des secrétaires et aultres gens desirans scavoir l'art et manière de dicter en bon francoys toutes lettres missives et épistres en prose, Lyon, 1534.
L'histoire d'Aurelio et Isabelle en italien et françoys en laquelle est disputé qui baille plus d'occasion d'aymer, l'homme à la femme ou la femme à l'homme, Lyon, 1555.

2° *Études :*

ARIÈS (Ph.), *L'enfant et la vie familiale sous l'ancien régime*, collection Civilisations d'hier et d'aujourd'hui, Paris, 1960.
AUFFROY (H.), *Évolution des testaments en France des origines au XVIIIe siècle*, Paris, 1899.
BERTIN (E.), *Les mariages dans l'ancienne société française*, Paris, 1879.
BREMOND (H.), *Histoire littéraire du sentiment religieux en France, depuis la fin des guerres de religion jusqu'à nos jours*, tome IX (chapitre sur la mystique du mariage au XVIIe siècle), Paris, 1932.
PETOT (P.), La famille en France sous l'Ancien Régime, dans *Sociologie comparée de la famille contemporaine*, Colloques du C. N. R. S., 1955.
PLESSIS DE GRENÉDAN (J. du), *Histoire de l'autorité paternelle et de la société familiale en France avant 1789*, Paris, 1900.
DE RIBBE (Ch.), *La Famille et la société en France avant la Révolution*, Tours, 1879, 4e édition.
DE RIBBE (Ch.), *La vie domestique, ses modèles et ses règles*, Paris, 1877.
FEBVRE (L.), *Autour de l'Heptaméron, amour sacré, amour profane*, Paris, 1943.
WENDEL (F.), *Le mariage à Strasbourg à l'époque de la Réforme*, Strasbourg, 1928.

II. LA PAROISSE

1° Pas de document publié qui lui soit uniquement consacré.

2° *Études :*

FEBVRE (L.), *Philippe II et la Franche Comté*, Paris, 1912.
HUARD (Ch.), *Sur l'histoire de la paroisse rurale, des origines à la fin du moyen âge*, « Revue d'Histoire de l'Église de France », 1938, XXIV.
ROUPNEL (G.), *La ville et la campagne au XVII*e *siècle, étude sur les populations du pays dijonnais*, Paris, 1922, réédition de 1956.
VAISSIÈRE (P. de), *Curés de campagne de l'ancienne France*, Paris, 1933. (En fait, XVIIe et XVIIIe siècles.)

III. ORDRES ET CLASSES SOCIALES

1° *Textes et Documents :*

BIGOT DE MONVILLE, (*Mémoires du Président*) *sur la sédition des Nu-pieds et l'interdiction du Parlement de Normandie*, Rouen, 1876.
VULSON de la COLOMBIÈRE, *Le vray théâtre d'honneur et de chevalerie de la noblesse contenant les combats ou jeux sacrés des Grecs et des Romains, tournois, les armes...* Paris, 1648.
ESTIENNE (Charles) et LIÉBAULT (J.), *L'agriculture et maison rustique*, Paris, 1583.
GODEFROY (Denis et Th.), *Le cérémonial français*, Paris, 1649.
LOYSEAU (Ch.), *Traité des ordres et simples dignitez*, Paris, 1613, in 4°.
LOYSEAU (Ch.), *Traité des seigneuries*, Paris, 1613.
LOYSEAU (Ch.), *Cinq livres du droict des offices*, Paris, 1610.
Diaire ou journal du voyage du chancelier SÉGUIER *en Normandie après la sédition des Nu-pieds* (1639-1640), publié par A. FLOQUET, Rouen, 1862.
TIRAQUEAU (A.), *Tractatus de Nobilitate*, Paris, 1579, in f°.

2° *Études :*

BABEAU (A.), *Les bourgeois d'autrefois*, Paris, 1886.
BLOCH (M.), *Enquête sur le passé de la noblesse française*, « Annales d'histoire économique et sociale », 1937.
BLOCH (M.), *Les caractères originaux de l'histoire rurale française*, réédition, Paris, 1952.
BOISSONNADE (P.), *Le socialisme d'État, l'industrie et les classes industrielles en France (1453-1661)*, Paris, 1927.
BORKENAU (F.), *Der Übergang von feudalen zum bürgerlichen Weltbild*, Paris, 1934.
BOUGLÉ (C.), *Remarques sur le régime des castes*, « Année sociologique », Paris, 1900, t. IV.
CHASSANT (A.), *Les nobles et les vilains du temps passé ou recherches critiques sur la noblesse et les usurpations nobiliaires*, Paris, 1857.
COORNAERT (E.), *Les corporations en France avant 1789*, Paris, 1941.
Abbé LECLERC, *Rôle du ban et arrière-ban des nobles du Haut Limousin en 1568*, « Bulletin de la société archéologique du Limousin », 1894.
LEVASSEUR (E.), *Histoire des classes ouvrières et de l'industrie en France avant 1789*, Paris, 1900.
MERLE (L.), *La métairie et l'évolution agraire de la gâtine poitevine, de la fin du Moyen Age à la Révolution*, Paris, 1958.
MOUSNIER (R.), *La vénalité des offices au temps de Henri IV et de Richelieu*, Rouen, 1947 ; réédition, 1971.

NORMAND (Ch.), *La bourgeoisie française au XVII*e *siècle. La vie publique, les idées et les actions politiques*, 1604-1661. Paris, 1908.
PORCHNEV (B.), *Les soulèvements populaires en France, 1623-1648*, trad. fse, Paris, 1963.
RAVEAU (P.), *L'agriculture et les classes paysannes. La transformation de la propriété paysanne dans le Haut-Poitou au XVI*e *siècle*, Paris, 1926.
ROUPNEL (G.), *La ville et la campagne au XVII*e *siècle, étude sur les populations du pays dijonnais*, Paris, 1922 (rééd. en 1956).
TRAVERS (E.), *Rôle du ban et de l'arrière-ban du bailliage de Caen en 1552*, Rouen, 1901.
VAISSIÈRE (P. de), *Gentilshommes campagnards de l'ancienne France. Étude sur la condition, l'état social et les mœurs de la noblesse de province, du XVI*e *au XVII*e *siècle*, Paris, 1903.
VENARD (M.), *Bourgeois et paysans dans la région au sud de Paris au XVII*e *siècle*, Paris, 1958.
VILLARD (P.), *Les justices seigneuriales dans la Marche*, Paris, 1969.

IV. ÉTAT, ROYAUTÉ ET RELIGION

1° *Textes et documents :*

BARCLAY (G.), *De Regno et regali potestate, adversus Buchanum, Brutum, Boucherium et reliquos monarchomachos*, Paris, 1600.
BÈZE (Th. DE), *Traité de l'autorité du magistrat en la punition des hérétiques, traité très nécessaire en ce temps pour advertir de leur devoir tant les magistrat que subjects*, s. l., 1560.
BIGNON (J.), *La grandeur de nos roys et de leur souveraine puissance*, Paris, 1615.
BODIN (Jean), *Les Six livres de la République*, Paris, 1583.
CALVIN (J.), *Institution de la Religion chrétienne* (préface), Genève, 1562.
COTON (Pierre), *Lettre déclaratoire de la doctrine des Pères Jésuites conforme aux décrets du concile de Constance*, Paris, 1610.
DU BOYS (H.), *De l'origine et autorité des Roys*, Paris, 1604.
DU CHESNE (A.), *Les Antiquitéz et recherches de la grandeur et majesté des Roys de France*, Paris, 1609.
GODEFROY (Théodore), *Le cérémonial de France, ou Description des cérémonies, rangs et séances observées aux couronnements, entrées et enterrements des roys et roynes de France*, Paris, 1619.
GOULART (S.), *Mémoires de l'État de France sous Charles IX*, Middleburg, 1577.
HOTMANN (Fr.), *Franco Gallia*, Genève, 1573. (Traduit en 1574 : *La Gaule française*, à Cologne).
JANSENIUS, *Le Mars français, ou la guerre de France, en laquelle sont examinées les raisons de la justice prétendue des armes et des alliances du roi de France*, s. l., 1637.
LEBRET (Cardin), *De la souveraineté du Roy*, Paris, 1632.
MARIANA (J. DE), *De rege et regis institutione*, libri III, Tolède, 1599.
PITHOU (P.), *Les libertés de l'Église gallicane*, Paris, 1594.
PITHOU (P.), *Traité des droits et libertés de l'Église gallicane*, s. l., 1639.
PLESSIS MORNAY (DU), *Vindiciae contra tyrannos* (*sive de principis in populum populique in principem legitima potestate*), Edimbourg, 1579.
Satyre Ménippée de la vertu du catholicon d'Espagne et de la tenue des États de Paris, S. l., (Tours). 1593.
SAVARON (Jean), *Traité de la souveraineté du Roy et de son royaume*, Paris, 1615.

SORBIN (Arnauld), *Le vray Resveille-matin des calvinistes et publicains françois, où est amplement discouru de l'auctorité des princes et du devoir des sujets envers iceux*, Paris, 1576.

2° *Études :*

AULARD (A.), *Le patriotisme français de la Renaissance à la Révolution*, Paris, 1921.

BLOCH (M.), *Les Rois thaumaturges*, Strasbourg, 1924, (donne, sur la question, une bibliographie des ouvrages anciens qui n'a pas été reproduite ici).

BUISSON (F.), *Sébastien Castellion, sa vie et son œuvre, 1515-1563*, Paris, 1892.

FEBVRE (L.), *Un destin, Martin Luther*, Paris, 1928.

HEYER (H.), *Guillaume Farel. Essai sur le développement de ses idées théologiques*, Genève, 1872.

IMBART de la TOUR (P.), *Les origines de la Réforme en France*, Paris, 1905-1935.

MERCIER (Ch.), *Les théories politiques des calvinistes en France au cours des guerres de religion* (« Bulletin de la société d'Histoire du Protestantisme français », 1934) ; donne également une bibliographie des libelles et études.

MOORE (W. G.), *La réforme allemande et la littérature française. Recherches sur la notoriété de Luther en France*, Strasbourg, 1930.

MOURS (S.), *Liste des Églises réformées*, « Bulletin de la société d'Histoire du Protestantisme français », C IIIe Année (1957), n°s 1, 2, 3.

V. SOCIÉTÉS DE JEUNESSE ET FÊTES

1° *Textes et documents :*

Les documents qui leur sont spécialement consacrés ne sont pas légion : il faut utiliser des indications éparses ici et là, et par exemple dans :

THIERS (J. B.), *Traité des jeux et divertissements*, Paris, 1686;

DU TILLIOT, *Mémoires pour servir à l'histoire de la fête des foux*, Lausanne, 1751.

ou se reporter aux reproductions d'arcs de triomphe, de théâtres, conservées au cabinet des Estampes, à la Bibliothèque Nationale.

2° *Études :*

ADAM (A.), *Histoire de la littérature française au XVIIe siècle*, t. I, 1948.

LEBÈGUE (R.), *Le théâtre baroque en France*, Genève, 1942.

PRUNIÈRES (H.), *L'opéra en France avant Lulli*, Paris, 1913.

ROUBIN (L. A.), *Chambrettes des Provençaux*, Paris, 1970.

ROUSSET (J.), *La littérature de l'âge baroque en France : Circé et le Paon*, Paris, 1954.

TAPIÉ (V. L.), *Baroque et classicisme*, Paris, 1957, notamment Livre II, chap. II.

D. TYPES D'ACTIVITÉS

I. TECHNIQUES MANUELLES

1° *Textes et documents :*

BESSON (J.), *Théâtres des instruments mathématiques et méchaniques...*, Lyon, 1578.

CHOPPIN (R.), *De privilegiis rusticorum libri III*, Quarta editio, Paris, 1606.

De Serres (O.), *Théâtre d'agriculture et mesnage des champs*, Paris, 1600.
Estienne (C.) et Liébault (J.), *L'agriculture et maison rustique*, Paris, 1583.
Montchrestien (A. de), *Traicté de l'œconomie politique, dédié au Roy et à la Reyne mère du Roy*, S. l. n. d. (1615).

2° *Études :*

Bézard (Y.), *La vie rurale dans le Sud de la région parisienne de 1450 à 1560*, Paris, 1929.
Bloch (M.), *Les inventions médiévales*, « Annales d'Histoire économique et sociale », 1935.
Bouvier-Ajam (M.), *Histoire du travail en France des origines à la Révolution*, Paris, 1952.
Coornaert (E.), *Les corporations en France avant 1789*, Paris, 1941.
Faucher (D.), *Géographie agraire. Types de culture*, Paris, 1949.
Gille (B.), *Les développements technologiques en Europe de 1100 à 1400*, « Cahiers d'Histoire mondiale », 1955.
Hauser (H.), *Ouvriers du temps passé*, Paris, 1927.
Hauser (H.), *Travailleurs et marchands de l'ancienne France*, Paris, 1929.
Nef (J.), *A comparison of industrial growth in France and England from 1540 to 1640*, « The journal of political economy », 1936.
Raveau (P.), *L'agriculture et les classes paysannes. La transformation de la propriété paysanne dans le Haut Poitou au XVI*e *siècle*, Paris, 1926.
Wolff (Ph.) et Mauro (F.), *Histoire générale du travail*. II. *L'âge de l'artisanat* (ve-xviiie siècles), Paris, 1960.

II. ESPRIT CAPITALISTE

1° *Textes et documents :*

Bodin (J.), *Les Six livres de la République*, Paris, 1583.
Einaudi (L.), Éditeur de *Paradoxes inédits du sieur de Malestroict touchant les monnoyes avec la réponse du Président de la Tourette*, Turin, 1937.
Laffemas (B. de), *Comme l'on doibt permettre la liberté du transport de l'or et de l'argent hors du royaume et par tel moyen conserver le nostre, et attirer celuy des estrangers. Avec le moyen infaillible de faire continuellement travailler les monnoyes de ce royaume, qui demeurent inutiles*, Paris, 1602.
Le Choyselat (Prudent), *Discours œconomique... monstrant comme de 5 cens livres pour une foys employées, l'on peult tirer par an 4 mil cinqcens livres de proffict honneste...*, Rouen, 1612.
Montchrestien (A. de), *Traicté de l'œconomie politique*, s. l. n. d. [1615].
Savary (J.), *Le parfait négociant*, Paris, 1675.
Savonne (P. de), *Brieve instruction de tenir livres de raison ou de comptes par parties doubles*, Lyon, 4e éd., 1608.
Turquet de Mayerne (L.), *Sommaire description de la France, Allemagne... un recueil des foires... un traicté des monnoyes*, Rouen, 1603.

2° *Études :*

Chaunu (P.), *Séville et l'Atlantique*, les trois volumes d'interprétation, Paris, 1956-1960.
Ehrenberg (R.), *Le siècle des Fugger*, trad. française, Paris, 1955.

FEBVRE (L.), *Types économiques et sociaux du XVIe siècle : le Marchand.* « Revue des Cours et Conférences », 1921.
GASCON (R.), *Grand commerce et vie urbaine au XVIe siècle, Lyon et ses marchands*, Paris, 1971.
HARSIN (P.), *Les doctrines monétaires et financières en France du XVIe au XVIIIe siècle*, Paris, 1928.
HAUSER (H.), *Les débuts du capitalisme moderne en France*, Paris, 1902.
JEANNIN (P.), *Les marchands au XVIe siècle*, Paris, 1957.
LAPEYRE (H.), *Une famille de marchands : les Ruiz*, Paris, 1955.
ROOVER (R. DE), *L'évolution de la lettre de change XIVe-XVIIIe siècle*, Paris, 1953.
SCHNAPPER (B.), *Les rentes au XVIe siècle. Histoire d'un instrument de crédit*, Paris, 1957.
SOMBART (W.), *Der Bourgeois. Zur Geistesgeschichte des modernen Wirtschaftsmenschen*, Munich, 1913.
TAWNEY (R.), *La Religion et l'essor du capitalisme*, trad. fse, Paris, 1950.

III. JEUX ET DIVERTISSEMENTS

1° *Textes et documents :*

Question chrétienne touchant le jeu, adressée aux dames par Théotime, sçavoir si une personne adonnée au jeu se peut sauver, et principalement les femmes? s. l. n. d.
SAINT FRANCOIS DE SALES, *Introduction à la vie dévote*, passim.
DANEAU (Lambert), *Briève remonstrance sur les jeux de sort ou de hazard, et principalement de déz et de cartes, en laquelle le premier inventeur des dits jeux et maux infinis qui en adviennent sont déclarez, contre la dissolution de ce temps*, S. l. ,1591.
DANEAU (Lambert), *Traité des danses, auquel est amplement résolue la question, à savoir s'il est permis aux chrestiens de danser.* S. l., 1580.
GAUTHIER (Abbé), *Traité contre les danses et les mauvaises chansons*, Paris, 1775 (2e édition).
La Maison des jeux académiques, (sans nom d'auteur), Paris, 1668.
SOREL (Ch.), *La Maison des Jeux*, Paris, 1642.
THIERS (J. B.), *Traité des Jeux et divertissements*, Paris, 1686.

2° *Études :*

ALLEMAGNE (H. R. d'), *Les cartes à jouer, du XIVe au XXe siècle..*, Paris, 1906.
ARAGON (H.), *Les danses de la Provence et du Roussillon...*, Perpignan, 1922.
ARIÈS (Ph.), *L'enfant et la vie familiale...*, Paris, 1960.
CAILLOIS (R.), *Les Jeux et les hommes*, Paris, 1958.
FOURNIER (Éd.), *Histoire des jouets et des jeux d'enfants*, Paris, 1889.
HUIZINGA (J.), *Homo ludens, Versuch einer Bestimmung des Spielelements der Kultur*, Bâle, 1944.

IV. DÉPASSEMENTS : ARTS ET ARTISTES

1° *Textes et documents :*

ALBERTI (L. B.), *L'architecture et art de bien bastir*, Paris, 1553.
CELLINI (B.), *Œuvres complètes*, traduites par L. Leclanché, 2e éd., Paris, 1847.
FRÉART DE CHAMBRAY (R.), *Parallèle de l'architecture antique et de la moderne...*, Paris, 1650.

2° *Études :*

FAURE (É.), *Histoire de l'art : l'art renaissant*, 1924.
FEBVRE (L.), *Quatre leçons sur la première Renaissance française*, « Revue des Cours et Conférences », 1925.
FRANCASTEL (P.), *Peinture et Société*, Lyon, 1942.
FRANCASTEL (P.), *La figure et le lieu*, Paris, 1967.
LAVEDAN (P.), *Histoire de l'art : Moyen Age et Temps modernes*, Paris, 1947.
MÂLE (É.), *L'art religieux de la fin du Moyen Age en France*, Paris, 1925.
SEZNEC (Jean), *La survivance des dieux antiques; essai sur le rôle de la tradition mythologique dans l'humanisme et dans l'art de la renaissance*, Londres, 1940.
TAPIÉ (V. L.), *Baroque et Classicisme*, Plon, 1972.

V. DÉPASSEMENTS : HUMANISTES ET VIE INTELLECTUELLE

1° *Textes et documents :*

AMYOT (J.), trad. de PLUTARQUE, *Les vies des hommes illustres*, Paris, 1558.
BUDÉ (G.), *Summaire ou epitome du livre de Asse, fait par le commandement du Roy*, Paris, 1538.
BUDÉ (G.), *De l'institution du prince, livre contenant plusieurs histoires, enseignements et sages dicts des anciens, tant Grecs que Latins*, Paris, 1547.
DES PERIERS (B.), *Œuvres françaises*, édition de 1856.
DOLET (Étienne), *Commentarium linguae latinae*, Lyon, 1538.
ÉRASME (D.), *Épistolae familiares*, Anvers, 1545.
LEFÈVRE D'ÉTAPLES (J.), *Commentarii initiatorii in quatuor Evangelia* s. l., 1521.
PASQUIER (Ét.), *Œuvres* (complètes), édition d'Amsterdam, 1723.

2° *Études :*

BREMOND (H.), *Histoire littéraire du sentiment religieux en France...*, tome I, *L'humanisme dévot*, Paris, 1916.
BRUNOT (F.), *Histoire de la langue française*, tome II : *Le XVIe siècle*, Paris, 1927.
DAINVILLE (R. P. F. DE), *Les Jésuites et l'éducation de la Société française, la naissance de l'humanisme moderne*, Paris, 1940.
DELARUELLE (L.), *Guillaume Budé, les origines, les débuts, les idées maîtresses*, Paris, 1907.
DOUCET (R.), *Les bibliothèques parisiennes au XVIe siècle*, Paris, 1956.
FEBVRE (L.), *Le problème de l'incroyance au XVIe siècle. La religion de Rabelais*, Paris, 1943 et 1968.
FEBVRE (L.), *Origène et Des Périers, ou l'énigme du Cymbalum Mundi*, Paris, 1942.
FEBVRE (L.) et MARTIN (H. J.), *L'apparition du livre*, Paris, 1958 et 1971.
RENAUDET (A.), *Préréforme et humanisme à Paris pendant les premières guerres d'Italie*, Paris, 1953.
RENAUDET (A.), *Érasme, sa pensée religieuse et son action d'après sa correspondance (1518-1521)*, Paris, 1926.

VI. SAVANTS ET PHILOSOPHES

1° *Textes et documents :*

BACON (F.), *Novum organum* (1620), traduction Lorquet, Paris 1840, in-12°.

CARDAN (J.), *Ma vie*, trad. Dayre, Paris, 1935.

COPERNIC (N.), *De revolutionibus orbium Coelestium libri VI*, Nuremberg, 1543; et trad. Koyré : *Des révolutions des orbes célestes*, Paris, 1934.

CUSA (Nicolas de), *De la docte ignorance*, trad. Moulinier, Paris, 1930.

GALILÉE (*Les Méchaniques de*), traduites de l'italien par le P. M. M. (Père Marin Mersenne), Paris, 1634.

Les nouvelles pensees de Galilée, traduit d'italien en français par le père Mersenne, Paris, 1639.

MERSENNE (M.), *Correspondance du P. Marin Mersenne religieux minime*, publiée par Mme P. TANNERY et C. DE WAARD, tomes I et II, Paris, 1933, 1945; et les tomes suivants publiés par C. de WAARD, R. LENOBLE et B. ROCHOT.

PALISSY (B.), *Œuvres*, édition B. Fillon, Niort, 1888, 2 vol. in-8°.

PARÉ (A.), *Œuvres complètes*, publiées par J. F. Malgaigne, Pa.is, 1840-41, 3 vol. in-4°.

PORTA (J. B.), *Magia Naturalis*, Naples, 1589, in-fol.

RAMÉE (Pierre DE LA), *Dialectique*, Paris, 1555, in-4°.

2° *Études :*

BACHELARD (G.), *La formation de l'esprit scientifique*, Paris, 1938.

BUSSON (H.), *Les sources et le développement du rationalisme dans la littérature française de la Renaissance*, Paris, 1922.

FEBVRE (L.), *Le problème de l'incroyance...* (le chapitre sur les Sciences).

GUNDEL, *Dekane und Dekanesternbilder, ein Beitrag zur Geschichte der Sternbilder der Kulturvölker*, Hambourg, 1936.

HOOYKAAS (R.), *Humanisme, Science et Réforme*, Leyde, 1958.

KOYRÉ (A.) et collab., *La science au XVIe siècle, colloque de Royaumont*, coll. « Histoire de la pensée », Paris, 1960.

Léonard de Vinci et l'expérience scientifique au XVIe siècle, « Colloque du C. N. R. S. », Paris, 1953.

LENOBLE (R.), *Mersenne ou la naissance du mécanisme*, Paris, 1943.

PROWE (Léopold), *Nicolaus Coppernicus*, Berlin (Weidmann), 1883-1884, 3 vol. in-8°.

SCHMIDT (A. M.), *La poésie scientifique au XVIe siècle*, Paris, 1939.

TATON (R.), *Histoire générale des Sciences*, tome II : *la science moderne de 1450 à 1800*, Paris, 1958.

VII. LA VIE RELIGIEUSE

Il n'est pas de question qui ait suscité une « littérature » plus abondante que celle-ci : nous nous bornerons à indiquer ici quelques titres d'ouvrages utilisés par nous, pour la mise au point de notre chapitre, dans l'éclairage qui est le nôtre. Mais c'est là une bibliographie sélective, qui se contente de baliser les chemins déjà tracés.

1° *Textes et documents :*

CALVIN (J.), *Traité des Scandales*, in *Opera omnia*, Brunswick, 1900, tome VII.

CALVIN (J.) *Institution de la religion chrestienne*, texte de 1541, réimprimé par Jacques Pannier, Paris, 1939.
CHARRON (P.), *Trois livres de la Sagesse*, Bordeaux, 1601.
ÉRASME (D.), *Opus Epistolarum*, Édition Allen, Oxford, 1947, onze volumes; (une traduction française est en cours).
ÉRASME (D.), *Exomologesis, sive modus confitendi*, Bâle, 1524.
FAREL (G.), *L'ordre et manière qu'on tient en administrant les sainctz sacremens, assavoir le baptême et la cène de Nostre Seigneur*, Genève, 1538.
GARASSE (F.), *La Doctrine curieuse des beaux esprits de ce temps ou prétendus tels*, Paris, 1624.
GASSENDI (P.), *Opera omnia...*, Lyon, 1658.
LA MOTHE LE VAYER (F.), *Œuvres*, Paris, 1669.
MAROLLES (M. de), *Mémoires*, Paris, 1656.
MERSENNE (M.), *L'impiété des déistes, athées et libertins de ce temps*, Paris, 1624.
MONTAIGNE (M. DE), *Journal de voyage en Italie*, édition de 1774, Paris.
RABELAIS (F.), *Œuvres complètes*, publiées par Plattard, Paris, 1929.
RAEMOND (F. DE), *L'histoire de la naissance, progrès et décadence de l'hérésie de ce siècle*, Arras, 1611, in-8°.
THOMASSIN (R. P. L.), *Ancienne et nouvelle discipline de l'Église...*, Paris, 1679.

2° *Études :*

ADAM (A.), *Théophile de Viau et la libre pensée française en 1620*, Paris, 1936.
BATAILLON (M.), *Érasme et l'Espagne*, Paris, 1935.
BENICHOU (P.), *Morales du Grand Siècle*, Paris, 1948.
BERR (H.), *Du scepticisme de Gassendi* (trad. B. Rochot), Paris, 1960.
BLOCH (M.), *Les rois thaumaturges*, Strasbourg, 1924.
BREMOND (H.), *Histoire littéraire du sentiment religieux en France depuis la fin des guerres de religion...*, Paris, 1916-1936.
BUSSON (H.), *Les sources et le développement du rationalisme dans la littérature française de la Renaissance*, 1533-1601, Paris, 1922.
DESJARDINS, *Sentiments moraux au XVIe siècle*, Paris, 1887.
FEBVRE (L.), *Le problème de l'incroyance au XVIe siècle. La religion de Rabelais*, Paris, 1942 et 1968. (Cf sa bibliographie méthodique).
FEBVRE (L.), *Au cœur religieux du XVIe siècle* (recueil d'articles), Paris, 1958.
GOLDMANN (L.), *Le Dieu caché*, Paris, 1955.
HAUSER (H.), *Études sur la Réforme française*, Paris, 1909.
LE BRAS (G.), *Introduction à l'histoire de la pratique religieuse en France*, Paris, 1942.
LÉONARD (E. G.), *Le Protestant français*, Paris, 1953.
ORCIBAL (J.), *Les origines du jansénisme*, Paris, 1948.
PINTARD (R.), *Le libertinage érudit dans la première moitié du XVIIe siècle*, Paris, 1943, 2 vol.
ROMIER (L.), *Le royaume de Catherine de Médicis*, 2 vol., 1922.
SUAUDEAU (R.), *L'évêque, inspecteur administratif sous la monarchie absolue*, Paris 1940.
WEBER (M.), *Die protestantische Ethik und der Geist des Kapitalismus*, Leipzig, 1905, traduction française, Paris, 1964.

VIII. LES NOMADISMES

1° *Textes et documents :*

BODIN (J.), *Les six livres de la République*, Paris, 1583, in-8°.
ESTIENNE (Ch.), *La Guide des chemins de France*, Paris, 1552, in-8°, Édition Bonnerot (fac similé et commentaire), 1935.
MONTAIGNE, *Journal de voyage en Italie*, Paris, 1774.
MONTCHRESTIEN (A. DE), *Traicté de l'œconomie politique*, s. l. n. d. [1615].

2° *Études :*

ALLIX (A.), *Un pays de haute montagne. L'Oisans*, Grenoble et Paris, 1930.
BRAUDEL (F.), *La Méditerranée et le monde méditerranéen à l'époque de Philippe II*, Paris, 1949, passim, et notamment pp. 33-44, 126-131, 357-360, 643-660.

IX. LES MONDES IMAGINAIRES

1° *Documents :*

Donner une bibliographie des récits de voyages et des relations des Missionnaires n'aurait pas de sens : c'est le succès de librairie de ces ouvrages qui nous importe ici, non leur recensement, qui a été fourni au demeurant dans les ouvrages cités ci-dessous de F. DE DAINVILLE et de L. DESCHAMPS.

2° *Études :*

COHEN (G.), *Recueil de farces françaises inédites du XVe siècle*, Cambridge, 1949.
DAINVILLE (F. DE), *La géographie des humanistes*, Paris, 1940.
DESCHAMPS (L.), *Histoire de la question coloniale en France*, Paris, 1891.
LEBÈGUE (R.), *Les ballets des Jésuites*, Paris, 1936.
LEBÈGUE (R.), *La tragédie religieuse en France. Les débuts (1154-1573)*. Rennes, Paris, 1929.
Musique et poésie au XVIe siècle, « Colloque du C. N. R. S. », Paris, 1954.

X. LA MAGIE SATANIQUE ET LA MORT

1° *Textes et documents.*

Il n'est pas question de donner ici une bibliographie de la littérature démoniaque de l'époque : il y faudrait des pages. Par contre, la Mort, sans parler du suicide, fournissent quelques rares ouvrages, après la vogue des Arts de mourir au XVe siècle :
CLICHTOVE (Jossé), *Doctrina moriendi*, Paris, 1520, est un des derniers; cf. aussi :
La prognostication du Ciècle advenir contenant troys petits traictez. Le premier détermine comment la mort entra premièrement au monde. Le second parle des âmes des trépassez. Et de la différence des paradis. Le tiers de la dernière tribulation. Et de la résurrection des corps, Lyon, 1537 (BN., Rés. D, 80054).

Pour la magie, bornons-nous à citer les « classiques » :
BODIN (J.), *La démonomanie des sorciers*, Paris, 1580.

BOGUET (H.), *Discours exécrables des sorciers, ensemble leurs procez, faits depuis deux ans en ça*, Lyon, 1603.
CRESPET (P.), *Deux livres de la hayne de Sathan et malins esprits contre l'homme et de l'homme contre eux*, Paris, 1590.
DANEAU (L.), *Deux traitéz nouveaux très utiles... Le premier touchant les sorciers... Le second contient une brève remontrance sur les jeux de cartes et de dez*, Gien, 1579.
DEL RIO (M.), *Les controverses et recherches magiques de M. Del Rio*, Paris, 1611.
LANCRE (P. DE), *Tableau de l'inconstance des Mauvais Anges et Démons, où il est amplement traicté des sorciers et de la Sorcelerie*, Paris, 1612,
LOYER (P. LE), *Quatre livres des spectres ou apparitions et visions d'Es-. prits, Anges et Démons*, Angers, 1586.
NODÉ (P.), *Déclaration contre l'erreur exécrable des maléfices, sorciers...*, Paris, 1578.
NYNAULD (J. DE), *De la lycanthropie, transformation et extase de sorciers*, Paris, 1615.
REMY (N.), *Demonolatriae libri tres*, Lyon, 1595.
SPRENGER (J.), *Malleus maleficarum. De Lamiis et Strigibus et Sagis*, Francfort, 1582, et Lyon, 1604.
TAILLEPIED (F. N.), *Traité de l'apparition des esprits...*, Rouen, 1600.
VAIR (L.), *Les trois livres des charmes, sorcelages ou enchantemens...*, Paris, 1583.

2° *Études :*

Les études actuellement publiées sur ces deux problèmes ne sont pas nombreuses et ne se placent pas dans la perspective qui est la nôtre; pour la sorcellerie, citons :

BAVOUX (F.), *La sorcellerie au pays de Quingey*, Besançon, 1947.
BAVOUX (F.), *Hantises et diableries dans la terre abbatiale de Luxeuil*, Paris, 1956.
DELCAMBRE (E.), *Le concept de la sorcellerie dans le duché de Lorraine au XVIe et au XVIIe siècles*, Nancy, 3 vol., 1948.
DELCAMBRE (E.) et LHERMITTE (I.), *Un cas énigmatique de possession diabolique en Lorraine au XVIIe siècle : Élisabeth de Ranfaing, l'énergumène de Nancy*, Nancy, 1957.
MANDROU (R.), *Magistrats et sorciers en France au XVIIe siècle*, Paris, 1968.
PFISTER (Ch.), *L'énergumène de Nancy : Élisabeth de Ranfaing et le Couvent du Refuge*, Nancy, 1901.
PFISTER (Ch.), *Nicolas Rémy et la sorcellerie en Lorraine à la fin du XVIe siècle*. Revue historique, 1907.
WAGNER (R. L.), *Sorcier et Magicien*, Paris, 1939.

Pour la mort :

BREMOND (H.), *Histoire littéraire du sentiment religieux en France...*, tome IX. *La vie chrétienne sous l'ancien régime*, Paris, 1936.
HALBWACHS (M.), *Les causes du suicide*, Paris, 1931. Cf. le compte rendu de Marc Bloch in Annales d'histoire économique et sociale, 1931, p. 590.
TENENTI (A.), *Il senso della morte e l'amore della vita nel Rinascimento*, Turin, 1957.

Index

F

G

H

I

N

O

P

Q

R

Table des cartes

Table des matières

DEUXIÈME PARTIE

LES MILIEUX SOCIAUX

A. SOLIDARITÉS FONDAMENTALES

B. SOLIDARITÉS MENACÉES ET TEMPORAIRES

TROISIÈME PARTIE

LES TYPES D'ACTIVITÉS HUMAINES

A. ACTIVITÉS PROSAÏQUES

B. DÉPASSEMENTS

C. ÉVASIONS

COUVERTURE

Illustration d'après documents *Roger-Violet*, Paris, et *Atelier Pierre Faucheux*.

« *L'Évolution de l'Humanité* »

au format de poche

★

Le Langage. Introduction linguistique à l'histoire (III), par Joseph VENDRYES. N° 6

La Terre et l'évolution humaine. Introduction géographique à l'histoire (IV), par Lucien FEBVRE. N° 23

Le Génie grec dans la religion (XI), par Louis GERNET et André BOULANGER. N° 22

La Pensée grecque et les origines de l'esprit scientifique (XIII), par Léon ROBIN. N° 35

La Cité grecque. Le développement des institutions (XIV), par Gustave GLOTZ. N° 1

L'Impérialisme macédonien et l'hellénisation de l'Orient (XV), par Pierre JOUGUET. N° 34

Le Génie romain dans la religion, la pensée et l'art (XVII), par Albert GRENIER. N° 14

Les Institutions politiques romaines. De la Cité à l'État (XVIII), par Léon HOMO. N° 24

Rome impériale et l'urbanisme dans l'Antiquité (XVIII *bis*), par Léon HOMO. N° 33

La Civilisation chinoise. La vie publique et la vie privée (XXV), par Marcel GRANET. N° 2

La Pensée chinoise (XXV *bis*), par Marcel GRANET. N° 3

Israël. Des origines au milieu du VIIIe siècle avant notre ère, (XXVII), par Adolphe LODS. N° 16

Des prophètes à Jésus. Les prophètes d'Israël et les débuts du judaïsme (XXVIII), par Adolphe LODS. N° 17

Des prophètes à Jésus. Le monde juif vers le temps de Jésus (XXVIII *bis*), par Charles GUIGNEBERT. N° 18

Jésus (XXIX), par Charles GUIGNEBERT. N° 12

Le Christ (XXIX *bis*), par Charles GUIGNEBERT. N° 15

La Fin du monde antique et le début du moyen âge (XXXI), par Ferdinand LOT. N° 5

Le Monde byzantin. Vie et mort de Byzance (XXXII), par Louis BRÉHIER. N° 13

Le Monde byzantin. Les Institutions de l'Empire byzantin (XXXII *bis*), par Louis BRÉHIER. N° 20

« *L'Évolution de l'Humanité* »

Le Monde byzantin. La Civilisation byzantine (XXXII *ter*), par Louis BRÉHIER. N° 21

Charlemagne et l'empire carolingien (XXXIII), par Louis HALPHEN. N° 7

La Société féodale. La formation des liens de dépendance. Les classes et le gouvernement des hommes (XXXIV), par Marc BLOCH. N° 8

Mahomet (XXXVI), par Maurice GAUDEFROY-DEMOMBYNES. N° 11

La Monarchie féodale en France et en Angleterre (Xe-XIIIe siècle) (XLI), par Charles PETIT-DUTAILLIS. N° 29

Les Origines de l'économie occidentale (IVe-XIe siècle) (XLIII), par Robert LATOUCHE. N° 26

Les Communes françaises. Caractères et évolution des origines au XVIIIe siècle (XLIV), par Charles PETIT-DUTAILLIS. N° 25

La Philosophie du moyen âge (XLV), par Émile BRÉHIER. N° 28

L'Apparition du livre (XLIX), par Lucien FEBVRE et H. J. MARTIN. N° 30

Introduction à la France moderne (1500-1640) (LII), par Robert MANDROU N° 36

Le Problème de l'incroyance au XVIe siècle. La religion de Rabelais (LIII), par Lucien FEBVRE. N° 9

L'Europe française au siècle des Lumières (LXX), par Louis RÉAU. N° 31

L'Europe et le Monde à la fin du XVIIIe siècle (LXXI), par Michel DEVÈZE. N° 27

L'Ère romantique. Le romantisme dans la littérature européenne (LXXVI), par Paul van TIEGHEM. N° 19

Les Classes bourgeoises et l'avènement de la démocratie (1815-1914) (XC), par Félix PONTEIL. N° 4

Les Bourgeois et la démocratie sociale (1914-1968) (XC *bis*), par FÉLIX PONTEIL. N° 32

Histoire de l'idée de Nature (Série complémentaire), par Robert LENOBLE. N° 10

Note. — Les numéros en chiffres romains qui suivent les titres indiquent la place de chaque ouvrage dans la collection « L'Évolution de l'Humanité », les numéros en chiffres arabes donnent l'ordre de publication dans la nouvelle édition au format de poche.

ACHEVÉ D'IMPRIMER LE
3 DÉCEMBRE 1973 SUR LES
PRESSES DE L'IMPRIMERIE
BUSSIÈRE, SAINT-AMAND (CHER)

— N° d'édit. 5118. — N° d'imp. 561. —
Dépôt légal : 1er trimestre 1974.

Imprimé en France